LES AILES DE L'ENCHANTEUR

MERLIN

LES AILES DE L'ENCHANTEUR

∞ T. A. BARRON ∞

Traduit de l'anglais
par Agnès Piganiol

ADA
éditions

Copyright © 2000 Thomas A. Barron
Titre original anglais : Merlin: A Wizard's Wings
Copyright © 2014 Éditions AdA Inc. pour la traduction française
Cette publication est publiée en accord avec Penguin Group, New York, NY

Éditeur : François Doucet
Traduction : Agnès Piganiol
Révision linguistique : Katherine Lacombe
Correction d'épreuves : Nancy Coulombe
Conception de la couverture : Matthieu Fortin
Photo de la couverture : © 2011 Larry Rostant
Conception de la carte : © 2000 Ian Schoenherr
Mise en pages : Sébastien Michaud
ISBN papier 978-2-89752-016-8
ISBN PDF numérique 978-2-89752-017-5
ISBN ePub 978-2-89752-018-2
Première impression : 2014
Dépôt légal : 2014
Bibliothèque et Archives nationales du Québec
Bibliothèque Nationale du Canada

Éditions AdA Inc.
1385, boul. Lionel-Boulet
Varennes, Québec, Canada, J3X 1P7
Téléphone : 450-929-0296
Télécopieur : 450-929-0220
www.ada-inc.com
info@ada-inc.com

Diffusion
Canada :   Éditions AdA Inc.
France :   D.G. Diffusion
                Z.I. des Bogues
                31750 Escalquens — France
                Téléphone : 05.61.00.09.99
Suisse :   Transat — 23.42.77.40
Belgique :   D.G. Diffusion — 05.61.00.09.99

Imprimé au Canada

Participation de la SODEC. SODEC

Nous reconnaissons l'aide financière du gouvernement du Canada par l'entremise du Fonds du livre du Canada
(FLC) pour nos activités d'édition.
Gouvernement du Québec — Programme de crédit d'impôt pour l'édition de livres — Gestion SODEC.

**Catalogage avant publication de Bibliothèque et Archives nationales du Québec et Bibliothèque et Archives
Canada**

Barron, T. A.

    [Wings of Merlin. Français]
    Les ailes de l'enchanteur
    (Merlin; tome 5)
    Traduction de : The Wings of Merlin.
    Pour les jeunes de 10 ans et plus.
    ISBN 978-2-89752-016-8

1. Merlin (Personnage légendaire) - Romans, nouvelles, etc. pour la jeunesse. I. Piganiol, Agnès. II. Titre. III.
Titre : Wings of Merlin. Français. IV. Collection : Barron, T. A. Merlin; tome 5.

PZ23.B3748Ai 2014   j813'.54   C2014-941147-2

*Ce livre est dédié à l'insaisissable enchanteur
lui-même… et à tous ceux qui se sont réunis pour
l'entendre révéler, enfin, les secrets
de ses années oubliées.*

∽

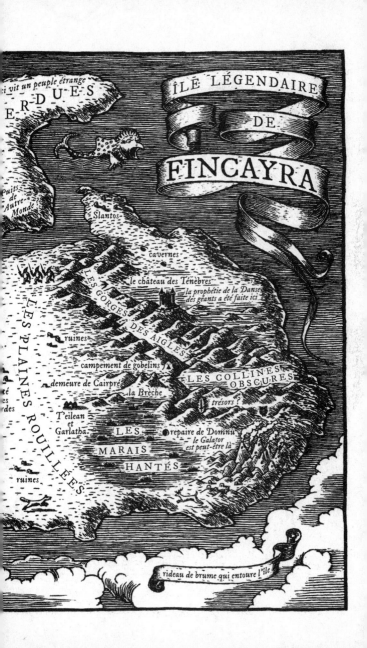

L'ÎLE OUBLIÉE

trésors

les gens de la mer
demeurent ici

L'Île oubliée

« Aussi restera-t-elle...
maudite et condamnée. »

Prenez
garde à la
barrière de sortilèges

Vers LE CERCLE
DE PIERRES

Île de FINCAYRA

Telle qu'elle était juste avant
la nuit la plus longue de l'hiver

TABLE DES MATIÈRES

TROISIÈME PARTIE

NOTE DE L'AUTEUR

Il y a une dizaine d'années, j'ai fait un rêve pénétrant et mystérieux dans lequel un garçon à demi noyé s'était échoué sur une côte sauvage. Il n'avait aucun souvenir de son enfance, ni même de son nom. Et il n'avait certainement pas la moindre idée de la glorieuse destinée qui l'attendait.

Moi non plus, en vérité. Car je ne savais pas encore que ce rescapé solitaire était en réalité l'enchanteur Merlin. Rien en lui ne permettait d'imaginer qu'il s'agissait du futur mentor du roi Arthur, du mage de Camelot et du plus grand enchanteur de tous les temps. Cette découverte serait la première des nombreuses surprises que me réservait Merlin.

La première seulement. Car, comme le savent déjà ceux qui ont lu les quatre précédents volumes de cette épopée, notre héros a l'art de surprendre. Le biographe que je suis a d'abord découvert avec stupéfaction la véritable nature de sa vision, sa famille et son héritage. Puis Merlin nous a fait pénétrer dans la mystérieuse île de Fincayra, connue seulement des anciens poètes celtes, et qui était pour eux une île ensevelie sous les flots, un pont entre la Terre mortelle et l'Autre Monde immortel.

Fincayra est devenue son pays. Les êtres qu'il aime le plus y habitent : Rhia, Shim, Elen, Cairpré et Hallia, la fille-cerf qui lui a appris à courir comme un cerf, à écouter pas seulement avec ses oreilles, mais du fond de son cœur. Fléau, le courageux faucon, ainsi que Dagda et Rhita Gawr, les seigneurs des esprits, n'y sont peut-être pas physiquement présents, mais ils n'en sont jamais très loin.

La mère de Merlin, avec un œil de druide, compare cette île mythique au rideau de brume qui entoure ses côtes. C'est, dit-elle, *un lieu intermédiaire*. Comme la brume, qui n'est ni tout à fait de l'eau, ni tout à fait de l'air, mais un peu des deux, Fincayra est à la fois mortelle et immortelle, sombre et claire, fragile et éternelle. Dans ce livre, qui conclut l'épopée des années oubliées de Merlin, il découvrira à quel point elle est fragile.

Il découvrira également de nouveaux aspects de son esprit, eux aussi intermédiaires, car l'enchanteur qu'il est appelé à devenir n'est ni vraiment homme, ni vraiment dieu ; il est à la fois ombre et lumière. Devenu conseiller d'Arthur, sa grande sagesse viendra de son humanité, de la connaissance qu'il a de nos faiblesses et de nos capacités. Ses immenses pouvoirs viendront de ces lieux indéfinissables où se rejoignent la nature et la culture, la masculinité et la féminité, la conscience et les rêves.

Selon moi, ce sont essentiellement ces qualités qui donnent sa profondeur au personnage. Qui plus est, elles en font un guide parfait pour un jeune roi idéaliste rêvant d'une société juste. Même si ce rêve ne devait pas se réaliser dans son royaume, sa vision s'ancrerait fermement dans les cœurs — à tel point que l'élève de Merlin resterait pour la postérité *le* roi passé et futur. Il n'est donc pas étonnant que dans des récits vieux de quinze siècles, Merlin soit considéré depuis longtemps comme un médiateur, un unificateur, un enchanteur de nombreux mondes et de nombreuses époques.

Le même Merlin qui prodigue un conseil à un grand souverain peut tout aussi bien, un moment après, demander l'avis d'un vagabond ou d'un vieux loup aux yeux verts errant dans la montagne. Le même Merlin qui pousse ses compagnons à chercher le Graal, avec son riche symbolisme chrétien, parle souvent en maître druide avec les esprits des rivières et des arbres. Le même Merlin qui, dans les légendes, a été engendré par un démon, l'a été aussi par une demi-sainte. Le plus surprenant, c'est que ce Merlin-là, qui a inspiré tant de récits depuis des centaines d'années, soit toujours aussi présent dans nos vies aujourd'hui, à l'aube du XXIe siècle.

Ce garçon à demi noyé, rejeté par la mer dans la première scène des *Années perdues*, ne pouvait pas prévoir son étonnante destinée. Voici ce que se dit le vieil enchanteur en songeant à ce fameux jour :

Si je ferme les yeux et respire au rythme de la mer, le souvenir de ce jour lointain me revient. Un jour rude, froid, et sans vie, aussi vide de promesses que mes poumons le sont d'air.

[...] Si je m'en souviens si clairement, c'est peut-être parce que la douleur est toujours là, telle une cicatrice sur mon âme. Ou parce qu'il a marqué la fin de tant de choses... et, en même temps, le commencement de mes années perdues.

À la longue, j'ai fini par comprendre ce qu'il y avait de plus surprenant chez Merlin : celui qui s'est échoué sur le rivage en ce jour fatidique était plus qu'un garçon, plus même qu'un personnage mythique. C'était une métaphore.

Peut-être que, comme lui, nous possédons tous des dons cachés. Des dons que personne ne voit, pas même nous, et qui pourtant sont là, attendant d'être découverts. Et qui sait ? Peut-être possédons-nous un peu de la magie qui suffirait à faire de chacun de nous un enchanteur.

Tout comme pour les précédents livres, je remercie chaleureusement ma femme, Currie, et mon éditrice, Patricia Lee Gauch. Tous ceux que j'ai remerciés auparavant, notamment Jennifer Herron et chacun de mes enfants, je les remercie à nouveau. Mais ma reconnaissance va en tout premier lieu à la source principale de mon inspiration, c'est-à-dire à Merlin lui-même.

T. A. B.

--- ⤳ ---

Ay, wingëd as the summer wind,
I left the haunts of men behind:
By waters dire, through forests dark,
Under the white moon's silver arc;
O'er hill, down valley, far away.
Toward the sunset gathering gray,
I, Merlin, fled.

Oui, déployant mes ailes comme le vent d'été,
J'ai quitté à jamais les retraites des hommes :
Survolant sombres lacs et forêts ténébreuses,
Sous l'arceau argenté de la blancheur lunaire;
Laissant derrière moi collines et vallées,
Vers la masse des ombres qui montent du
        couchant,
Moi, Merlin, je me suis enfui.

--- ⤳ ---

Extrait de *Merlin et la Mort blanche*,
ballade de Robert Williams Buchanan, 1864.

PROLOGUE

Ailes, ramenez-moi là-bas! Combien de fois ai-je rêvé, au cours des siècles écoulés depuis ce jour, de retourner dans cet endroit, de remonter le temps et de refaire le choix qui a tout changé.

Mais un tel désir est vain. Une idée perdue peut renaître, tandis qu'un jour perdu l'est à jamais. Et même si je pouvais retourner en arrière, ferais-je un choix différent? Sans doute que non. Cependant, comment en être certain? Je sais si peu de choses après toutes ces années...

J'ai quand même acquis une certitude, un cadeau offert par ce jour si lointain : les ailes ne sont pas juste des membres recouverts de plumes, elles tiennent à la fois du mystère et du miracle. Car ce qui permet au corps de s'élever peut aussi donner son essor à l'âme.

ssis, les pieds nus dans l'eau, le garçon était seul.

Malgré ses boucles dorées qui lui donnaient un air joyeux, ses yeux, aussi bruns que le petit lac boueux devant lui, paraissaient étrangement tristes. Il était pourtant habitué à être seul, ayant presque toujours vécu ainsi durant les huit ou neuf années de sa jeune existence. Même lorsque des inconnus l'invitaient à leur table, lui offraient une paillasse pour la nuit ou partageaient leurs jeux avec lui, sa seule vraie compagne était la solitude.

Sa vie était simple, comme son nom, Lleu. D'où lui venait ce nom ? Étaient-ce ses parents qui le lui avaient donné avant de mourir, ou quelqu'un qu'il avait rencontré au cours de ses voyages ? Il l'ignorait. D'ailleurs, peu lui importait. Son nom était juste un mot. Un son. Rien de plus.

Il cueillit un roseau, le saisit entre ses doigts comme si c'était une petite lance, et visa une feuille morte qui flottait sur l'eau. Touchée, la feuille coula, provoquant de minuscules ondulations à la surface du lac. Tandis que l'eau lui léchait les orteils, le garçon esquissa un sourire.

Puis, voyant que son javelot improvisé avait délogé un petit scarabée bleu, il se pencha pour l'observer. L'insecte se débattait dans l'eau, essayant sans succès d'agiter ses ailes trempées. Il était sur le point de se noyer. Le garçon allongea la jambe, attrapa le scarabée sur son orteil et le ramena sur le rivage.

— Voilà, mon ami, dit-il en prenant la petite bête dans sa main, soufflant doucement sur ses ailes. Un peu de soleil, et tu voleras de nouveau.

Presque aussitôt, le scarabée frémit et s'éleva dans les airs, voletant de-ci, de-là. Puis il revint vers son sauveur, atterrit avec un léger *plop* au sommet de son oreille et se mit à escalader une boucle de ses cheveux.

— Tu m'aimes bien, pas vrai ? dit le garçon en riant.

Et il se remit à observer le lac. C'était l'un de ses endroits favoris pour passer la nuit quand ses pérégrinations l'amenaient dans cette région de Fincayra. Même maintenant, alors que les jours raccourcissaient et que de nombreux cours d'eau étaient pris par la glace, l'eau ici continuait à couler et murmurer librement. Plus d'une fois il avait attrapé un faisan ou cueilli des mûres le long de la rive pour son dîner. C'était un lieu tranquille, loin des routes et des fripons qu'il y rencontrait parfois — des rencontres brèves, d'ailleurs, car il courait plus vite qu'eux et les distançait sans peine.

Lleu était capable de courir toute une journée sans s'arrêter, si besoin. Sortant un pied de l'eau, il examina ses cals, aussi épais et rêches que le cuir d'une vieille botte, mais mieux que des semelles, car inusables. Il leur fallait seulement un lac comme celui-ci pour y tremper après une longue journée de marche.

Le visage du jeune garçon se crispa. Au-dessus des arbres dénudés, de l'autre côté du lac, d'épais nuages gris glissaient dans le ciel d'hiver. Il songea à la paire de bottes ou de sandales qu'il lui faudrait bientôt pour affronter le froid et les longues traversées dans la neige à la recherche de nourriture.

Le fait d'être orphelin n'était pas sans avantages. Il était libre d'aller et de dormir où bon lui semblait. Le ciel était son plafond, souvent peint de couleurs vives. Ses repas étaient irréguliers, mais il trouvait généralement de quoi manger. Il avait peu d'attentes, mais elles étaient souvent comblées. Et pourtant, quelque chose lui manquait. Replongeant le pied dans l'eau froide et sombre du lac, où se reflétaient les feuilles rouges des ronciers, il pensa à un autre endroit, une autre époque, très lointaine mais impossible à oublier.

Il y avait une femme, mais il ne se souvenait ni de son nom, ni de son visage. La couleur de ses yeux, la forme de sa bouche, la longueur de ses cheveux demeuraient enfouies dans des profondeurs inaccessibles à ses rêves. Il ne connaissait pas son nom ni le son de sa voix. Il n'était même pas certain que ce fût sa mère.

Il se souvenait pourtant de son parfum, un parfum de terre, de feuilles mortes, acidulé comme l'églantine en été ou la reine-des-prés.

Elle l'avait tenu dans ses bras, il en était sûr; elle lui avait même chanté des chansons. Oui, il en était certain — surtout quand, assis près d'un lac comme celui-ci, il entendait les gazouillements d'un merle et le vent dans les roseaux. Quelle sorte de chansons, quels airs, il ne pouvait le dire. Pourtant, il savait qu'elle l'avait tenu serré contre elle, contre sa peau parfumée, en chantant doucement.

Il frissonna. L'air s'était soudain rafraîchi. Le soleil était moins chaud en cette période de l'année, et le vent, plus vif. Une fine bordure de glace s'était déjà formée de l'autre côté du lac. Les nuits les plus longues de l'année approchaient.

Mais il avait survécu à d'autres hivers, au moins cinq ou six, et il survivrait à celui-ci aussi. Demain, il irait vers le sud, plus près de la côte. Là-bas, les prairies échappaient généralement au gel, et la neige, quand il en tombait, tenait rarement plus d'un ou deux jours. Tant qu'il ne s'aventurait pas trop près de la mer, de ce rivage où la brume sombre et tourbillonnante dessinait des formes bizarres et des visages effrayants, il n'avait rien à craindre.

Une bonne flambée, voilà ce dont il avait besoin, maintenant. Il mit la main dans sa poche et serra les copeaux d'écorce sèche et les deux pierres qui lui servaient à allumer le feu. Il se réchaufferait, chaufferait en même temps le morceau de bœuf séché qu'un homme lui avait gentiment donné ce matin-là, et il s'installerait pour la nuit.

Lleu se leva et parcourut la rive du regard à la recherche de bois. Il savait exactement de quoi il avait besoin : des branches de la taille de son petit doigt, un ou deux autres paquets de branches un peu plus grosses, et au moins une de l'épaisseur de sa jambe. Le petit bois sec était plus difficile à trouver, surtout à cette saison, raison pour laquelle il avait toujours des copeaux d'écorce dans sa poche. Sinon, il risquait d'avoir à utiliser une bande de tissu de sa tunique ; et brûler sa tunique, c'était brûler sa couverture.

Derrière les ronciers, il aperçut une grosse branche d'aubépine arrachée par le vent. Il courut la ramasser, mais elle était plus lourde qu'il ne l'imaginait. Trop pour la porter ou même la traîner. Il essaya néanmoins de tirer dessus de toutes ses forces. En vain.

— Bon, puisque que c'est comme ça, marmonna-t-il, j'vais juste prendre c'qu'il me faut pour le feu.

Le pied appuyé sur une partie de la branche qui était fendue, il l'attrapa par une extrémité et tira. La branche bougea un peu, craqua légèrement, mais sans se briser. Il recommença, sans plus de succès.

— Tu vas t'casser, oui ou non ?

Alors que le garçon se préparait à tenter un nouvel essai, une lame fendit l'air brusquement et coupa la branche d'un coup, comme s'il s'agissait d'une simple brindille. Un tronçon juste de la bonne taille roula sur le sol boueux.

À la fois ravi et surpris, le garçon se retourna. Mais les mots de remerciement lui restèrent en travers de la gorge. Devant lui se tenait le guerrier le plus effrayant qu'il eût jamais vu : un véritable hercule, portant, en guise de masque, un crâne muni de cornes. Derrière le masque, ses yeux lançaient des éclairs. Pire encore, l'homme portait deux énormes épées attachées à ses bras.

Étrange, se dit le garçon. *Ces épées…*

Tout à coup, il s'aperçut qu'elles n'étaient pas fixées à ses bras, mais qu'elles *étaient* ses bras.

L'homme masqué le regarda. D'une voix caverneuse, il ordonna :

— Dis-moi ton nom.

— Lleu… m'sieur, gémit l'enfant terrorisé. En tout cas, c'est comme ça qu'on m'appelle.

— Tu n'as pas de maison ?

— N-non, m'sieur.

— Pas de parents ?

— N-non, m'sieur.

— Dans ce cas, petit morveux, lança le guerrier, levant ses bras en forme d'épées, tu seras ma première victime.

 PREMIÈRE PARTIE

ᴅᴇꜱ ꜰɪʟꜱ

Ce n'était pas une petite promenade familière sur un sentier boisé. Non, c'était quelque chose de bien différent : plutôt une sorte de vol.

Des fils de lumière se faufilaient à travers la trame des branches, faisant étinceler le sol de la forêt. Sur l'épais tapis de feuilles qui s'entassaient là depuis des siècles, j'avais l'impression de rebondir un peu plus à chaque pas. Il me semblait même que j'aurais pu sauter jusque dans les arbres, ou voler comme les papillons dorés parmi les branches. J'avais pris ce chemin de nombreuses fois déjà, mais il ne m'avait jamais paru à la fois si lumineux et si sombre, si évident et si mystérieux.

Hallia marchait au même rythme que moi en me tenant la main, la grâce d'une biche en plus. Chaque mouvement de son pied, chaque balancement de son bras lui faisait éprouver le simple plaisir de se mouvoir. En vérité, elle était le mouvement même, aussi fluide que la feuille qui tombe en tourbillonnant, aussi légère que le vent de la forêt caressant ses cheveux auburn.

J'ai souri au souvenir des nombreuses marches que nous avions faites ensemble les derniers mois. Au début, lorsqu'elle m'avait invitée à vivre parmi les siens et à découvrir leurs coutumes, plusieurs anciens de son clan s'y étaient opposés. Cela avait donné lieu à de longs conseils et de vifs débats. Après tout, je ne faisais pas partie du clan des Mellwyn-bri-Meath. Et pire, j'étais un homme. Comment auraient-ils pu me confier leurs secrets les plus précieux quand mes congénères avaient si souvent chassé et tué les leurs, simplement pour manger du gibier ?

Finalement, Hallia avait obtenu leur accord. Certes, je lui avais sauvé la vie plusieurs fois, et j'avais rendu de nombreux services à Fincayra. Mais ce ne sont pas ces raisons-là qui avaient été déterminantes. Non, c'était quelque chose de bien plus simple, de bien plus puissant : l'amour qu'Hallia avait pour moi. Face à cela, même les plus sceptiques du clan avaient fini par céder. Depuis, j'avais appris à boire dans le ruisseau sans troubler son cours, à sentir le sol comme s'il faisait partie de mon corps et à développer une ouïe aussi fine que l'air.

Au cours de nos promenades, Hallia m'avait emmené à travers des prairies où étaient dissimulés de vieux sentiers, à travers des étendues de cette herbe de mer qui servait à fabriquer des paniers et des vêtements, et à travers des clairières secrètes où étaient nés de nombreux enfants-cerfs. Nous avancions tantôt sur deux jambes, comme maintenant, tantôt sur quatre pattes, côte à côte, moi en cerf, elle en biche, et nous volions alors plus que nous ne marchions.

Mais aujourd'hui, sur ce sentier, je me sentais plus proche d'elle que jamais. Ce soir, lorsque nous aurions atteint l'autre côté de la forêt, je lui montrerais à mon tour un de mes secrets : la pierre d'où j'observais les étoiles. Et je lui donnerais le cadeau que je gardais pour elle dans ma sacoche.

Apercevant un ruisseau devant nous, j'ai levé mon bâton pour éviter qu'il ne se prenne dans les groseilliers, puis, en parfaite harmonie, nous avons bondi au-dessus de l'eau étincelante et atterri en douceur sur l'autre rive.

J'ai regardé autour de moi, ébloui par la vivacité des couleurs. Ma seconde vue était devenue plus perçante, plus juste que celle de mes yeux autrefois. Même les motifs gravés sur mon bâton étaient transfigurés par la magie environnante. La rosée brillait sur les troncs lavés par la pluie ; le sol de la forêt, orange, rouge et marron, flamboyait. Au-dessus de nos têtes, deux écureuils, les

yeux presque aussi grands que leurs joues gon-
flées, couraient sur une branche en jacassant.
L'écorce lisse des hêtres reflétait le soleil comme
des miroirs, et les feuilles des tilleuls tremblaient
comme l'eau des ruisseaux. Des touffes de mousse
vert foncé et mouchetée de rouge se nichaient au
creux des racines de chênes et de pins, souvent
accompagnées de processions de champignons
jaunes.

Des odeurs de résine flottaient partout autour
de nous, exhalées par les aiguilles de sapin, par
l'eau de pluie au creux des feuilles palmées, aussi
odorante que les flaques des marécages, et par des
branches mortes gisant sur le sol. J'ai senti, tout
près, l'odeur de la tanière d'un renard, qui lui-
même devait savoir que nous approchions.

Au son du cours d'eau derrière nous se mêlait
le murmure du vent dans les branches. J'entendais
toujours les voix de la forêt : le soupir grave du
chêne, le crépitement du frêne, le bruissement
rythmé du pin et, surtout, le souffle unifié de la
forêt vivante.

Un endroit merveilleux. C'est ainsi que ma mère
qualifiait Fincayra, et jamais ces mots ne
m'avaient paru si appropriés qu'aujourd'hui, particulièrement ici, au cœur de la Druma. Les vents
de l'hiver, qui avaient déjà apporté la neige et le
gel dans une grande partie de l'île, ne semblaient

pas pouvoir pénétrer jusqu'ici. Alors que beaucoup d'animaux s'étaient déjà réfugiés dans leurs terriers, et que bien des arbres avaient roussi, la Druma palpitait de vie.

Et ce n'est pas tout ce qui distinguait cette forêt du reste de l'île. Une grande partie de Fincayra souffrait toujours des longues années de soupçon, de haine même, qui divisaient ses nombreuses espèces et les isolaient les unes des autres — notamment des hommes. Mais pas ici. Même durant la Rouille de Stangmar, cet endroit connaissait la paix alors que, partout ailleurs, tous craignaient de se montrer au grand jour. Ici, le bonheur des uns faisait celui des autres; et la perte d'un être endeuillait tout le monde. Tous formaient une véritable communauté.

Hallia a serré ma main en me faisant signe de m'arrêter. Un oiseau extraordinaire était perché sur une branche juste au-dessus de nous. La crête pourpre, les plumes de la queue rouge écarlate : aucun doute, c'était un alleah! La tête penchée, il nous a observés en silence, puis, dans un chatoiement fulgurant, il s'est envolé et a disparu dans la forêt.

— L'alleah à longue queue, a murmuré Hallia. Un signe de chance.

Au même instant, j'ai reçu un grand coup dans le dos qui m'a projeté dans un massif de fougères, où j'ai heurté un rocher. Tout étourdi, je suis sorti de là en rampant et, péniblement, j'ai récupéré ma sacoche qui s'était enroulée autour de mon cou, puis mon bâton. Je commençais à me redresser, quand j'ai entendu le rire de ma sœur.

— Salut, mon frère ! Tu resteras toujours mon endroit préféré pour atterrir.

— C'est ce que je vois, ai-je grogné. Mais, au nom du ciel, tu ne pourrais pas le faire plus doucement ?

Elle m'a tendu la main pour m'aider à me relever.

— Tu risquerais de ne pas me remarquer... occupé comme tu l'es par tes affaires de cœur, a-t-elle ajouté en lançant un clin d'œil à Hallia.

— Rhia ! a protesté mon amie, devenue aussi rouge que les feuilles du géranium sauvage qui se trouvait à ses pieds.

— *Haka-haka-tikky-tichhh.*

Sortant d'une poche sur la manche de Rhia, venait d'apparaître une petite bête à fourrure avec de longues oreilles qui exhibait trois dents aussi vertes que ses yeux, et qui semblait se tordre de rire.

— *Haka-haka-tichhh*, a caqueté à nouveau l'animal. Pauvre p'tit homme amoureux ! s'est-il écrié d'un ton moqueur. Il a perdu la tête. Et l'équilibre, en plus ! *Haaa-ha-haka-tch.*

Il parlait si rapidement et d'un voix si aigu que j'avais de la difficulté à le comprendre. Je lui ai jeté un regard noir et l'ai averti :

— Tais-toi, oreilles molles ! Ou je te...

Hallia s'est approchée et a posé un doigt sur mes lèvres.

— Chut ! C'est un scullyrumpus. Et, comme tous les scullyrumpus, c'est un incorrigible farceur. Il n'y peut rien, jeune faucon.

En l'entendant prononcer mon nom, je me suis détendu. Ses grands yeux bruns m'ont fait oublier ma colère. Je ne pensais plus qu'à elle, la femme que j'aimais. Juste au moment où je me penchais pour l'embrasser, l'animal aux grandes oreilles m'a interrompu.

— P'tit baiser, p'tit baiser ! Assez causé, gros balourd. Juste des p'tits baisers ! *Haka-haka-hakakakak.*

Agacé, je m'en suis pris à Rhia.

— Pourquoi traînes-tu toujours cet avorton de malheur avec toi ?

Avec un regard amusé, elle a gratté le cou du petit animal.

— Scully ? Oh, nous avons beaucoup de choses en commun. Il fait partie de la forêt, comme moi ; il vit dans les arbres, comme moi...

— Et il est totalement irrespectueux…

— … comme moi encore, oui, je sais.

Je n'ai pas pu m'empêcher de sourire.

— Bon, d'accord. Mais arrête de me sauter dessus comme ça !

— Pourquoi ? Ça t'aide à rester humble.

À mon grand désarroi, Hallia aussi a souri.

— Et surtout couvert de bleus ! ai-je hurlé.

— *Oo-cha-oooo-cha*, a crié l'animal, simulant la frayeur. Gros balourd trèstrèstrès en colère. Mieux vaut s'en aller. Sinon, la prochaine fois, c'est sur nous qu'il tombera patatra !

Il a rit si fort et si joyeusement qu'il s'en serrait les côtes et est passé à deux doigts de tomber à la renverse.

— Sur toi aussi sœur-cerf, a-t-il crié à Hallia. Va-t'en vite, *ha-chhh-ha-chhh*. Aussi vite que tes beaux sabots te le permettent !

Cette fois, c'en était trop.

— Ça suffit, Scullyrumpus. Une insulte de plus et je te change en vermisseau, l'ai-je menacé en brandissant mon bâton.

Au lieu de se réfugier dans sa poche, comme je l'espérais, il m'a répondu vertement :

— Mon nom exact est Scullyrumpus Eiber y Findalair, si tu veux bien. Pour qui te prends-tu, insolent p'tit homme ?

— Insolent, moi ? me suis-je écrié. Tu oses me traiter d'insolent ?

— Du calme, Merlin, a dit Rhia en levant une main. Et toi, a-t-elle lancé à l'animal, ce n'est pas le moment de gâcher cette belle journée. Allons, viens, mon frère.

— Avec toi ?

— Oui, j'apprends à voler.

Je l'ai dévisagé.

— Encore faudrait-il que tu aies des ailes.

— Pas comme ça, idiot.

Elle a frotté ses mains contre sa taille pour en retirer l'humidité. Elle a attaché à sa ceinture le petit globe orange qui parfois, comme à présent, n'émettait aucune lumière, mais qui, à d'autres moments, se mettait à briller subitement. L'Orbe de feu. Elle avait raison d'en prendre soin car, comme les autres légendaires Trésors de Fincayra, l'Orbe était doté d'un grand pouvoir — un pouvoir qui restait néanmoins mystérieux. Enfin prête, elle a attrapé une longue branche souple qui pendait à côté d'elle.

— Par ici ! a-t-elle lancé avec assurance.

Son compagnon à fourrure a hoché la tête et s'est retiré dans sa poche.

Rhia a enroulé ses mains et ses pieds autour de la branche, puis elle a dit quelque chose dans la langue des pruches. Aussitôt, l'arbre derrière elle s'est redressé en la tirant avec lui. Elle a de nouveau donné un ordre et la branche, claquant comme un fouet, l'a propulsée à travers la voûte des arbres. Rhia a tourbillonné deux fois dans l'air, avant de saisir une nouvelle branche. Cette fois, elle a dessiné un grand arc au-dessus de nous, nous saupoudrant d'aiguilles et de brindilles. Elle s'est lâchée de nouveau et s'est envolée, bras écartés comme une paire d'ailes. Hallia, affolée, s'est agrippée à mon bras.

— Elle va tomber !

Que faire ? Devais-je provoquer une rafale de vent ? Faire surgir une autre branche ?

Je n'ai même pas eu le temps d'intervenir. Une longue branche de pruche a attrapé Rhia et l'arbre l'a descendue. Juste au-dessus du sol, elle s'est libérée, a tournoyé dans l'air et a atterri devant nous, le sourire aux lèvres, en caressant la bosse sur la manche où Scullyrumpus était caché.

— Comme tu es douée, Rhia, a soupiré Hallia.

— Merci. Tu veux essayer ? a-t-elle demandé en se rattachant les cheveux.

Les yeux d'Hallia se sont illuminés.

— Oh, non. Contrairement à ceux d'entre vous qui rêvent de retrouver ces ailes qui ont été perdues jadis, les hommes-cerfs n'éprouvent pas le besoin de voler.

— Une fois, tu l'as quand même fait sur le dos de ton amie dragon, lui a rappelé Rhia.

— C'était l'idée de Gwynnia, pas la mienne ! J'en suis redescendue dès que j'ai pu.

— Et toi, Merlin ? Tu veux tenter l'expérience ? Ou bien faudra-t-il attendre que tu aies une longue barbe avant que tu en aies le courage ? a-t-elle ajouté quand elle m'a vu hésiter.

Hallia m'a jeté un regard inquiet.

— Non, n'essaie pas, jeune faucon.

— Ce n'est pas le courage qui me manque, ai-je dit en me frottant le menton.

— Juste l'intelligence, a dit une voix étouffée dans la manche de Rhia.

— Tais-toi ! a ordonné Rhia. Et laisse-le essayer. Alors, a-t-elle continué en se tournant vers moi, voici comment tu…

Sans même l'écouter, j'ai jeté mon bâton, laissé tomber mon épée et attrapé la branche. D'un trait, j'ai prononcé la même phrase. À ma grande surprise, la branche est montée d'un coup, m'emportant dans une vertigineuse ascension. Le vent m'a soufflé au visage, s'est engouffré dans mes cheveux noirs, dans les manches de ma tunique. Alors, j'ai pris confiance et parlé de nouveau à l'arbre. La branche s'est mise à tourner autour du tronc, dessinant de gracieuses courbes dans l'air, tantôt au-dessus des autres branches, tantôt en dessous. Je volais, libre comme un faucon.

Grisé par cette sensation, je me suis adressé encore une fois à la pruche. Une nouvelle branche est apparue à mes côtés. Arrivé en haut d'une courbe, j'ai lâché la première et sauté pour attraper la nouvelle. Entre les deux, j'ai flotté au-dessus du sol sans aucune attache pendant plusieurs secondes, avec l'impression d'être une créature du vent. Au moment où j'attrapais la branche, elle s'est enroulée autour de mes mains et de mes pieds.

Cramponné à elle, j'ai plongé, me préparant à la brusque tension qui me relancerait dans les airs. Manquer de courage, moi ? Rhia devait avoir bien compris à présent qu'il n'en était rien. Je descendais à toute allure, dans un tourbillon de vert et de brun.

Soudain, *craaac* ! Mon dos a heurté une branche basse pleine de piquants, la brisant net. J'ai entendu l'arbre gémir de douleur. Ma propre branche s'est brusquement tendue et je l'ai lâchée. Mon vol s'est terminé dans le massif de fougères où j'avais atterri quand Rhia était arrivée, puis j'ai roulé et me suis cogné brutalement sur le même rocher.

J'ai juste pu lever la tête, et seulement brièvement, avant de retomber. Tout mon corps me faisait souffrir, en particulier dans la zone habituellement douloureuse entre mes omoplates. Dans un suprême effort, j'ai essayé de me mettre debout, mais, pris de vertige, je me suis effondré à nouveau.

Hallia et Rhia ont accouru vers moi. Ensemble, elles m'ont sorti des fougères et aidé à m'allonger sur l'herbe tendre du chemin.

— Que s'est-il… passé ? ai-je bafouillé tout en crachant des aiguilles.

Hallia s'est contentée de secouer la tête. Rhia, pour une fois, n'a rien dit. Même la petite peste dans sa poche est restée muette — peut-être parce qu'il se savait à portée de ma main.

— Pour voler, il faut sans doute plus que du courage, ai-je articulé.

À ces mots, la pruche a tressailli et une petite pomme de pin m'est tombée sur le front.

— Oui, beaucoup plus, a acquiescé Rhia.

❦ II ❦

DES TRÉSORS

Quand je me suis senti assez solide pour me relever, je me suis dirigé d'un pas chancelant vers un ruisseau voisin pour y plonger la tête. L'eau froide m'a fait du bien, et j'ai rapidement repris mes esprits. Mais il m'a fallu quand même plusieurs minutes avant de pouvoir marcher sans trébucher contre les racines ou les branches, et davantage encore pour retrouver ma sacoche, que j'avais perdue en vol.

C'est Rhia qui l'a aperçue, suspendue au-dessus de nos têtes. Elle a lancé un appel, une espèce de grincement aigu, et l'arbre a remué. La sacoche s'est détachée, mais elle s'est accrochée dans une branche au passage et, cette fois, s'est retournée et vidée de son contenu. Toute ma provision d'herbes s'est déversée sur le sol de la forêt — racine de saule, romarin, baume de lutin et le champignon à tête blanche appelé poison de Loth —, ainsi qu'une graine, la corde de mon psaltérion et une plume.

La graine, pas plus grosse qu'un galet, a touché le sol la première et roulé sur l'herbe presque jusqu'à mes pieds. Je l'ai ramassée et gardée un moment dans ma main. J'ai senti à nouveau toute la magie contenue dans cette petite sphère, qui palpitait à la manière d'un cœur. Et je me suis rappelé les paroles prononcées à propos de cette graine : *Si tu parviens à trouver le bon endroit pour la planter, elle donnera un jour les fruits les plus extraordinaires que tu puisses imaginer.*

Le bon endroit pour la planter... Où cela pourrait-il être ? Comment le saurais-je ?

J'ai alors aperçu, sur une racine moussue, la corde noircie et déformée par le feu qui avait fait partie de mon instrument de musique. En tendant la main pour le prendre, j'ai croisé le regard d'Hallia et la douceur de ses yeux de biche m'a réconforté. Elle savait comme moi que cette vieille corde était tout ce qui restait du psaltérion que j'avais fabriqué de mes propres mains, près du célèbre Sorbier des artisans. Et elle savait aussi que cette corde détenait un incroyable pouvoir.

J'ai pris le bout de corde et jeté un coup d'œil alentour, espérant apercevoir mon troisième trésor, mais je n'ai rien vu. Puis j'ai levé les yeux en suivant les rayons de soleil à travers l'épaisse ramure de la pruche : ma plume était là, sur une branche, juste en dessous de ma sacoche. Cette jolie plume, striée de brun et d'argent, était un souvenir de Fléau, le petit faucon bagarreur qui avait sacrifié sa vie pour sauver la mienne.

Un souffle de vent l'a soulevée et elle est descendue, légère, jouant avec les courants, tournoyant, zigzaguant, comme Fléau aimait le faire autrefois. Après quoi, elle s'est approchée de moi, m'a frôlé l'épaule, pour venir finalement se poser dans le creux de ma main.

— Bien joujoué, gros balourd, a lancé Scullyrumpus de sa voix râpeuse. Dommage que ton sacsac soit encore là-haut ! Si tu nous montrais encore ce que tu sais faire ? *Hak, haka-hachhhh-hach-ch-ch*, a-t-il fait, hilare, en tirant sur ses grandes oreilles.

Gros balourd. On aurait dit un seul et même mot, tant il le disait vite. J'ai senti ma colère monter, mais je ne l'ai pas montré et j'ai fait un petit signe à ma sacoche pour qu'elle vienne vers moi. Aussitôt, elle a frémi. La branche s'est secouée, nous saupoudrant d'aiguilles de sapin, tandis que la lanière de cuir se déroulait. Quelques secondes plus tard, la sacoche s'est détachée et, après avoir contourné quelques branches, elle est tombée à mes pieds.

Vexé, l'insupportable scullyrumpus a plissé les yeux et lâché un grognement aigu.

— Pas besoin de voler pour faire ça, ai-je rétorqué en ramassant ma sacoche.

Ce qui a provoqué un nouveau grognement, mais Rhia lui a cloué le bec.

— Sois honnête, cette fois, l'a-t-elle grondé en posant un doigt sur son petit museau noir. C'était un joli coup.

Puis, elle m'a observé avant d'ajouter :

— Tu as amélioré ta maîtrise du Saut, Merlin.

— Un peu. Mais j'ai encore beaucoup de progrès à faire. Expédier des petits objets où je veux est une chose, mais m'expédier moi-même est une autre histoire, crois-moi.

J'ai fait un nœud avec la corde de ma sacoche maintenant coupée en deux.

— Ça c'est vrai ! a confirmé Hallia pendant qu'elle peignait ses cheveux avec ses doigts. La dernière fois que tu as essayé d'expédier quelqu'un, nous avons atterri tous les deux en plein milieu des Marais hantés.

— *Hecha-hecha-hech-ch-ch*, a caqueté Scullyrumpus, charmant endroitdroit pour atterrir...

— Ça te dirait que je t'y expédie ? ai-je dit en fronçant les sourcils.

Pour une fois, je lui avais fait peur. Son petit sourire en coin s'est effacé et ses oreilles se sont mises à remuer nerveusement. Il avait l'air si

effrayé que j'ai eu presque pitié de lui. Mais, brusquement, il a éclaté de rire :

— *Hakacha-cha-cha, chichi.* Encore une fois, je
t'ai bien eu, gros balourd! *Haka, haka, ho-ho-hi, ho-
ho-hi, hoo-hoo.*

Furibond, je m'apprêtais à lui répondre, quand
Hallia m'a interrompu :

— Il faudrait peut-être y aller, maintenant,
jeune faucon. Tu disais que tu avais quelque chose
à me montrer.

— Oui, ai-je confirmé, fusillant l'animal du
regard. Et aussi quelque chose à te donner.

— Où allez-vous? a demandé Rhia.

— À la pierre d'où on observe les étoiles. Tu
connais cet endroit... sur la colline au nord du
vieil arbre fruitier.

— Chic, c'est un endroit idéal pour passer la
nuit, a-t-elle commenté, comme si elle comptait
y aller aussi.

— Quoi? Tu as l'intention de venir? Et avec
lui? ai-je ajouté en désignant son impertinent
passager.

Rhia s'est penchée vers moi, une main sur le
bout noueux de mon bâton.

— Un peu de compagnie vous fera du bien.
Vous avez passé trop de temps seuls dernièrement,
tous les deux. D'ailleurs, les arbres murmurent
des choses.

— Ah ? Vraiment ? a demandé Hallia en penchant la tête. Et que disent-ils ?

— Oh, ce ne sont que des murmures.

— Mais encore ? a insisté Hallia.

— Eh bien, a répondu Rhia avec un petit sourire, ils disent que vous êtes comme du miel sur une feuille.

Scullyrumpus a levé les yeux au ciel.

— Oh là là ! Pas des murmures d'amoureux, pitié ! Ça me donne envie de me boucher les oreilles avec de la boue.

— Bonne idée, ai-je répondu. Ne te gêne pas.

— De toute façon, nous allons nous aussi dans cette direction, a poursuivi Rhia. Nous devons retrouver mère après-demain. Elle voyage avec Cairpré, comme tu sais, et elle m'a invitée à les rejoindre pour la nuit. Ça te tente ? a-t-elle ajouté, malicieuse.

— Euh, non. Même si elle me manque beaucoup, et Cairpré également. En ce moment, j'ai... euh... d'autres projets.

— J'avais remarqué, a-t-elle commenté d'un air entendu. Bon, alors, si je comprends bien, c'est la dernière soirée que je passe avec vous et je ne vous reverrai pas avant longtemps.

— Nous sommes coincés, semble-t-il, ai-je soupiré en me tournant vers Hallia.

Elle a gentiment caressé le dos de ma main.

Les branches au-dessus de nous ont remué joyeusement, comme pour applaudir, et des rayons de soleil ont fait miroiter les racines, les feuilles et les morceaux d'écorce sur le sol de la forêt. Un hérisson, niché au pied d'un érable rouge, a levé la tête au contact de la chaude lumière. Ses petits yeux noirs nous ont observés calmement, les uns après les autres, jusqu'à ce qu'il décide qu'il n'y avait pas de quoi interrompre sa sieste. Alors il s'est remis en boule et s'est rendormi.

— Au cas où tu t'inquiéterais, a dit Rhia après avoir tapoté mon bâton, je prends le plus court chemin pour aller à la pierre. Cela vous donnera un peu plus de temps pour… enfin, pour faire ce que vous voulez. Rappelez-vous simplement que les arbres vous surveillent.

Je me suis senti rougir. Visiblement ravie de me voir troublé, elle m'a chuchoté à l'oreille :

— Réflexion faite, vous avez l'air d'avoir encore besoin d'être un peu seuls, tous les deux, on dirait.

De sa manche, Scullyrumpus a rétorqué :

— Le gros balourd ne sait pas quoi faire de toute façon.

Sans me laisser le temps de répondre, Rhia a sauté sur la branche la plus basse de la pruche.

— À tout à l'heure pour le dîner ! a-t-elle lancé en nous saluant de la main.

— Attends, ai-je protesté. Le bon chemin, c'est par ici. Il n'y en a pas de plus rapide.

— Celui-ci est aussi le bon chemin, a-t-elle crié. Mais peut-être pas le plus rapide, c'est vrai.

Sur ce, elle a sifflé doucement trois fois. La branche de la pruche s'est baissée presque jusqu'au sol. Rhia, le visage rayonnant, a secoué ses boucles. Scullyrumpus a fait de même, ses longues oreilles fouettant ses joues couvertes de fourrure. Puis, après un dernier chuintement, la branche est remontée d'un coup, les projetant en l'air.

— Ouiiii-ii-iiii! a crié Rhia, bras et jambes écartés.

Avant même qu'elle commence à redescendre, une branche de chêne, dépouillée de toute feuille, l'a rattrapée, l'a soulevée plus haut, puis l'a lancée à un cèdre qui l'attendait, branches tendues. Éparpillant des pignes dans toutes les directions, le cèdre l'a fait sauter plusieurs fois affectueusement avant de la lancer à son tour. Quelques secondes plus tard, les cris de joie de Rhia se sont fondus dans les murmures et les craquements des arbres alentour.

— Elle tient autant de l'aigle que de l'arbre, ai-je dit en souriant.

— C'est vrai, a acquiescé Hallia. Et elle a pour toi le même amour que pour la forêt.

— Qu'est-ce qui te fait dire ça?

Elle s'est penchée pour ramasser des pignes, en a humé le parfum, puis me les a tendues. J'aimais, moi aussi, ces arômes frais et puissants.

— Comme tu l'as vu, a-t-elle répondu doucement, elle sait que, pour nous, passer un peu de temps ensemble est le plus beau de tous les présents.

III

ÐU SIROP ÐE FRAMBOISE

Nous n'avions pas encore atteint la lisière de la forêt quand nous avons senti l'odeur du feu de Rhia. La fumée appétissante qui nous enveloppait comme une longue écharpe nous a conduits à travers l'entrelacs de branches jusqu'à une clairière herbeuse. Une petite colline escarpée se dressait au-dessus de nous, surmontée du grand rocher plat qui me servait d'observatoire. Du sommet de la pierre montait un panache de fumée qui se séparait en plusieurs branches comme un arbre aux formes graciles, avant de se fondre dans le ciel du soir.

Debout au milieu des hautes herbes, nous avons fait une halte de quelques secondes. Les yeux dans les yeux, nous respirions au même rythme. Je lui ai frôlé le menton ; elle s'est détournée timidement — pas complètement. Alors, me penchant vers elle, j'ai attiré son visage vers le mien et je l'ai doucement embrassée sur les lèvres.

— Il savait, a-t-elle murmuré. Mon frère, Érémon, il savait… Tu te rappelles ce qu'il a dit avant de partir pour l'Autre Monde rejoindre les esprits ?

— Qu'un jour viendrait où tu serais de nouveau heureuse.

Hallia a essuyé une larme qui coulait sur sa joue, avant d'ajouter :

— Oui, un jour où je déborderais de joie, a-t-il dit, *comme le fleuve au printemps déborde d'eau.*

Après une longue pause, elle a repris tout bas :

— Je ne peux pas imaginer vivre sans toi, jeune faucon.

— Ni moi sans toi, Eo-Lahallia… J'ai quelque chose à te donner, ai-je poursuivi après m'être raclé la gorge. Je voulais le faire ce soir, sous les étoiles, mais je préférerais te le donner maintenant, tant que nous sommes seuls.

— Que pourrais-tu me donner de plus ?

Sans la quitter des yeux, j'ai plongé la main dans ma sacoche et j'ai pris le bout de corde calciné de mon psaltérion.

— Tiens.

Elle a cligné des yeux. Ensuite, lentement, un sourire a illuminé son visage. De toute évidence, elle se rappelait comment cette corde nous avait sauvé la vie, à nous et à son amie Gwynnia.

— C'est pour moi ? s'est-elle étonnée.

— Oui, pour toi.

Je lui ai mis la corde dans la main et elle s'est lovée dans sa paume avec une souplesse inattendue.

— Chaque fois que je la regarderai, je me rappellerai combien ton pouvoir a grandi, a-t-elle déclaré, émue.

— Quelque chose d'autre a grandi en même temps que lui, ai-je répondu avec douceur.

— Tu te souviens de cette devinette à propos des origines de la musique… et de la magie ?

J'ai étudié sa main ouverte et l'objet qui y était maintenant déposé.

— Comment pourrais-je l'oublier ?

Elle a hoché la tête et enchaîné :

— La musique est-elle dans les cordes ou dans les doigts qui les pincent ?

J'ai posé ma main sur la sienne, au-dessus du petit bout de corde.

— Elle est dans les deux, mais surtout dans ta main.

— Non, a-t-elle rectifié. La plus belle musique naît à l'endroit où nos deux mains se touchent.

Je n'ai pu m'empêcher de sourire.

Au bout d'un moment, nos mains se sont séparées. Hallia s'apprêtait à ranger le précieux objet dans la poche de sa robe violette, mais j'ai retenu son bras.

— Attends, j'ai une meilleure idée.

J'ai entouré la corde autour de son poignet et noué les deux extrémités avec un nœud enchanté.

— Voilà. Un bracelet.

Elle a contemplé mon cadeau, puis m'a contemplé, moi.

— Merci, a-t-elle murmuré.

— Il n'y a pas de quoi, mon cœur.

Main dans la main, nous avons cheminé vers le sommet de la colline à travers les hautes herbes. L'odeur de fumée, mêlée à d'autres parfums doux et piquants, est devenue plus forte. Juste avant d'arriver en haut, nous nous sommes arrêtés pour reprendre notre souffle, le temps de nous regarder un moment dans la pénombre du jour déclinant. Puis, en silence, nous avons poursuivi notre ascension.

Arrivés au pied du grand rocher, une épaisse fumée nous a pris à la gorge. Toussant à ne plus pouvoir nous arrêter, nous avons reculé en essayant de la disperser avec les mains. Quand, enfin, l'air s'est éclairci et qu'il est devenu respirable, j'ai trouvé Rhia assise en tailleur au haut du rocher qui nous regardait.

— Soyez les bienvenus, a-t-elle dit placidement, en jetant une branche sur un feu qu'elle avait allumé.

— Drôle d'accueil, vraiment, ai-je répliqué, toussant de nouveau pour m'éclaircir la voix.

Scullyrumpus s'est approché du feu et a ajouté une brindille à son tour, avant de lancer une de ses insolences habituelles :

— Chez moi, on n'invite pas les gros babalourds à dîner, nonnonnon.

— Chez moi, ce serait *toi*, le dîner, ai-je rétorqué.

— Ça suffit, vous deux ! a dit Hallia tout en se frottant les yeux. Arrêtez de vous chamailler. Et puis, ça n'était qu'un peu de fumée.

Nous avons escaladé le rocher — Hallia bien plus gracieusement que moi. Arrivée en haut, sur la partie plate, elle a sorti des plis de sa robe un fruit de forme allongée qui semblait rose à la lueur du feu et l'a offert à Rhia.

— Tiens, c'est le dernier fruit de l'arbre qui est là-bas. Est-il trop tard pour le faire cuire ?

— Pas du tout.

Rhia l'a pris, épluché rapidement et en a extrait plusieurs graines triangulaires qu'elle a données à Hallia avant de jeter la chair blanche dans une marmite faite d'une énorme coque de noix noire.

— Il y a déjà plein de choses là-dedans, a-t-elle ajouté.

Autour d'elle étaient éparpillés des cosses de quatre différentes sortes de haricots, des restes de racine de sassafras, de betterave et de navet, des coques de noix, de noisettes et d'amandes, des tiges d'oignon coupées en dés, des champignons jaunes et bruns, des pommes de pin, des piments et quelques brins de menthe. Rhia avait suspendu sa marmite à un trépied constitué de trois tiges de bois, et également des bandes d'écorce de tilleul recouvertes de résine. Derrière elle, sur un napperon d'herbes tressées, étaient posés un épais rayon de miel, un assortiment d'herbes et d'épices, et une feuille en forme de coupe contenant du lait de papillon.

Hallia s'est assise et a commencé à broyer des graines dans une coque d'amande avec un bâton en guise de pilon. Elle les a réduites en une fine poudre rosée qu'elle a versée dans la marmite. Rhia l'a remerciée d'un hochement de tête en continuant à tourner le contenu qui cuisait à gros bouillons.

La fumée s'étant dissipée, l'air se chargeait de délicieux arômes, tandis que les branches de pin, grésillant de sève, crépitaient sous la marmite odorante. Je me suis assis à mon tour et j'ai pris la gourde de Rhia, faite d'une vessie de chèvre et ornée d'une broderie de plantes vertes assortie à ses vêtements. J'ai rempli de liquide rouge deux moitiés de coque de noix pour en faire des verres miniatures.

— Qui veut du sirop de framboise ?

— Avec plaisir, a répondu Hallia, en s'adossant à la paroi rocheuse. Un petit goût de printemps en plein hiver, c'est merveilleux.

— Hmm, a renchéri Rhia. Je suis contente que tu y aies pensé, Merlin. J'étais si occupée par la préparation du dîner que j'en avais oublié la gourde.

Je lui ai donné un petit coup de coude amical.

— Quand tu es là, on est sûr d'avoir toujours quelque petite douceur à boire. Je le sais, à présent.

— Mais tu ne sais paspas compter, a grogné Scullyrumpus, maintenant assis sur la cuisse de Rhia.

Il m'a regardé de ses yeux verts avides.

Sans enthousiasme, je lui ai versé une dose de sirop. Dès que je lui ai tendue la coquille, ses petites pattes me l'ont presque arrachée des mains. Puis, les moustaches frémissantes, il a avalé le sirop d'un trait. Quand il a enfin redescendu la coquille, ses trois dents arboraient maintenant une couleur rouge foncé.

Sans attendre ses remerciements qui, je le savais, ne viendraient jamais, je me suis servi moi-même avant de reboucher la gourde. Dès la première gorgée, ma bouche s'est remplie de saveurs printanières, et mon cœur, de gratitude pour les champs, les forêts et les côtes de Fincayra, dont tous les goûts, les odeurs, les couleurs me semblaient ravivés.

— Si seulement nous pouvions rester ici pour toujours… ai-je dit avec envie.

Hallia m'a regardé avec des yeux de braise.

— À condition que nous ne manquions jamais de sirop de framboise, a précisé Rhia.

Elle a rempli de ragoût les bols qu'elle avait fabriqués avec de grosses feuilles et nous en a donné un à chacun, assorti d'une cuillère d'écorce de tilleul pour Hallia et moi, que nous pouvions écraser une partie en petits morceaux pour assaisonner le ragoût. Elle a déposé la portion de Scullyrumpus, car le bol était trop lourd pour lui. Tout en ronchonnant, ce dernier est descendu des genoux de Rhia et s'est mis à laper son ragoût.

Pendant que nous nous régalions de ce mets savoureux, les dernières lueurs du jour, d'une teinte lavande comme les pétales de fleur, ont disparu de la forêt qui s'étalait au pied de la colline. Mais on ne voyait encore aucune étoile. J'ai levé les yeux pour apprécier la chance que nous avions de pouvoir les observer plus tard. À ma grande déception, de lourds nuages s'amoncelaient au nord. Ils commençaient déjà à envahir le ciel, comme des navires de guerre s'avançant dans un port tranquille.

Rhia nous a donné à chacun deux biscuits dorés, surmontés d'une couche de crème provenant du lait de papillon et saupoudrés de menthe. Parfaits, comme dessert. Mais je soupçonnais ma sœur d'en avoir prévu un autre. Et en effet, elle en avait deux. Elle a commencé par distribuer des tranches de rayon d'un miel délicatement parfumé aux fleurs d'églantine. Puis, des braises du feu, elle a retiré la dernière pomme de la saison, cadeau d'un arbre de la Druma, cuite avec du miel et de la cannelle.

Tandis que nous nous partagions cette pomme juteuse, Rhia a enlevé le trépied et le pot, et jeté quelques pommes de pin sur le feu. De nouvelles flammes ont jailli aussitôt. En voyant mon ombre osciller dans la lumière tremblante, une idée m'est venue et je lui ai donné une petite tape avec mon doigt en lui montrant le feu.

D'un bond, elle s'en est approchée et, se jetant sur le rebord de pierre derrière Rhia, s'est mise à danser et à tourbillonner. Scullyrumpus a pris peur et a lâché sa part de pomme pour courir se cacher dans la manche de sa maîtresse. Mon ombre n'en a pas moins continué à s'ébattre, sauter, tourner et se tordre sous nos regards réjouis.

Le rire clair de Rhia a résonné dans l'air du soir.

— On dirait un oisillon qui sautille dans son nid en cherchant désespérément à voler.

— Non, ai-je rétorqué. Plutôt toi en train d'apprendre à voler.

Tout le monde a ri, sauf Scullyrumpus, qui est resté caché.

Au bout d'un moment, j'ai fait un signe à mon ombre et elle a cessé de s'agiter.

— Excellent, parfait. Maintenant, reviens près de moi.

Mais l'ombre ne m'a pas obéi. Boudeuse, elle s'est mis les mains sur les hanches, m'a fixé un long moment, puis elle s'est assise de l'autre côté du feu. Habitué à ses caprices, je me suis contenté de secouer la tête.

— Comme vous le voyez, ai-je marmonné, elle est toujours aussi obéissante…

— Elle ressemble à son maître, a dit Hallia, en léchant un filet de miel sur son poignet.

— C'est vrai, a confirmé Rhia. Peut-être qu'elle aime danser, tout simplement. Pourquoi lui en vouloir ?

— Je ne lui en veux pas.

J'ai de nouveau regardé le ciel. Les épais nuages au-dessus de nous cachaient déjà la constellation de Pégase, la première apparue.

— Quelle plaie ! me suis-je exclamé. Il n'y aura peut-être pas d'étoiles à contempler, ce soir.

Hallia a posé une main sur mon genou.

— Ne t'en fais pas, jeune faucon, c'est quand même une belle soirée. Très belle, a-t-elle ajouté en touchant son bracelet qui scintillait à la lueur du feu.

Un vent frais a fait gémir les arbres en dessous de nous. Des feuilles mortes ont tournoyé dans l'air du soir tandis que le vent balayait la colline. Vite, Rhia a attrapé une coquille de noix et deux bandes d'écorce avant qu'elles s'envolent. Le feu s'est mis à crachoter et Hallia est venue se réchauffer contre moi. À tout hasard, j'ai jeté une nouvelle branche sur les braises, mais le vent s'est renforcé et le bois a seulement fumé.

— On se croirait en hiver, tout à coup, a déclaré Rhia, en se donnant des tapes pour se réchauffer.

— À vrai dire, l'hiver est déjà là depuis quelque temps, a dit Hallia. Même la Druma est beaucoup moins vivante. Ce ne sont pas les pommes cuites et le sirop de framboise qui y changeront quelque chose. La plus longue nuit de l'année est seulement dans deux semaines.

— L'été n'est pas éternel, ai-je ajouté, subitement gagné par de sombres pensées. Rien ne l'est, pas même notre passage à Fincayra.

Hallia, soudain tendue, a retiré sa main.

— Je t'en prie, pas maintenant. Je ne veux pas penser à ça.

— Pardon. Je voulais juste dire…

Elle a froncé les sourcils.

— Et puis, je m'en fiche de ton épée.

— Je ne parlais pas de mon épée, ai-je grommelé.

— Alors, tu pensais à ce jeune roi, de ce pays qu'on appelle Britannia, celui dont tu as promis qu'il porterait l'épée un jour.

— Ce n'est pas non plus à lui que je pense, même si je vois souvent son visage en rêve. Non, c'est au fait qu'un jour, en tant qu'êtres à demi humains, Rhia et moi devrons partir. Et ça, nous le savons tous.

— Pourquoi ? a demandé Rhia, qui tisonnait le feu pour le ranimer. Peut-être que Dagda, ce grand esprit, changera cette vieille loi. Il peut faire ce qu'il veut. D'ailleurs, elle est stupide, cette loi.

J'ai secoué la tête, tandis que le vent soufflait de plus belle.

— Mais non ! Tu le sais bien. C'est en partie ce qui maintient tous les mondes séparés, et en équilibre… la Terre, l'Autre Monde, et Fincayra quelque part entre les deux.

— Je sais, je sais, a-t-elle répondu. Mais Dagda lui-même serait peut-être surpris s'il la supprimait. Comme lorsque tu as renversé Stangmar.

Stangmar. Rien qu'entendre son nom me gla-
çait le sang. Comment un homme chargé de gou-
verner Fincayra avait-il pu se laisser corrompre
à ce point ? Il avait complètement détruit la
confiance qui avait été mise en lui, et beaucoup
plus que cela. Les souffrances engendrées par des
années de Rouille avaient laissé des traces
profondes.

Les problèmes qui avaient pu exister entre les
espèces avant son règne s'étaient considérable-
ment aggravés depuis. Je songeais au peuple
d'Hallia, si réticent à admettre un étranger parmi
eux, aux grands aigles des Gorges, qui ne se mon-
traient plus que très rarement, et aux nains qui
ne parlaient jamais aux géants, jadis leurs alliés.
À présent, tout homme ou femme osant pénétrer
dans le territoire des nains n'en sortirait sans
doute pas vivant. Les exemples de ce genre étaient
innombrables.

Bien sûr, Stangmar n'était pas le seul à blâmer.
Rhita Gawr avait joué un rôle terrible dans tout
ce gâchis. C'était lui, le seigneur de la guerre du
monde des esprits, l'éternel ennemi de Dagda, qui
avait corrompu Stangmar, qui l'avait poussé à
force de menaces à entretenir la colère et la
méfiance chez les autres afin de pouvoir régner
à son tour. L'équilibre entre les mondes ne signifiait rien pour lui. Seule comptait sa soif de
pouvoir.

Néanmoins, Stangmar aurait dû résister. Serrant les poings, je l'imaginais à présent, enfermé dans une caverne sans lumière, condamné à y rester jusqu'à ce que ses os pourrissent. Bon débarras! Personne n'avait jamais suscité en moi une telle colère que cet individu... à part peut-être Dinatius, cet imbécile qui avait un jour tenté de nous tuer, ma mère et moi. Mais pourquoi? Pourquoi n'arrivais-je pas à me débarrasser de cette rage?

Parce que Stangmar n'était pas seulement un roi dur et cruel, pas juste un guerrier qui avait tenté de m'abattre quand je m'étais opposé à lui. Stangmar était mon *père*.

De sa main légère, Hallia m'a effleuré le front.

— Allons, jeune faucon. Oublions tout cela pour l'instant. Cette journée était la nôtre, et rien ne pourra nous en priver.

J'ai hoché la tête, même si, au fond de moi, je n'en étais pas si sûr.

IV

UN PASSAGE LOINTAIN

Ce soir-là, pour nous abriter du vent, nous sommes redescendus au pied de la colline. Même au milieu des herbes épaisses, nous n'étions pas épargnés par les rafales hurlantes et glacées. Et avec les craquements et gémissements de la forêt voisine, il était difficile de trouver le sommeil.

Les autres ont fini par s'endormir : Hallia, pelotonnée à la manière des cerfs, et Rhia, étendue comme si elle se reposait dans les branches d'un arbre. Ses doigts jouaient avec les vignes de ses habits. De sa poche sortaient des sifflements aigus — les ronflements de Scullyrumpus —, signe que la bestiole les avait rejointes dans le sommeil. Moi seul restais éveillé, me retournant dans tous les sens, à la recherche d'une position confortable sur mon oreiller d'herbe. Pendant ce temps, des nuages sombres couraient dans le ciel. Décidément, ce n'était pas la meilleure nuit pour observer les étoiles ! Chaque fois que j'en voyais une, les nuages s'empressaient de l'effacer.

Pour me détendre et calmer mon cerveau en ébullition, je me suis remémoré les bons moments de la journée : le sourire d'Hallia quand je lui avais donné le bracelet, le vol dans les arbres — malgré sa fin trop abrupte —, le petit hérisson au regard tranquille et, enfin, la plume de Fléau qui descendait lentement jusqu'au sol. Dans ma tête, je la voyais tomber, légère et gracieuse, et cette image m'a détendu. Finalement, je me suis endormi.

J'ai rêvé de cette plume ensuite, mais, dans mon rêve, elle était énorme, en tout cas par rapport à moi, car j'étais assis dessus et je volais, porté par les courants.

Je me souvenais d'un autre vol, à cheval sur Fléau dans la nuit. Mais cette fois-ci, c'était juste une de ses plumes qui me transportait. L'air froid faisait pleurer mes yeux aveugles et je m'aplatissais le plus possible contre la penne pour me protéger. La plume tremblait, comme moi, à chaque coup de vent, et nous nous laissions emporter, ne faisant plus qu'un avec lui.

La liberté. C'est ce que je ressentais, plus que toute autre chose. La liberté de dériver au gré des courants. Je n'avais pas besoin de savoir où j'allais, et cela m'était égal.

Soudain le monde s'est assombri. Les bandes argentées et brunes de la plume ont viré au gris. Un gris uni, terne. Un nouveau coup de vent a soufflé, plus froid qu'auparavant. Je me suis agrippé fermement, essayant de ne pas tomber.

Un bras immense, bardé de métal, a surgi d'un des nuages noirs, au-dessus. Non, pas un bras, mais une épée, aux reflets menaçants. Pire que cela : une épée redoutable qui était aussi un bras ! Je me suis recroquevillé sur ma plume.

La lame s'est abattue. Elle allait trancher la plume et moi en même temps, et je ne pouvais rien faire. Elle s'approchait, s'approchait, le bord de la lame se teintait de rouge sang. De sang frais ! L'épée m'a frappé le bras, s'est enfoncée dans ma chair...

Et là, je me suis réveillé. Tremblant, haletant, j'ai tâté mon bras à travers ma tunique trempée de sueur. Alors que mon cœur battait à tout rompre, j'ai compris que ce n'était qu'un rêve, rien qu'un rêve. Mais il m'avait paru terriblement réel.

Je me suis retourné et j'ai scruté les nuages à l'aide de ma seconde vue. Je n'y ai aperçu ni épée ni bras meurtrier. Pas une étoile non plus. Juste des nuages, menaçants et de plus en plus épais.

Je me suis assis. Je sentais une étrange tension dans l'air, et des picotements sur ma nuque. Les nuages s'amoncelaient, plus noirs les uns que les autres, ne laissant filtrer aucune lumière. Bientôt, je n'ai plus distingué aucune trace de mouvement, pas la moindre silhouette. C'était un ciel comme je n'en avais jamais vu : le noir total, la nuit absolue.

Mon épée s'est mise à trembler dans son fourreau. La main sur la poignée, j'ai senti les vibrations monter le long de mon bras jusque dans ma poitrine. Puis, au loin, j'ai entendu un grondement, comme du tonnerre, ou des vagues se brisant sur un rivage. Sans savoir pourquoi, j'ai senti que quelque chose m'appelait, me faisait signe de venir.

Je me suis levé en silence et je suis reparti à l'assaut de la colline — c'est à peine si j'ai jeté un coup d'œil à mes compagnons endormis. Poussé par un désir mystérieux, je marchais d'un bon pas, m'accrochant à des touffes d'herbe pour monter plus vite. En peu de temps, j'avais atteint le sommet. Haletant, je me suis hissé sur le rocher maintenant balayé par un vent violent.

Le grondement s'est accentué ; l'air autour de moi crépitait tant la tension était forte. Tout à coup, les nuages au-dessus de ma tête se sont entrouverts. Des taches de lumière sont apparues et, peu à peu, une forme s'est dessinée : un visage. *Un visage d'homme.*

— Jeune Merlin, a-t-il commencé, d'une voix qui résonnait à travers la forêt et les collines au loin.

— Dagda, ai-je murmuré, avec crainte et respect.

Je n'avais pas revu le seigneur des esprits depuis notre conversation sous les rameaux scintillants de l'Arbre de l'Âme, dans les brumes éternelles de l'Autre Monde. Ce jour-là, comme à présent, il avait pris l'apparence d'un homme frêle aux cheveux blancs. Mais, cette fois-ci, il me paraissait beaucoup plus vieux.

— J'apporte de mauvaises nouvelles, a-t-il annoncé. Le temps du plus grand péril est arrivé.

— Un péril ? Pour qui ?

Des nuages ont assombri un instant son visage lumineux.

— Pour toi, Merlin, et pour ceux que tu aimes. Mais surtout pour le monde qui est devenu le tien, ce lieu qu'on appelle Fincayra.

J'ai jeté un coup d'œil par-dessus mon épaule, vers le bas de la colline où dormaient Rhia et Hallia. Puis, me tournant à nouveau vers le ciel, j'ai demandé :

— Comment, grand esprit ? Quand ce péril adviendra-t-il ?

— Il est déjà là, a-t-il déclaré de sa voix sonore. Le combat le plus rude, et les plus grandes douleurs, je le crains, sont imminents.

Un énorme nuage est passé devant ses yeux. Dagda a attendu en silence qu'il ait disparu.

— Durant la plus longue nuit de l'année, a-t-il repris, avant la prochaine pleine lune, le cosmos va achever un changement qui a commencé il y a des siècles. Quand cela se produira, le monde de Fincayra et l'Autre Monde se rapprocheront dangereusement l'un de l'autre, au point qu'ils se toucheront presque.

— Et c'est de là que viendra le danger ?

— Bien sûr ! Car au moment où le soleil se couchera, un passage s'ouvrira entre les deux mondes, et il ne doit être franchi en aucun cas, ni d'un côté ni de l'autre, faute de quoi le pire adviendra.

Des nuages diaphanes sont à nouveau passés devant le visage de Dagda.

— Le passage apparaîtra à un endroit que tu connais bien : le cercle de pierres où a eu lieu la Danse des géants il y a des années.

Il a fait une pause, comme si les mots lui en coûtaient.

— C'est par là que Rhita Gawr et son armée viendront.

Dagda a froncé les sourcils avant d'ajouter :

— J'essaie encore de le tenir en respect, de l'empêcher de traverser. Mais même avec l'aide de nombreux esprits courageux de l'Autre Monde, je ne pourrai le contenir très longtemps. Je crains qu'il réussisse, qu'il envoie ses troupes immortelles à Fincayra dès que le passage s'ouvrira. Il convoite ton monde, car c'est un pont entre la Terre et le Ciel.

Je me suis raidi à ses mots.

— Mais ne pouvez-vous le poursuivre une fois qu'il sera ici ?

— Non, ça je ne le ferai pas, même au risque de perdre Fincayra. Rhita Gawr compte justement là-dessus. Il attend que je le suive en laissant l'Autre Monde sans protection. Je sais qu'il n'emmènera qu'une partie de son armée à Fincayra, gardant l'autre en réserve pour conquérir également le monde des esprits.

— Mais si Rhita Gawr peut avoir des troupes aux deux endroits à la fois, pourquoi n'en faites-vous pas autant ?

— Parce que, a-t-il répondu solennellement, nous sommes trop peu nombreux. Et j'ai d'autres raisons aussi, des raisons que même Rhita Gawr ne comprendrait pas.

— Vous ne pouvez vraiment rien faire du tout pour l'arrêter ? ai-je supplié.

— Je fais tout ce qui est en mon pouvoir, a-t-il répondu, le visage dur.

Puis ses yeux lumineux ont semblé perdre de l'éclat.

— Et il y a encore ceci : si j'incitais les esprits à traverser cette porte, je violerais un des principes fondamentaux du cosmos. Ces deux mondes doivent rester séparés, ou cesser d'exister.

— Mais Fincayra disparaîtrait !

J'ai secoué la tête et le vent a fouetté mes joues et mon front.

— Dagda, pardonnez-moi. C'est que... enfin, c'est si dur à imaginer...

Sa voix a de nouveau résonné à travers les collines, mais elle m'a paru beaucoup plus proche.

— Je te pardonne, mon jeune ami.

— Pourquoi ne m'avez-vous pas prévenu plus tôt ? ai-je demandé après avoir repris une respiration saccadée.

— J'espérais l'emporter sans ton aide et arrêter Rhita Gawr avant qu'il n'atteigne ton monde. Mais cet espoir ne s'est pas réalisé.

— Et, maintenant, il n'y en a pas d'autre.

— Si, il y en a un autre, bien que très faible. Si un nombre suffisamment important de Fincayriens — et pas seulement les hommes et les femmes — se rassemblaient au cercle de pierres à temps, ils pourraient trouver un moyen de repousser l'invasion. Il y aurait beaucoup de pertes, de souffrance, mais c'est notre seule chance.

— Alors, nous sommes condamnés, ai-je gémi. Même si nous avions deux ans, au lieu de deux semaines, pour réunir tout le monde, ce serait impossible ! Vous ne savez donc pas quelle amertume, quelle méfiance règnent ici ? Depuis l'époque de Stangmar, la plupart des espèces vivent dans la crainte les unes des autres. En particulier de la mienne.

— Oh, je le sais. Et cela a commencé bien longtemps avant ton père. À une époque à présent oubliée… Mais c'est une autre histoire.

Il s'est interrompu et m'a regardé au fond des yeux.

— Seul quelqu'un connu de toutes les espèces parviendra à les rassembler : quelqu'un qui a œuvré avec les nains, marché avec les goules des marais, parlé avec les arbres et les pierres vivantes, quelqu'un qui a nagé avec le peuple de la mer, volé avec les sœurs du vent et s'est tenu debout sur les épaules des géants.

J'ai reculé d'un pas, tout au bord de la pierre.

— Vous voulez dire… Non, je ne peux pas. Non.

Le visage lumineux, sur lequel les nuages dessinaient des rides fugitives, m'observait, impassible.

— C'est impossible ! ai-je protesté, les mains jointes, à genoux sur le rocher. Même si je pouvais rassembler une armée, je ne saurais pas la mener. Je suis capable de me battre, certes, mais je ne suis pas encore un guerrier. Non, non, je suis autre chose… un voyant, peut-être, mais pas avec mes yeux. Ou bien un guérisseur, ou une sorte de barde.

— Ou un enchanteur, a déclaré Dagda. Et un homme qui préfère de beaucoup la paix à la guerre. Mais il y a des situations, je dois te le dire, où même un homme de paix doit affronter le danger lorsqu'il menace son pays bien-aimé, et aussi tous ceux qui lui sont chers.

Les yeux baissés, je me tordais les mains de désespoir. Au bout d'un long moment, j'ai relevé la tête.

— Seulement deux semaines ? C'est trop peu.

— Nous n'avons pas le choix. Pour sortir vainqueur de la plus longue nuit de l'hiver, tu devras triompher de ton plus grand ennemi, rien de moins.

— Mais dites-moi, ai-je insisté, ai-je vraiment la moindre chance de réussir ?

Dagda m'a observé longuement avant de répondre.

— Oui, cette chance existe. Mais tous les fils de Fincayra, quelle que soit leur couleur, doivent se lier pour former une corde solide. Et pour que cela arrive, la plus précieuse des graines doit enfin trouver sa place.

Perplexe, j'ai secoué la tête.

— La plus précieuse des graines ? Vous voulez dire celle que j'ai là, dans ma sacoche ? ai-je demandé en tapotant cette dernière.

— Peut-être… bien qu'une graine puisse prendre de nombreuses formes.

Tout à coup, les rides argentées de son visage sont devenues plus brillantes. En même temps, sa voix s'est faite plus grave, chacun de ses mots résonnant dans la nuit.

— Écoute bien ceci, jeune enchanteur : le destin de Fincayra n'a jamais été aussi incertain. Tu peux trouver l'union dans la séparation, la force dans la faiblesse et la renaissance dans la mort, mais même cela peut ne pas suffire à sauver ton monde. Car à certains moments, quand tout est vraiment gagné, tout est vraiment perdu.

Le vent a balayé la colline et hurlé dans les arbres en contrebas. Peu à peu, les nuages se sont dissipés et le visage de Dagda s'est effacé. Seules sont restées ses paroles, qui résonnaient encore dans mon esprit enfiévré.

Puis j'ai entendu au loin un craquement étrange, inquiétant. On aurait dit une porte qui s'ouvre.

V

UN ESPRIT RAYONNANT

'aube s'est levée, enfin, si lente et indécise qu'elle semblait juste un prolongement de la nuit. Des nuages teintés de gris zébraient le ciel, enveloppant la forêt et la pente herbue où nous étions installés. Le vent s'était calmé, mais l'air paraissait plus froid que la veille. Aucun murmure n'agitait les arbres ; aucun chant d'oiseau n'annonçait le début du jour.

J'ai remonté le col de ma tunique sur mon visage. Je frissonnais. Avais-je dormi ou non, après avoir vu Dagda ? Je n'en étais pas sûr. Je me souvenais seulement d'avoir dévalé la colline dans le noir en essayant de ne pas tomber. Mais son visage et les mots qu'il avait prononcés restaient gravés dans ma mémoire aussi nettement que les sept symboles de la sagesse sur mon bâton. Je me rappelais vaguement avoir eu une sorte de rêve avant que son visage m'apparaisse dans les nuages. Celui où je volais, mais c'était devenu flou. La dure réalité de ses paroles avait chassé ce souvenir. *Le sort de Fincayra n'a jamais été aussi incertain.*

Sentant le souffle d'Hallia dans mon cou, je me suis retourné. Ses yeux, au regard profond comme des lacs, me contemplaient d'un air attendri. Je me suis assis et lui ai caressé la joue.

— Tu as mal dormi, n'est-ce pas ? a-t-elle dit en écartant une mèche de son front.

— Oui, comment le sais-tu ?

— Je le vois sur ton visage. Il y a comme des ombres dessus.

Je me suis raidi à ses mots. Puis Hallia a baissé le regard.

— Moi aussi, j'ai mal dormi. Oh, jeune faucon, j'ai fait un rêve affreux.

— Raconte-moi, ai-je dit en l'entourant de mon bras.

— C'était… — elle s'est mordillé la lèvre — à propos d'un être aimé que je perdais.

Je l'ai serrée contre mon épaule. Comment pouvais-je lui expliquer que la vieille loi de Dagda était maintenant le moindre de nos soucis ? Et que ce qu'elle devait craindre pour l'avenir, c'était non pas que j'aille vivre dans le royaume de Britannia, mais que je meure dans un combat contre Rhita Gawr ?

J'ai passé les doigts dans ses cheveux et, tendrement, j'ai prononcé les seules paroles qui me sont venues à l'esprit :

— Rien ne pourra nous séparer, tu sais. Ni la distance, ni le temps, ni même…

— Chut, a-t-elle dit doucement, posant son doigt sur mes lèvres. Ne parle pas de tout ça, ni de l'avenir non plus. Réjouissons-nous du présent, des jours que nous passons ensemble maintenant.

Comme j'aurais aimé être réconforté par ses paroles, ou me sentir assez confiant pour la réconforter à son tour ! Mais je ne ressentais rien de ce genre. Détournant les yeux, j'ai continué à passer ma main dans sa chevelure, attentif aux reflets roux qui me rappelaient les braises d'un feu en train de s'éteindre.

— Ah, vous êtes réveillés, s'est écriée Rhia, au-dessus de nous. Venez vite si vous voulez un petit déjeuner.

Elle nous faisait signe du sommet de la colline. Hallia et moi sommes montés en silence à travers les hautes herbes, nous arrêtant de temps en temps pour reprendre notre souffle. Quelques instants plus tard, nous avions rejoint Rhia sur le rocher. Elle était assise en tailleur, entourée des restes de notre dîner, en compagnie de Scullyrumpus qui, perché sur son épaule, mordillait une tranche de betterave.

— Dépêchez-vous avant que Scully ait tout mangé, nous a-t-elle conseillé, la bouche pleine de miel.

— Allez-vouzanzan! a lancé l'animal d'un ton brusque. Gros babalourd y va pas me voler mon petit déjeuner!

Rhia nous a tendu deux morceaux de rayon de miel.

— Ne faites pas attention à lui, il est toujours de mauvaise humeur le matin.

— Le matin seulement? ai-je ironisé.

Tout en ignorant le regard noir de la créature, j'ai posé mon bâton, et Hallia et moi nous sommes assis sur la pierre. Nous nous sommes régalés d'amandes avec de la crème à la cannelle, de baies sucrées, d'écorce de tilleul et de gelée d'églantine sur des biscuits, le tout accompagné de sirop de framboise.

Pour lutter contre le froid, j'ai agité mes bras contre mes côtes.

— Tu essaies de voler de nouveau? m'a demandé Rhia d'un ton malicieux. Je te préviens, c'est plus facile dans les sapins.

— Non, ai-je répondu platement. J'ai froid, c'est tout.

Puis, après un regard sur le rond calciné sur la pierre:

— Dommage que le vent ait dispersé toutes nos braises. Un petit feu nous ferait du bien.

— Pas besoin de ça, a-t-elle répondu en déroulant la tige à laquelle était attaché l'Orbe de feu. Je ne sais toujours pas comment l'utiliser, du moins comme il faudrait le faire, mais j'ai appris quelque chose.

Elle a placé la sphère orange sur la pierre. Puis elle a mis sa main au-dessus de façon que ses doigts touchent presque la surface, et elle a fermé les yeux. Plusieurs secondes se sont écoulées et la sphère est devenue brillante, comme un petit soleil.

Hallia et moi sommes restés sans voix. Nous nous sommes fixés, Hallia et moi, puis avons regardé Rhia, ébahis. Scullyrumpus a fait semblant de ne pas nous voir et s'est rapproché de la sphère le long du bras de Rhia pour se réchauffer les pattes.

Ma sœur a souri et nous a invités à nous approcher.

— Je sais que l'Orbe doit servir à soigner — l'esprit, pas le corps. Mais en attendant que j'apprenne à l'utiliser pour faire ça, il peut remplacer un bon feu de bois. Vous ne trouvez pas?

— Oh si, a répondu Hallia, en m'attirant plus près de la sphère. Et c'est aussi joli que les taches d'un faon.

— Mais pluplus utile qu'un faon, a glapi Scullyrumpus.

— Ou que toi, boule de poils, ai-je rétorqué.

Sans prêter attention à ses protestations, j'ai tendu mes paumes vers l'Orbe. Effectivement, il produisait autant de chaleur qu'un feu. Comme les autres Trésors légendaires de Fincayra — la Harpe fleurie, capable de ramener à la vie la colline la plus desséchée, ou l'Éveilleur de rêves qui pouvait transformer un vœu en réalité —, cet objet possédait un pouvoir immense. Mais, pour l'heure, un peu de chaleur nous suffisait amplement.

— As-tu essayé de cuire du pain dessus ? ai-je demandé à Rhia.

— Plusieurs fois. À vrai dire, ce n'est pas très efficace. Cette chaleur est spéciale, meilleure pour l'esprit que pour le corps, je crois… ou pour les gâteaux.

— En tout cas, c'est très agréable, ai-je répondu. Mais tu as raison, je ressens plus sa chaleur sous ma peau que dessus.

Elle a hoché la tête.

— Tu te rappelles dans quels termes tu me l'avais décrit, autrefois ? Moins comme une torche que comme un esprit rayonnant.

— C'est juste. Et l'esprit auquel je me référais était toi.

Il m'a semblé la voir légèrement rougir, mais peut-être était-ce juste le reflet de l'Orbe.

— Et la description de Dagda, tu t'en souviens ? a-t-elle poursuivi. Bien utilisé, l'Orbe de feu peut réveiller l'espoir et la joie, ou même la volonté de vivre. Un jour, j'aimerais faire ça, a-t-elle ajouté après avoir serré les lèvres.

Je n'ai pas répondu. Entendre le nom de Dagda a réveillé mes inquiétudes. Hallia l'a senti et m'a regardé d'un air soucieux. J'avais très envie de lui parler de l'avertissement de Dagda, mais je n'ai pas osé. C'était trop tôt. Le simple fait d'y penser était déjà assez dur; il aurait été encore plus difficile d'en parler.

Pour Rhia non plus, je n'étais pas prêt. Je l'ai regardée finir les dernières miettes de son rayon de miel. Elle aussi aimait Fincayra. Mais si je la prévenais, elle se sentirait impuissante, tout comme moi. Et pour de bonnes raisons! Même si je parvenais à convaincre les géants, les nains, les aigles des Gorges et tous les autres d'unir leurs forces — et aussi de s'allier avec les hommes et les femmes, ce qui serait plus compliqué —, comment pourrais-je parcourir tout le territoire et les voir tous en si peu de temps?

— Merlin, qu'y a-t-il? m'a demandé Rhia en tirant sur ma tunique. Tu ne penses plus à l'Orbe, n'est-ce pas?

Ma gorge s'est serrée.

— Je pensais juste que... enfin, ce serait pratique pour voyager, si je pouvais Sauter. Je traverserais toute l'île en un instant! Mais c'est impossible… pour moi, en tout cas. Il faudrait au moins cent ans pour apprendre à maîtriser ce pouvoir.

— Pour toitoi, tu peux prévoir mille ans, s'est moqué Scullyrumpus.

Hallia a secoué la tête.

— Pourquoi faudrait-il tout ce temps, jeune faucon ? Puisque tu peux déjà déplacer des objets, ton bâton, ta sacoche, qu'est-ce qui t'empêcherait de te déplacer de la même manière ?

Pendant un instant, j'ai fixé ses yeux avant de répondre.

— Parce qu'user de ce pouvoir pour soi-même exige que tous les niveaux de magie fonctionnent ensemble, comme un tout. Et pour faire ça, l'enchanteur doit lui aussi être un tout.

— Et paspas un fou, a lancé Scullyrumpus. *Heka, heka, hii-hii-ho.*

Ignorant cette interruption, Hallia a penché la tête, prise d'un doute, puis a repris :

— Tu veux dire avoir l'esprit, le corps et l'âme unis… sans rien qui les sépare ? C'est beaucoup demander.

— Exactement. Sinon, la magie tourne mal. Et les conséquences peuvent être dramatiques.

Coupant court à cette discussion, Rhia a balayé l'air d'un revers de main.

— Renonce à cette idée, Merlin. Même si tu en étais capable, ce n'est pas comme ça que tu dois voyager.

— Qu'est-ce que tu proposes, alors ?

— Des ailes ! Oui, de vraies ailes. Comme celles que possédaient les Fincayriens, jadis.

— Si cette vieille histoire est vraie, alors…

— Elle est vraie, a insisté Rhia.

— Bon, que ce soit vrai ou non, Sauter, c'est beaucoup mieux. Bien plus rapide.

— Oh, voler, c'est beaucoup plus que de la vitesse, beaucoup plus ! Imagine seulement, a dit Rhia en fermant les yeux, comme si elle rêvait. Sentir bouger tes ailes, l'air qui te porte, tous tes sens en éveil… Prendre le temps de t'élever au-dessus des terres, esprit et corps à la fois…

Ce qu'elle racontait me rappelait quelque chose. Un de mes propres rêves.

Elle a rouvert les yeux.

— Si tu pouvais voler, Merlin, *vraiment* voler, tu verrais tout de suite la différence. Et tu n'aurais plus envie de Sauter. Tu ne te rends pas compte !

— Tu crois ? Au cas où tu aurais oublié, ai-je répondu en lui lançant une coquille de noix, j'ai déjà volé… deux fois, en fait. Pour me rendre au château de Stangmar, et avec Aylah, la sœur du vent.

— Mais tu ne volais pas par tes propres moyens. Fléau t'a porté jusqu'au château, et Aylah, sur le vent.

— Quelle différence ? ai-je dit, un sourcil levé.

Rhia a soupiré.

— Tu devras le découvrir par toi-même.

Scullyrumpus était ravi de voir ma mine déconfite. Perché sur l'épaule de sa maîtresse, il gloussait en agitant ses longues oreilles.

Rhia l'a fait taire d'un geste.

— Songe à toutes les possibilités, Merlin. Si tu pouvais voler, tu pourrais aller où tu veux. Sur l'Île oubliée, par exemple... Un jour, tu m'as promis que tu irais là-bas. Tu te rappelles ? dit-elle, l'œil rusé.

— Oui, je m'en souviens. Et je comprends à quoi tu fais allusion. Ne le nie pas, tu penses à cette vieille rumeur selon laquelle l'Île oubliée aurait quelque chose à voir avec les ailes perdues.

— Je ne le nie pas. Je pensais juste que tu pourrais y aller et découvrir ce qui s'est passé.

— Et, tant que j'y suis, te rapporter une belle paire d'ailes ?

— Pourquoi pas ? a-t-elle répondu avec un haussement d'épaules en retenant un sourire.

J'ai secoué la tête.

— C'est une véritable idée fixe, Rhia ! Même si cette rumeur est vraie, tu oublies un détail :

l'épaisse barrière de sortilèges qui entoure l'île et empêche quiconque d'y entrer. Personne n'y est allé depuis, depuis...

— Depuis qu'on a perdu les ailes, a-t-elle coupé, achevant ma phrase. Réfléchis, Merlin. Avec des ailes, tu pourrais te déplacer beaucoup plus vite.

J'ai grimacé. Si seulement elle savait pourquoi je devais aller vite ! Et si seulement j'avais la moindre idée de ce que je devais faire, maintenant...

— De plus, ça pourrait résoudre le problème de cette douleur entre nos omoplates, a-t-elle continué. Tu ne peux nier qu'elle existe, quand même ?

— Non, ai-je répondu, puis j'ai roulé mes épaules avant de m'allonger sur le côté, un coude appuyé contre le roc. Mais personne ne sait de façon certaine si cette douleur vient réellement des ailes perdues ou d'autre chose. C'est peut-être juste une particularité des Fincayriens.

— Taratata, tout le monde sait que c'est vrai, a-t-elle répondu. Enfin, sauf peut-être les enchanteurs en herbe...

Scullyrumpus a été pris d'un tel fou rire qu'il a failli tomber de l'épaule de Rhia.

— La seule chose que personne ne sait, a-t-elle poursuivi, c'est pourquoi nous avons perdu ces ailes.

— C'est vrai, a confirmé Hallia tout en déplaçant ses jambes pour se rapprocher de l'orbe chaud. J'ai entendu votre ami Cairpré dire qu'il donnerait volontiers la moitié de sa bibliothèque pour trouver la réponse à cette question.

Je me rappelais, en effet, les paroles de mon vieux maître.

— La théorie de Cairpré est que Dagda a jadis donné des ailes aux habitants de Fincayra. Puis, pour une raison mystérieuse, il a décidé de les leur reprendre.

— Seul Dagda sait pourquoi, a dit Rhia. Les Fincayriens ont dû faire quelque chose de vraiment horrible pour mériter une telle punition.

— Oui, de vraiment horrible, a répété Hallia.

Rhia s'est emparée des deux dernières baies et en a fourré une dans sa bouche, en jetant l'autre à Scullyrumpus qui s'est empressé de l'avaler, tout sourire.

— Bon, a-t-elle repris, nous pouvons repartir, maintenant. Il me reste un peu de temps avant de rejoindre mère, et j'ai quelque chose à faire auparavant.

— Quoi ? ai-je demandé.

— Oh, quelque chose…

— Tu as comme un regard de faon malicieux, a observé Hallia.

— Ah oui ? a dit Rhia d'un air innocent. Je me demande bien pourquoi.

Elle a pris l'Orbe magique, qui a aussitôt cessé de rayonner, et l'a attaché à sa ceinture. En même temps, elle a fait un signe de la tête à son petit compagnon, qui lui a répondu dans un langage inintelligible en s'accrochant à son épaule, ce qui m'a rappelé Fléau. En un sens, je le portais toujours sur la mienne, comme je portais toujours le nom qu'il m'avait inspiré.

Rhia nous a salués de la main en sautant du rocher et a redescendu la colline à grands pas. J'étais sur le point de la rappeler, mais je me suis contenté de la regarder marcher dans les hautes herbes. Quelques secondes plus tard, elle a disparu dans les arbres avec l'Orbe de feu.

VI

La fuite

allia m'a pris la main, et son contact m'a réchauffé encore plus que l'Orbe.

— Qu'y a-t-il, jeune faucon ?

Je me suis assis, ne sachant que répondre. Devais-je même dire quelque chose ? Mal à l'aise, je m'agitais nerveusement sur la surface granuleuse du rocher. Des rafales de vent glacé agitaient la forêt autour de nous. J'avais l'impression que la colline était une île au milieu d'une mer démontée, et qu'à tout moment les vagues risquaient de nous submerger.

— Quelque chose te tracasse. Quelque chose que tu ne nous as pas dit. Est-ce que… ça nous concerne ?

— N-non, pas nous.

— Alors, dis-moi. Qu'est-ce que c'est ?

Je sentais ma gorge nouée.

— J'ai un peu peur de te perturber en te racontant ça.

— Ce sera pire de te voir souffrir. Si ça t'aide d'en parler, alors parle, je t'en prie.

Ses yeux bruns si bienveillants me fixaient.

— Bon, très bien, ai-je soupiré. La nuit dernière, j'ai eu une vision : un visage dans les nuages. C'était...

Un grondement lointain, comme un bruit de tonnerre, m'a interrompu. J'ai tendu l'oreille. Il se rapprochait vite. Ce n'était pas un bruit vague et confus comme celui qui, la veille, m'avait entraîné vers Dagda, mais comme une succession de coups de pilon. Bientôt le rocher sur lequel nous étions assis s'est mis à vibrer au rythme de ce martèlement incessant. Tandis que les arbres au pied de la colline commençaient à se balancer dangereusement, Hallia s'est accrochée à mon bras. Une énorme branche d'un vieil orme dénudé s'est écrasée au sol, près de l'endroit précis où nous avions dormi peu de temps avant.

J'ai saisi mon bâton pour l'empêcher de tomber. Le martèlement continuait à ébranler la colline, de plus en plus fort. J'ai vu à son expression qu'Hallia avait envie de se transformer en cerf pour gagner la forêt au plus vite. Mais je l'en ai dissuadée, car ce bruit, je le connaissais bien. Je l'avais souvent entendu. Il avait ébranlé la terre de Fincayra pendant des siècles, en d'innombrables occasions.

C'étaient les pas d'un géant.

De la forêt baignée de brume, une silhouette s'est peu à peu détachée. Elle s'est dressée comme une colline au-dessus des arbres. J'ai bientôt aperçu une chevelure hirsute, d'énormes épaules et des bras qui se balançaient, mais je ne distinguais pas encore les traits du visage. Le martèlement continuait, toujours plus fort. J'ai fini par voir que le géant était vêtu d'un ample gilet jaune et d'un large pantalon brun, selon la mode des habitants de Varigal. Il avançait d'un pas lourd, se frayant un chemin à travers la forêt avec autant d'aisance qu'un homme dans un champ de blé.

Enfin, j'ai vu ses yeux rouges-roses, sa bouche aux dents difformes et son nez comme une pomme de terre géante... Et là, je l'ai reconnu.

— Ne t'inquiète pas, ai-je rassuré Hallia, la prenant par l'épaule. C'est mon ami Shim.

— Et cette vision, jeune faucon?

— Je t'en parlerai plus tard, je te le promets.

En quelques enjambées, Shim est arrivé au pied de la colline et, repoussant un pin d'une main, il est sorti de la forêt. Quand il a relâché l'arbre, une pluie d'aiguilles s'est mise à tomber à travers les branches. Il a fait un autre pas et planté son pied sur la pente, son poids a fait trembler le rocher. Une fois de plus, j'ai dû retenir mon bâton pour l'empêcher de dégringoler. Finalement, le géant s'est immobilisé, et la colline aussi.

Hallia et moi étions juste en face de son nez bulbeux. Nous nous sommes levés avec précaution.

— Bienvenue, mon vieil ami, ai-je déclaré, légèrement déséquilibré par son souffle chaud. Une chance que tu nous aies trouvés au sommet de cette colline ! Je préfère te voir face à face, plutôt que me trouver nez à nez — si j'ose dire — avec tes orteils poilus.

À ma grande surprise, ma plaisanterie ne l'a pas fait rire. Même pas sourire. Ses traits se sont bizarrement plissés. Il a cligné des paupières et ses cils aussi grands que de jeunes sapins ont presque frôlé Hallia.

— Pour une frois, je ne sruis pas heureux en te voyant, Merlin, a-t-il annoncé d'une voix rauque. Ni vous, Mademoiselle Hallia.

Mon ombre, à mes pieds, a agité un bras. Le géant a compris et hoché la tête.

— Ni toi, ombre d'enchanteur.

Le menton tendu en avant, mon ombre s'est drapée dans sa dignité. J'ai fait comme si je n'avais rien vu.

— Pourquoi ? Que se passe-t-il ? ai-je demandé à Shim.

Les sourcils broussailleux se sont rapprochés.

— Le méchrant roi, celui que tu appelles Stangmar, s'est échrappé ce matin! Personne ne srait où il est allé.

Pris d'une soudaine faiblesse dans les jambes, j'ai trébuché, manquant tomber du rocher si Hallia ne m'avait pas rattrapé par le bras.

— Vous êtes sûr? a-t-elle lancé au géant, incrédule. Je croyais qu'il était enfermé dans une grotte, tout là-haut dans le nord... Personne ne s'est jamais échappé de ces grottes.

— Oui, j'en suis sûr, a confirmé Shim. Certainement, tout à frait, absolument. Et en s'enfruyant, il a tué deux gardiens à mains nues, peut-être trois.

Comment était-ce possible? Stangmar... libre? Quelles pouvaient être ses intentions? S'allier de nouveau avec Rhita Gawr? Faisait-il déjà partie des plans de cet esprit malfaisant?

Shim fronçait le nez, manifestement écœuré par toute cette histoire.

— J'ai d'autres mauvraises nouvelles, Merlin. Le seul gardien qui ait survrécu dit que Stangmar est à la recherche de quelqu'un. Oui, et que ce quelqu'un est en grand dranger.

J'ai serré les poings.

— Tu veux dire moi ?

— Non, pas troi. Ta mère, Elen.

— Ma mère ! me suis-je écrié, le cœur battant. Tu en es sûr ?

Shim a hoché la tête d'un air sombre.

— Le gardien dit que Stangmar ne savrait pas qu'elle était revenue à Fincayra, jusqu'à hier. Quand il a appris qu'elle était là, il s'est mis en crolère… très en crolère.

J'ai grogné.

— Il pense qu'elle l'a trahi, qu'elle a aidé ses ennemis, entre autres moi. Il va essayer de se venger. Il faut la prévenir !

Hallia a bondi aussitôt.

— Rhia sait où elle est, jeune faucon. Tu te rappelles ? Si nous la retrouvons, elle nous conduira directement jusqu'à Elen.

— Rhia, la frille des bois ? a demandé Shim. Je l'ai vue en vrenant ici, pas loin.

Pensif, il a avancé son énorme lèvre inférieure, la faisant dépasser.

— Elle semblait porter quelque chose de lourd sur son dos — un grand oiseau, peut-être —, juste là-bas.

— Un oiseau ? me suis-je étonné, mes yeux suivant la direction qu'il a pointé.

— Je vrais vous emmener, a proposé le géant, son corps grand comme un arbre vacillant. Ce sera plus rapide.

— Merci, mais je préfère courir, a dit Hallia. Ce n'est sûrement pas loin, a-t-elle ajouté sans me laisser le temps de protester. Je vous suivrai.

— Dans ce cas, je cours avec toi, ai-je déclaré. Shim ! Montre-nous le chemin.

Dans sa hâte à nous rendre service, il s'est retourné brusquement et son coude a heurté le rocher, déclenchant une avalanche de pierres. Au premier pas qu'il a fait, la forêt en contrebas s'est remise à trembler. Hallia et moi, je ne sais comment, avons réussi à garder l'équilibre. Sans perdre une seconde, nous avons dévalé la pente et couru derrière lui à travers les herbes touffues.

Nous bondissions de plus en plus vite, unis dans la course comme une seule et même personne, une seule vague sur un même étang. Le corps penché en avant, nos bras ont rejoint le sol et nos cous se sont allongés ; la robe d'Hallia et ma tunique se sont changées en pelages bruns et luisants ; nos bras sont devenus des pattes, tandis que nos pieds et nos mains, transformés en sabots, semblaient ne faire plus qu'un avec le sol.

Sur ma tête se dressait à présent une imposante ramure avec cinq cors de chaque côté. Mon amie se mouvait sans effort, plus légère à chaque pas. C'était toujours Hallia — ses grands yeux me le prouvaient —, mais encore plus elle-même que sous sa forme humaine. Jamais je n'avais vu de créature aussi gracieuse. Malgré les craintes que les nouvelles de Shim avaient réveillées en moi, après la vision de la nuit précédente, j'étais profondément heureux de courir une fois de plus à ses côtés.

Nous avons suivi Shim dans la forêt, sautant avec aisance par-dessus les branches qui tombaient sous ses pas, indifférents aux tremblements du sol. J'étais frappé par la vitalité de la Druma, qui résistait vaillamment à l'approche de l'hiver. Les mousses gardaient leurs belles couleurs au milieu des arbres dénudés et l'eau coulait encore entre les plaques de glace. Tout en courant, j'entendais le bruissement des ailes des libellules, humais le parfum des fougères et sentais la présence des galeries creusées par les petites bêtes sous le sol, parmi les vieilles racines ancrées dans cette terre depuis des siècles.

Nous sommes entrés dans une clairière envahie par une légère brume. Lorsque les pieds poilus de Shim se sont arrêtés devant nous, nous avons ralenti et repris forme humaine.

La clairière descendait en pente raide et se terminait par une falaise au-dessus d'un torrent. Rhia était là, au bord de la falaise. Apparemment très concentrée, elle a à peine jeté un coup d'œil au géant et ne nous a pas du tout remarqués. On aurait dit, comme l'avait mentionné Shim, qu'elle portait un grand oiseau sur le dos. Mais je me suis vite rendu compte que ce n'était pas du tout un oiseau.

En fait, c'étaient deux ailes, fabriquées avec de grandes feuilles rouge-brun et des tiges de saule ! Un véritable ouvrage d'artiste, avec des volants de lichen cousus sur les bords comme des drapeaux colorés. Le système était ingénieux et avait dû lui demander un travail considérable. Nul doute qu'elle y avait passé du temps.

Nous l'avons observée en silence pendant qu'elle attachait les ailes sur son dos, à l'aide des mêmes tiges qui avaient servi de fils pour sa robe.

J'ai secoué la tête. Combien de jours, de semaines même, avait-elle passés à construire cet engin ? Il était évident qu'elle avait choisi cette falaise avec soin pour pouvoir les essayer et les entreposer tout près pendant qu'elle y travaillait. Elle les aurait même sûrement essayées hier si elle n'avait pas passé autant de temps à préparer notre dîner.

Je me suis mordillé la lèvre. Savait-elle vraiment dans quoi elle se lançait ? Mais je me suis bien gardé de l'interrompre. Après tout, c'était Rhia.

Mâchoires serrées, elle a reculé pour prendre son élan. Scullyrumpus, qui se donnait des airs importants, est allé se poster au bord du précipice. Rhia a détaché l'Orbe de feu de sa ceinture et l'a posé dans l'herbe. Puis elle a regardé droit devant elle avec une farouche détermination et, lentement, elle a déployé ses ailes. Les volants en lichen voletaient au vent.

Scullyrumpus, les oreilles dressées, a jeté un coup d'œil derrière lui sur les eaux bouillonnantes. Tout à coup, il a agité les pattes en criant :

— Vas-y, envolvole-toi !

Rhia s'est penchée en avant ; elle s'est mise à courir et à battre des ailes à grand bruit. Arrivée au bord de l'escarpement, elle s'est élancée audessus du courant, libre, magnifique, ses ailes balayant l'air. Elle volait ! Elle a poussé un cri de joie et donné un nouveau coup d'ailes. Juste à ce moment-là, un trou s'est ouvert dans l'une d'elles. Plusieurs tiges ont lâché et le tissu de feuilles s'est déchiré. Elle a brusquement basculé sur le côté et, plongeant vers le torrent, elle a disparu derrière la falaise. Aussitôt, Scullyrumpus s'est mis à sauter comme un fou en hurlant.

— Rhia ! avons-nous crié en chœur, Hallia et moi.

Nous avons couru vers l'endroit où elle avait disparu. Scullyrumpus regardait par-dessus le rebord, plein d'inquiétude.

Dans une courbe du cours d'eau, tout en bas, j'ai aperçu une masse informe, mélange de feuilles et de tiges. Je me suis élancé dans la pente, rejoint aussitôt par mon ombre qui agitait furieusement les bras, puis par une ombre beaucoup plus grande : celle de la main de Shim. Avec une délicatesse surprenante, il a ramassé le corps recroquevillé dans ses ailes, l'a remonté jusqu'à la clairière et l'a posé doucement à côté de nous.

Scullyrumpus est arrivé en courant vers sa maîtresse et lui a tiraillé les cheveux. À mon grand soulagement, elle a relevé la tête. Ils se sont frotté le nez, puis, en gémissant, elle s'est retournée. Bien que trop faible pour se tenir debout, elle a secoué les feuilles qui lui collaient aux bras, s'est débarrassée de son harnais et a repoussé tout son attirail avec dégoût.

— À quoi ça sert d'avoir des ailes, si elles ne tiennent pas le coup ? a-t-elle grommelé en se frottant la tête.

— Toi, en tout cas, tu as tenu le coup. J'en suis bien content, ai-je dit, une main sur son épaule trempée.

— Moi aussi, a renchéri Hallia.

Elle s'est penchée pour examiner une coupure à son cou.

— Et moi aussi, a ajouté Shim, se penchant pour examiner ce qui restait des ailes. Tu es pleine de frolie, Rhia, comme ton frère.

Elle a retiré une tige de saule de ses boucles avant de dire :

— Ah mais pas du tout ! Il est bien pire que moi.

J'esquissais un sourire quand Scullyrumpus a cru bon d'ajouter son grain de sel :

— Bienbien pire ! Mais Rhia est aussi babalourde ! Hou-hou-hou, grosse babalourde ! *Heka-chika-chhha-ha-ha.*

Sans cesser de glousser, il s'est mis à grimper le long de son bras à l'aide des vignes sur ses habits. Rhia a fait gicler d'une chiquenaude un peu d'eau sur son museau.

— Pas d'impertinence avec moi, Scully. Je suis toujours ta monture favorite, ne l'oublie pas.

— Sauf quand tu as des ailes ! a-t-il rétorqué. Tu devrais t'en tenir aux arbres pour voler, et sur ses paroles, il s'est vite réfugié dans sa poche pour éviter d'être éclaboussé de nouveau.

Je me suis agenouillé auprès de Rhia.

— Rien de cassé ?

— Non, juste quelques égratignures... J'espérais tellement que ça marcherait, a-t-elle ajouté en regardant ses ailes hors d'usage.

Elle s'est levée d'un air décidé, a ramassé l'Orbe et l'a remis à sa ceinture.

— Heureusement que j'ai pensé à le retirer. Imagine le désastre si je l'avais brisé...

— Justement, Rhia, ai-je annoncé en la prenant par le bras, un désastre est arrivé. Mère est en danger. Stangmar s'est évadé et il la recherche !

Elle a tressailli.

— Nous devons nous retrouver demain soir à Caer Aranon. C'est à l'est d'ici, près du fleuve, a-t-elle expliqué. Cairpré va lire un poème pour l'ouverture du théâtre du village. Stangmar ! a-t-elle poursuivi, incrédule. Il faut vite la prévenir.

— Oui. Mais d'abord, ai-je ajouté en regardant Hallia, puis Shim, puis après m'être éclairci la gorge, j'ai autre chose à vous dire. À vous tous.

Un coup de vent a agité les branches d'un tilleul. Tandis qu'une pluie de feuilles mortes s'abattait sur la clairière, j'ai commencé à décrire ma vision de la nuit précédente. J'ai parlé des gros nuages, de la tension dans l'air, de la souffrance sur le visage de Dagda et de son avertissement au sujet de la nuit la plus longue de l'hiver, citant ses dernières paroles : *le destin de Fincayra n'a jamais été aussi incertain. Tu peux trouver l'union dans la séparation, la force dans la faiblesse et le renaissance dans la mort, mais même cela peut ne pas suffire à sauver ton monde. Car à certains moments, quand tout est vraiment gagné, tout est vraiment perdu.*

— À certains moments… a répété Hallia, d'un ton grave. C'est un rêve terrible, vraiment terrible.

— Et qui laisse perplexe, a ajouté Rhia.

Une feuille morte est tombée des branches pour venir se poser lentement sur l'épaule de Rhia.

— Mais ce n'était pas du tout un rêve ! ai-je vivement protesté en tapant du pied. Il était tout aussi réel que Shim, tel que vous le voyez là.

— Pour le moment, j'aimerais mieux que ce sroit un rêve, a marmonné le géant, dont le souffle a encore fait voler quelques feuilles. Qu'est-ce qu'on va fraire ?

J'ai marché jusqu'au bord de la falaise et j'ai contemplé le cours d'eau, aussi lumineux et chantant qu'au printemps, aussi magique que la terre qu'il traversait. Puis je me suis tourné vers mes amis.

— Ce que nous allons faire ? C'est simple : nous allons sauver ce que nous aimons ! ai-je déclaré. Rhia, tu vas venir avec moi. Nous irons au village prévenir mère, et je raconterai ma vision à Cairpré. Lui qui est si savant, il saura peut-être quelque chose au sujet de la prophétie de Dagda, quelque chose qui pourrait nous être utile.

J'ai relevé la tête pour voir le visage gargantuesque qui se trouvait au-delà de la cime des arbres.

— Toi, Shim, tu retourneras à Varigal. Là-bas, essaie de convaincre les autres de nous aider. Tout notre monde est en jeu ! Si les armées de Rhita Gawr occupent Fincayra, même les géants ne seront pas longtemps en sécurité.

Shim a fait la grimace.

— C'est improssible, a-t-il grommelé. Beaucoup de géants ne veulent même pas parler aux humains. Alors, se battre à leurs côtés, fraut pas y penser.

— Essaie de les gagner à notre cause, ai-je insisté.

— Mais le pire, c'est que certrains ne voudront même pras m'écouter. Ils croient que je suis un traître, un espion à la solde des nains et même un des leurs, parce que j'ai vrécu avec des nains quand j'étais pretit.

J'ai hoché la tête et fixé ses grands yeux.

— Tu n'es plus petit, maintenant, mon ami.

— Ah non! a-t-il répondu en secouant vigoureusement la tête.

Puis il s'est penché pour se rapprocher de moi et me dire :

— Je suis aussi grand que le plus grand des arbres. Mais, Merlin, j'ai quand même preur, a-t-il ajouté dans ce qu'il considérait un murmure, c'est-à-dire un souffle suffisamment fort pour ressembler à une forte tempête.

Je me suis mordillé la lèvre.

— Moi aussi, ai-je avoué.

Shim s'est redressé.

— J'essaierai, je ferai tout mon prossible.

Et il a jouté en marmonnant :

— Mais ça m'étonnerait que je réussisse.

— Rappelle-toi, personne ne pensait que la Danse des géants réussirait non plus. Et aujourd'hui, tout ce qui reste du château de Stangmar est un cercle de pierres que ton peuple nomme *Estonahenj*. Retrouvons-nous là-bas, la veille de la nuit la plus longue.

— D'accord, rendez-vous là-bas, a confirmé Shim. Même si je sruis tout sreul...

Sur ce, il s'est mis en route, ses pieds enfonçant le sol à chaque pas.

Je me suis tourné vers Hallia.

— Toi, ai-je dit, essayant de contenir mon émotion, je n'ai pas envie de te quitter.

— Rien ne t'y oblige, a-t-elle répondu d'une voix aussi douce que le souffle d'un faon. Rien ne t'y obligera jamais.

— Mais si. Toi aussi, tu as une tâche à accomplir... une tâche bien plus importante que rester à mes côtés.

Elle n'était visiblement pas du même avis.

— Je vous suis.

— Non, ai-je insisté en lui prenant la main.

Ces doigts longs et fins qui, il y a si peu longtemps, étaient des sabots qui couraient au même rythme que les miens.

— Tu dois te rendre sur les terres des dragons, au nord de l'île, retrouver Gwynnia et la persuader par n'importe quel moyen. Elle n'écoute que toi,

Hallia. Nous avons vraiment besoin d'elle ! Le dernier dragon de Fincayra doit nous aider !

Une ombre a assombri son regard.

— Elle n'est pas faite pour se battre, jeune faucon, tu le sais bien ! Elle n'a même pas appris à cracher du feu. C'est un dragon pacifique.

— Et moi, je suis un enchanteur pacifique. Mais j'aime la vie encore plus que la paix.

— Je ne te quitterai pas, a martelé Hallia en tapant du pied.

Je me suis rapproché d'elle et l'ai regardée au fond des yeux.

— Si Fincayra est perdue, notre avenir ensemble le sera aussi.

— Je risque surtout de ne pas la trouver. Qu'est-ce que je ferai si, en arrivant à son repaire, je découvre qu'elle est partie je ne sais où ? Il me faudra peut-être plus de deux semaines pour la dénicher.

— Fais de ton mieux, ai-je répondu doucement.

Elle a froncé les sourcils et sa main a tremblé dans la mienne.

— Compte sur moi, mais je n'éprouverai aucune joie jusqu'au jour où nous courrons de nouveau ensemble.

J'ai ouvert la bouche, sans pouvoir prononcer un mot.

Elle m'a embrassé sur la joue.

— Que les vertes prairies soient avec toi, jeune faucon. Rappelle-toi toujours que je suis à tes côtés.

J'ai donné une petite tape sur le bracelet noirci, noué autour de son poignet avec un nœud d'enchanteur.

— Comme le miel sur la feuille, ai-je ajouté d'une voix rauque.

Sans s'attarder davantage, elle a embrassé Rhia, s'est retournée et, soudain, transformée en une biche magnifique, elle s'est élancée hors de la clairière. En la voyant partir, je me suis demandé comment se terminerait son voyage. Je restais stupéfait de voir nos vies, nos futurs se séparer si vite.

— Allons-y, Rhia, ai-je dit enfin.

Alors, sans plus attendre, ma sœur et moi sommes partis à notre tour pour un voyage tout aussi incertain.

∽ VII ∽

CAER ARANON

Nous avons passé le reste de la journée à courir à travers la forêt en direction de l'est. Un vent glacial nous fouettait le visage, engourdissait ma main crispée sur mon bâton, mais un vent plus froid encore agitait nos pensées, un vent âpre, tel le souffle de Rhita Gawr lui-même.

Comme toujours, ma sœur me devançait, sautant à toute vitesse par-dessus les souches et grimpant sans effort les pentes verglacées. Elle m'attendait en haut des côtes, le visage sombre — ce qui était rare chez elle —, tandis que Scullyrumpus, perché sur son épaule, me regardait d'un œil mauvais haleter péniblement pour les rejoindre. Rhia ne disait mot, mais je savais qu'elle aurait rêvé de pouvoir voler, comme moi j'aurais rêvé d'utiliser le pouvoir de Sauter. Pourquoi ce pouvoir-là était-il si difficile à maîtriser ?

La température a encore baissé lorsque nous avons atteint la Rivière Perpétuelle. Les nuages noirs qui avaient envahi le ciel nous ont saupoudrés de flocons de neige. Rhia est entrée dans l'eau sans hésiter. Je l'ai suivie. Le courant qui soulevait mes bottes semblait m'inciter à aller plus vite. Mais cela n'a pas duré longtemps. Dès que j'ai atteint l'autre côté, mes bottes trempées sont devenues lourdes.

Le soleil se couchait quand nous sommes arrivés à Caer Aranon, et le ciel se teintait de rouge. Les portes du village, ainsi que l'arbre sans feuilles à côté, prenaient la même couleur rouge-brun. Une grive solitaire nous observait, perchée sur une branche basse. Derrière les portes étaient regroupées de pauvres chaumières en briques de terre, qui avaient toutes un air penché, comme une assemblée d'ivrognes. Sur l'une de ces masures, un coq montait la garde; deux ou trois chèvres efflanquées tournaient en rond. L'ensemble me rappelait le sordide village du pays de Galles où j'avais passé une bonne partie de mon enfance, et perdu pour toujours l'usage de mes yeux.

Une vingtaine de personnes de tous âges étaient réunies autour d'une estrade de bois inégale posée à même le sol sur la place principale. C'était le théâtre, sans doute. Et cette petite assemblée devait être là pour écouter Cairpré. Cet homme récitait la poésie mieux que personne.

La scène était flanquée d'un mât, où flottait une bannière ornée d'une plume noire. Au pied de ce mât étaient entassées de vieilles robes, une perruque grise et deux ou trois masques grossièrement découpés. De l'autre côté, les planches se terminaient abruptement, comme si ceux qui avaient construit la scène n'avaient pas eu assez de bois pour ajouter une barrière. Un rideau brun tenu entre deux gros poteaux permettait aux artistes de se changer — ou peut-être de se protéger d'éventuels projectiles lancés par des spectateurs malveillants.

— Charmant endroitdroit, a lancé Scullyrumpus.

Il a secoué la tête, faisant claquer ses longues oreilles contre ses joues.

— Ils auraient plus besoin d'une bonne inondation que d'une scène, a-t-il ajouté.

— Chut, Scully, a ordonné Rhia. Nous retrouverons bientôt notre forêt, ne t'inquiète pas.

— Promimis?

— Chut, je te dis! Merlin, est-ce que tu vois notre mère parmi ces gens?

— Pas encore. Allons…

Je n'ai pas pu poursuivre, car un puissant hennissement m'a coupé la parole. Un grand cheval noir, à la robe luisante, est arrivé au trot et s'est dirigé vers nous.

— Ionn ! me suis-je écrié.

Car c'était bien l'étalon qui m'avait si souvent porté sur son dos dans mon enfance.

— Mère doit être là, ai-je dit à Rhia. Il y a plusieurs semaines, elle m'a demandé si elle pouvait monter Ionn pour voyager avec Cairpré.

Le cheval s'est approché de moi, foulant la terre sous ses sabots. J'ai voulu lui caresser les naseaux, sentir la chaleur de son haleine sur ma main, mais il s'est brusquement détourné en poussant un hennissement strident.

— Il s'est passé quelque chose, a déclaré Rhia.

— Oui, visiblement quelque chose de grave. Ionn, conduis-nous à notre mère.

L'animal a secoué sa crinière et s'est dirigé vers la foule massée autour du théâtre. Il n'était pas facile de se frayer un chemin au milieu de ces gens qui voulaient tous, semblait-il, être le plus près possible de la scène. En écoutant leurs chuchotements, je me suis aperçu qu'ils n'étaient pas là pour assister à un spectacle. Tout cela ressemblait plutôt à un attroupement de badauds autour d'un blessé… Tandis que Ionn nous ouvrait un passage en les repoussant sur les côtés avec sa robuste encolure, mon cœur battait la chamade. Arrivions-nous déjà trop tard ?

Enfin, nous avons débouché sur la scène. Et là, soulagé, j'ai vu notre mère agenouillée sur les planches. Ses longs cheveux, aussi rayonnants que le soleil, retombaient sur les épaules de sa robe bleu foncé. Elle était penchée au-dessus d'un corps, et si absorbée qu'elle n'a même pas levé la tête quand je l'ai appelée par son nom.

Puis j'ai compris. À côté d'elle, sur les planches, était allongé un petit garçon vêtu d'une vieille tunique en lambeaux. Il avait les yeux grands ouverts et il tremblait. Elen lui tamponnait le visage avec un linge, essayant de nettoyer une blessure qu'il avait à la tête. J'ai senti l'odeur de mélisse destinée à soulager la douleur. Lorsqu'elle a levé la main pour prendre un bol d'herbes, j'ai tressailli. Je n'avais jamais vu de blessure comme celle de ce garçon.

Il lui manquait une oreille. Elle avait été tranchée net. Il ne restait plus qu'un bout de peau noircie.

— Mère ! s'est écriée Rhia, m'écartant d'un coup d'épaule.

Elle s'est tournée vers nous. Ses yeux bleus étaient moins lumineux que d'habitude.

— Mes enfants !

Elle a posé son linge. Tendant une main à chacun, elle nous a attirés vers elle, nous a embrassés sur le front, puis nous a regardés d'un air sombre.

— J'ai de mauvaises nouvelles pour vous.

— Et nous aussi, pour toi, ai-je répondu.

— Ça ne peut pas être pire que ce que j'ai vu... et que je ne peux même pas guérir.

Elle a repris son linge, l'a trempé dans le bol rempli d'eau et d'herbes, et a repris son travail. Le garçon a tiqué à son contact, mais sans émettre un son, à part celui de sa respiration irrégulière.

Sans relever les yeux, mère a repris :

— Ce cher enfant a été attaqué pour je ne sais quelle raison, près d'un lac non loin d'ici.

— Son oreille... ai-je commencé.

— On la lui a coupée, a-t-elle dit en frémissant. Un fermier qui amenait sa vache pour la faire boire a assisté à la scène. Mais il est arrivé trop tard pour secourir ce pauvre garçon.

J'ai serré le poing, convaincu que c'était encore un exemple de la cruauté de Stangmar.

— Comment peut-on faire quelque chose d'aussi monstrueux ?

— Celui qui a fait ça est un monstre. S'attaquer ainsi à un enfant innocent ! s'est-elle exclamée, de la rage dans la voix.

J'ai pris une bonne inspiration avant de laisser tomber :

— Ça aurait pu être toi, mère.

Elle a sursauté et lâché son linge.

— Comment ça, moi ?

L'air sombre, j'ai fait oui de la tête.

— Lorsqu'il s'est évadé de sa prison, il a dit qu'il partait à ta recherche.

— À ma recherche ?

— Oui. Et il a tué deux gardiens qui essayaient de l'arrêter.

— Il les a tués ? s'est-elle écriée, atterrée.

— À mains nues.

Soudain, ses traits se sont détendus.

— À mains nues ? Alors ce n'est pas celui dont tu parles qui a attaqué ce garçon.

— Que veux-tu dire ?

— Le fermier a dit que c'était un guerrier, un homme gigantesque.

— Oui ! C'est...

— Attends, a-t-elle ordonné. Laisse-moi finir. Il a dit que c'était un guerrier qui... qui n'avait pas de mains. Il avait des lames d'épée attachées à ses épaules, des lames à la place des bras.

Je n'en revenais pas. Ce n'était donc pas Stangmar, le coupable ? Alors qui ? Aussitôt, je me suis souvenu de mon rêve, juste avant que m'apparaisse Dagda. Un guerrier avec des épées à la place des bras ! La tête me tournait. Le plan de Rhita Gawr, l'évasion de Stangmar et maintenant, ça....

— Mais pourquoi ? a protesté Rhia, penchée sur le garçon. C'est d'une cruauté sans nom.

Notre mère a passé sa main dans ses cheveux chatoyants.

— Nul ne le sait, a-t-elle répondu. Ce guerrier mystérieux n'a même pas tenté de défier le fermier. Il est parti vers les plaines, à l'est, laissant sa victime baigner dans son sang.

J'ai pris un air renfrogné, les yeux fixés sur ce qu'il restait de son oreille.

— Où est la famille de cet enfant ?

— Il n'en a pas.

Elle a posé son linge, pris une bande de mousse imbibée de mélisse et l'a mise dans la bouche du garçon.

— Mâche ça, mon petit, mais ne l'avale pas, a-t-elle murmuré. C'est un orphelin, a ajouté ma mère pour répondre à ma question.

Orphelin. Ce mot avait pour moi une résonance particulière. Toutes ces années dans ce misérable village, je m'étais cru orphelin. C'étaient des années de solitude, de nostalgie, qui s'étaient terminées par un moment de terreur que je n'oublierai jamais. L'attaque de Dinatius... le brasier rugissant... ma peau qui brûlait; ses derniers cris avant qu'il meure, et les miens, avant que je devienne aveugle.

Instinctivement, j'ai touché les cicatrices sur mes joues. En regardant ce garçon, je savais que lui aussi en porterait toute sa vie, les pires étant celles qui ne se voyaient pas. À ce moment-là, il a tourné la tête vers moi et j'ai senti le poids de son regard.

Cela m'a mis mal à l'aise. D'un côté, j'avais envie de lui dire quelque chose de réconfortant, mais je sentais une espèce de résistance en moi. Il était entre les mains de ma mère, pas les miennes. Et, en vérité, je préférais qu'il en soit ainsi. Je me suis détourné, mais je me suis retrouvé face à Rhia, qui elle aussi observait le garçon. Elle m'a donné un coup de coude.

— Il s'intéresse à toi, Merlin.

— Pourquoi ? ai-je rétorqué. Mère s'occupe de lui.

— Pour le moment seulement, a précisé Elen, en caressant les cheveux bouclés de son patient. Soigneusement nettoyée, avec un bon panse-ment, la plaie devrait bien se cicatriser. Ce sont les blessures intérieures qui me préoccupent le plus, celles auxquelles je n'ai pas accès.

— A-t-il dit quelque chose ? a demandé Rhia.

— Pas un mot. Je ne connais même pas son nom, a-t-elle dit en continuant de passer sa main dans les cheveux blonds du garçon.

Au même instant, le garçon a toussé et craché la mousse. D'une voix pâteuse, il a dit :

— Lleu. J'm'appelle… Lleu.

Le visage de notre mère s'est illuminé.

— Heureuse de faire ta connaissance, Lleu. Je m'appelle Elen.

Il allait parler de nouveau, mais elle l'a arrêté.

— Pas encore, mon petit. Pas trop vite. Tu as eu une dure journée.

— Mère, lui ai-je rappelé, d'autres horreurs se préparent. Nous sommes venus pour te prévenir.

— À cause de cet homme ? Celui qui s'est évadé de sa prison ?

J'ai hoché la tête.

— Pourquoi me ferait-il du mal ?

— Parce que c'est Stangmar.

À ces mots, ses joues ont pâli et elle s'est laissé tomber sur les planches de la scène, la mine défaite.

— Il est… libre ? a-t-elle demandé au bout d'un moment.

— Oui.

— Et il te cherche, a ajouté Rhia. Il est bien décidé à…

Elen a fermé les yeux.

— Pas à me faire du mal. Non, il ne ferait jamais ça.

— Si, il en est capable ! ai-je insisté. C'est sûr.

Elle a secoué la tête lentement.

— Elen! a appelé une voix grave.

Je me suis retourné aussitôt et j'ai vu un homme de grande taille se frayer un chemin à travers les badauds. Cairpré! Au passage, il a flatté l'encolure de Ionn qui, en retour, a mordillé l'écharpe de laine grise qu'il portait autour du cou.

Ses yeux observateurs, surmontés d'épais sourcils grisonnants, se sont posés sur moi.

— Merlin! Et Rhia aussi! Quel dommage que nos retrouvailles n'aient pas lieu dans des circonstances plus joyeuses!

— Nous avons des nouvelles, ai-je annoncé.

— Pas tout de suite, a-t-il dit avec un geste de la main. D'abord, nous devons mettre ce garçon au chaud. Il ne peut pas passer la nuit sur ces planches. Ça va, ma douce? a-t-il ajouté en voyant Elen. Tu as l'air abattue.

— Je le suis, a-t-elle répondu d'une voix faible.

Il lui a tendu la main.

— Qu'y a-t-il?

— Nous en parlerons plus tard, a-t-elle répondu, écartant sa main. As-tu trouvé un logis pour ce garçon?

— Oui, et pour nous aussi. Il y a même de la place pour Merlin et Rhia. J'y ai déjà porté ta veste chaude et le reste de tes affaires. Venez, suivez-moi.

Elen s'est tournée vers Lleu.

— Peux-tu marcher ou veux-tu que je te porte ?

Il a gémi, remué un peu et s'est assis lentement. Avec précaution, il a porté la main à son oreille pour tâter sa blessure, mais Elen l'a arrêté.

— Non, mon garçon, pas encore. Attends demain matin.

La peur s'est rallumée dans le regard de l'enfant, mais quand elle lui a passé un bras autour de l'épaule, il s'est un peu calmé. Elle l'a aidé à descendre de la scène et les gens du village les ont laissé passer, mais les murmures ont continué.

— Y a-t-il une cheminée dans cette hutte ? s'est inquiétée Elen.

— Pas vraiment, mais on se débrouillera. Comme disent les bardes : à défaut de coursier, on se contente d'un mulet.

Ionn a poussé un hennissement de protestation, sa queue fouettant ses cuisses massives.

Le poète s'est frotté le menton et a souri, puis il a dit avec un peu d'ironie :

— Oh, pardon, mon vieux.

Puis il nous a conduits vers notre logement. Débarassant ma mère de son bol, du linge et de ses herbes, je l'ai suivi, tout comme Rhia. Ionn nous a suivi derrière, ses sabots battant le sol en rythme.

UNE BERCEUSE

a hutte, qui avait récemment été utilisée par les chèvres du village, sentait le fumier et la sueur animale. Il n'y avait pas le moindre brin de paille, pas la moindre litière pour dormir dessus. La cheminée n'était rien de plus qu'un cercle de galets noircis à même la terre, au centre de la pièce. Mais après avoir allumé le feu avec des bouts de bois empilés près du mur, et passé un coup de balai, la hutte paraissait un peu plus confortable. Pour je ne sais quelle raison, Lleu continuait de m'observer attentivement, ce que je m'efforçais d'ignorer. Plus il s'intéressait à moi, plus j'étais mal à l'aise.

Pour le dîner, nous nous sommes assis autour du feu et avons partagé les maigres vivres de Cairpré, prévus seulement pour deux et non pour cinq. (Par chance, Scullyrumpus dormait profondément dans la poche de Rhia, sinon nous aurions dû compter avec un sixième convive vorace et difficile.) Mais personne ne semblait avoir très faim, alors quelques racines sucrées et quelques gâteaux à l'avoine accompagnés d'eau du ruisseau ont suffit. Nous avons mangé en silence.

Un peu plus tard, ma mère a obtenu de Lleu qu'il s'allonge par terre. Quand elle a commencé à s'éloigner de lui, il s'est accroché à sa robe, le visage crispé par la peur. Elle a hoché la tête, caressé ses cheveux et s'est mise à chanter, en se balançant doucement. Sa voix chaude a rempli la chaumière, et je me suis détendu en même temps que le petit garçon, car elle m'avait souvent endormi avec cette berceuse, autrefois.

Cherche-moi dans la brume
Où souvent je m'égare,
Cherche moi qui me perds
Dans les champs de blés murs,
Mais ne pleure surtout pas,
Je suis tout près de toi;
Regarde, peut-être me vois-tu
Rêver entre les nuages.

Maintenant fais silence
Et pars sur l'océan
Chercher le rameau d'or
Et l'invisible Graal;
Va donc pour découvrir
Le mystère qui s'y cache,

Ce trésor invisible
Perdu dans le silence.

Puisses-tu marcher sans cesse
De l'aube au crépuscule,
Bondir jusques aux cieux,
Errer à l'infini
Afin de découvrir
Comment est né le monde.

Maintenant pas un bruit,
Endors-toi mon enfant;
Tu n'auras jamais peur,
Toujours je serai là,
Si heureuse de pouvoir
Te bercer dans mes bras.
Va-t'en courir le monde,
Ce monde sans limites;
Mais quand tu reviendras,
D'aussi loin que tu viennes,
Toujours je serai là
Pour t'accueillir chez toi.

Quand les dernières notes se sont tues, l'enfant, roulé en boule sur le côté, avait fermé les yeux.

— Si seulement je savais utiliser le pouvoir de l'Orbe, je pourrais l'aider, a dit Rhia tout en tripotant les vignes à sa ceinture.

Cairpré a froncé ses sourcils épais, qui ressemblaient maintenant à deux nuages sur son front.

— Pour l'instant, même ça, je crois, ne servirait pas à grand-chose, a-t-il objecté. Il a eu une trop grande terreur. Une terreur telle que personne, jeune ou vieux, ne devrait jamais avoir à en connaître.

— Je crains, hélas, que le pire soit encore à venir, ai-je annoncé au poète.

— Que veux-tu dire?

J'ai regardé Elen recouvrir le garçon d'une vieille cape et le border soigneusement avant de nous rejoindre. Rhia a jeté un peu de fumier de chèvre sur les flammes. Puis, à voix basse, j'ai raconté ma vision de la veille. Tout le monde m'a écouté avec attention, posant peu de questions en retour. Cairpré a paru troublé — mais pas plus que moi — par la référence de Dagda à la plus précieuse des graines. Quand, enfin, j'ai terminé mon récit, les dernières paroles sont restées en suspens dans l'air enfumé : *quand tout est vraiment gagné, tout est vraiment perdu.*

Puis, la gorge serrée, j'ai répété l'histoire de l'évasion de Stangmar. Cairpré m'a écouté, les yeux écarquillés, tandis que ma mère restait assise, immobile, la paume sur le front. À la fin, plus personne ne parlait. On entendait seulement la respiration rauque du garçon et les grésillements du feu.

C'est ma mère qui, la première, a rompu le silence.

— Je me souviens d'un homme différent du Stangmar que tu décris, a-t-elle dit doucement, le visage à moitié parmi les ombres. Un jeune homme, tantôt gauche, tantôt galant, qui est venu jusqu'à Gwynedd pour me courtiser, tellement il m'aimait. Avant que Rhita Gawr l'ait séduit et détourné du droit chemin, c'était un idéaliste, avec ses défauts, certes, et vulnérable, mais un homme qui essayait de faire preuve de courage, de compassion et de gentillesse.

— Pas Stangmar ! ai-je protesté, sentant le sang battre à mes tempes. C'est impossible.

Elen m'a souri tristement.

— Tu ne l'as jamais connu tel qu'il était à l'époque. Il m'a même donné le Galator, son précieux pendentif, le joyau de son royaume, rien que pour me prouver ses sentiments.

— Ensuite, il a essayé de me tuer, moi, son propre fils, juste pour apaiser Rhita Gawr !

— Je ne défends pas ce qu'il est devenu, a-t-elle soupiré tristement. Et son amour n'était, certes, ni aussi profond ni aussi vrai que celui que j'ai trouvé depuis, a-t-elle ajouté en posant la tête sur l'épaule de Cairpré, dont elle tenait la main serrée dans la sienne.

Assis l'un contre l'autre devant le feu qui éclairait leurs visages, ils semblaient se fondre l'un dans l'autre. En les voyant, je ne pouvais m'empêcher de songer à Hallia, partie là-haut, dans le nord, chercher de l'aide pour notre cause. Comme elle me manquait !

— Le Galator... a dit soudain Cairpré d'un air songeur tout en desserrant son foulard de laine. Nous aurions pu faire appel à lui ! Qu'importe si ses pouvoirs restent mystérieux. Ils devaient être immenses pour avoir inspiré tant de merveilleuses ballades.

Je revoyais encore le vert étincelant du pendentif, et sa disparition sous une montagne de lave.

— La perte du Galator est tragique.

— Et la perte de l'homme qui me l'a donné est encore plus tragique.

Elle s'est penchée vers l'avant et m'a fixé en ajoutant :

— Ce n'était pas le même que celui que tu as connu, je te le garantis.

J'ai grimacé.

— L'homme que je connais veut te tuer.

— C'est vrai, mère, a confirmé Rhia. Tu dois être prudente.

— Et que devrais-je faire ? a-t-elle répondu, les yeux brillants comme des charbons ardents. Rester cachée dans cette misérable cabane ? Oh non, mes enfants, je ne vais pas me terrer comme un lièvre dans son terrier.

— Mère, écoute-moi donc. C'est un fou, un tueur !

— Peut-être. Mais je ne peux quand même pas croire qu'il me ferait du mal. À moins qu'il me dise, à moi ou à l'un de vous, que telle est vraiment son intention.

J'ai secoué la tête, découragé.

— Et où iras-tu ?

— Où j'en ai envie.

— Tu pourrais au moins rester ici les deux prochaines semaines. Il ne pensera peut-être pas à venir te chercher dans ce village isolé. Ensuite, après la nuit la plus longue, nous trouverons un meilleur moyen de te protéger.

— S'il te plaît... a renchéri Rhia.

Elle nous a regardés un moment, puis a déclaré :

— Je resterai ici deux jours, pas davantage. Non parce que j'en ai envie, mais parce que mes enfants me le demandent et s'inquiètent pour moi.

— Mais...

Cairpré m'a arrêté d'un geste.

— Ta mère a une volonté de fer. *Fer forgé, / tu ne pourras plier.* Ce n'est même pas la peine d'essayer de la faire changer d'avis. Crois-moi, j'en sais quelque chose.

— Tu veux dire que je suis têtue ? a lancé Elen avec un petit sourire narquois.

— Oh non, pas du tout. Simplement obstinée, inflexible et totalement inébranlable.

Elen a plissé les yeux.

— Alors toi aussi, tu penses que je devrais rester ici plus longtemps ?

— Elen, a-t-il répondu, le front soucieux, je pense, en effet, que c'est l'endroit où tu es le plus en sécurité. Mais je te connais trop bien et je t'aime trop pour me montrer exigeant. Je te demande seulement de faire tout ton possible pour te mettre à l'abri du danger. Car te commander, c'est comme commander aux vagues de la mer ou aux nuages du ciel.

Lentement, son visage s'est détendu. Elle l'a regardé avec une profonde affection.

— Toi, mon poète, tu m'as donné quelque chose que Stangmar n'a jamais pu me donner... un cadeau bien plus précieux que le Galator.

— Un cadeau que nous partageons.

À ce moment-là, le feu s'est effondré sur lui-même. Une gerbe d'étincelles a illuminé la pièce, projetant sur les murs de terre un déferlement de vagues lumineuses jaunes et orange. Lleu dormait profondément dans l'ombre. Il paraissait bien petit, et pourtant fort et courageux pour son âge. Je ne pouvais m'empêcher d'éprouver une grande compassion à son égard, et je lui souhaitais de ne jamais connaître un autre jour comme celui qu'il venait de vivre.

Cairpré s'est approché du feu pour le tisonner avec un bâton. D'autres étincelles ont jailli, éclairant son front et une partie de son visage. Seuls ses yeux enfoncés restaient dans l'ombre. Vu ainsi, il ressemblait à une statue de pierre. Il a jeté son bâton dans le feu, a replié ses genoux contre sa poitrine et s'est tourné vers moi.

— Dagda t'a dit quelque chose qui n'était pas tout à fait exact.

— Est-ce possible ? ai-je demandé, surpris par l'audace de mon vieux maître.

— Je pense au moment où il s'est référé aux jours anciens où tous les Fincayriens étaient unis. Avant que ne commencent les dissensions qui existent aujourd'hui — dont Stangmar a profité, certes, et qu'il a même aggravées, mais qu'il n'a pas inventées.

— Eh bien, qu'est-ce qui n'est pas exact, là-dedans ?

— D'après ce que tu as dit, il appelait ce temps-là *une époque à présent oubliée*.

— C'est bien le cas, non ?

— Pas tout à fait, Merlin. Les bardes, eux, ont quelques souvenirs de ce temps-là.

Nostalgique, il a perdu son regard dans les flammes et a poursuivi :

— C'était une époque merveilleuse ! Chaque fois qu'on construisait une maison, une bibliothèque, ou qu'on créait un verger, on se partageait les tâches — et les fruits du travail. Toutes les créatures circulaient librement ; toutes étaient égales. Le peuple de la mer batifolait ouvertement sur les océans, les loups empruntaient les mêmes pistes que les cerfs et les hommes. Certains animaux en mangeaient d'autres, bien sûr, et presque tout le monde se nourrissait de plantes, mais jamais plus que nécessaire et toujours avec un sentiment de gratitude. Ah, si seulement je pouvais te réciter *L'Hymne de l'aigle à la souris*, ou cette vieille ballade, *Colombe blessée, prends mes ailes* !

À mesure que le feu faiblissait, ses yeux s'assombrissaient.

— Il y avait de grands spectacles en ce temps-là, auxquels participaient des représentants de toutes les espèces : de la plus puissante sœur du vent, dont les bras pouvaient s'étendre d'une côte à l'autre de cette île, jusqu'à la plus délicate lumi-lule, aux apparitions plus fugaces qu'un rayon de lune.

— Les arbres aussi s'en souviennent, a déclaré Rhia, ses vêtements végétaux reflétant la lumière vacillante du feu. Arbassa et le seul autre arbre aussi vieux que lui, Helomna, le vieil orme, m'ont tous deux raconté des histoires de ce temps-là. Tout arbre ayant dépassé l'âge d'un arbuste pouvait marcher, paraît-il. Parfois une forêt entière se déplaçait ainsi : *Comme une montagne en mouvement, / Comme une marée sur la terre...*

Elle m'a regardée, radieuse.

— Peux-tu imaginer quelque chose de plus beau ?

— Oui, une chose : ressusciter cette époque.

— C'est possible, vous savez, a dit Cairpré. Tout à fait possible. Du moment que quelqu'un s'en souvient. Imaginez ! Voir revivre les jours de gloire de Fincayra ! Mais d'abord, a-t-il ajouté, le front soucieux, nous devrons survivre à l'attaque de Rhita Gawr.

J'ai tenté d'avaler ma salive, mais ma bouche était devenue trop sèche.

— Vous croyez vraiment que c'est possible ? ai-je demandé.

Le barde a trituré le feu un certain temps avant de lever les yeux vers moi et de me répondre.

— Nous vivons dans un pays où des forêts entières se sont déplacées. Oui, comme des marées ! Dans un tel pays, mon ami, tout pourrait arriver. Tout.

Il s'est interrompu encore une fois, a inspiré lentement, puis annoncé :

— Je dois retourner chez moi. Juste pour faire quelques recherches dans ma bibliothèque. Ce ne sera pas long, je te le promets, a-t-il précisé à l'intention d'Elen. Il y a autre chose que Dagda a dit, a-t-il ajouté plus bas. Si je trouve le passage auquel je pense, cela pourrait être utile.

— Moi aussi, je dois repartir demain matin, ai-je annoncé à mon tour d'un air grave. Je ne sais pas si je réussirai à convaincre les gens de se joindre à nous, mais il faut bien essayer.

— Merlin, a supplié ma mère, tu seras prudent, n'est-ce pas ? Autant que tu m'as demandé de l'être il y a un instant ?

J'ai fait oui de la tête

— Alors, prends ça, a-t-elle ajouté.

Elle a attrapé un épais gilet fait de tiges de fleurs astrales séchées et me l'a lancé.

— Tu en auras besoin.

Elle m'a jeté un regard ironique et a dit :

— Tu vas voyager plus que moi.

— Tu es sûre ? C'est ton gilet préféré.

— En effet. C'est un souvenir de Charlonna, la guérisseuse des Mellwyn-bri-Meath. Elle me l'a donné en gage d'amitié. Tu en apprécieras d'autant plus la chaleur qu'il contient la magie du peuple des cerfs.

Voyant mon visage s'éclairer, elle m'a souri tendrement.

— Désormais, Hallia et moi serons tout contre toi chaque fois que tu le porteras.

Je me suis tourné vers Rhia.

— Tu viens avec moi ? ai-je dit. Juste un moment. J'ai une idée sur la façon dont tu pourrais nous aider.

— Je ne vois pas à quoi je pourrais servir, dit-elle en secouant la tête, ses boucles suivant le mouvement, à moins que tu aies besoin de l'Orbe pour te réchauffer.

— C'est de toi que j'ai besoin, chère sœur. Avec ou sans l'Orbe.

Elle a tapoté sa manche, juste en dessous de la poche où dormait Scullyrumpus.

— Je ne peux pas, Merlin. Je dois retourner dans la Druma, chez moi. Et puis tu ne peux pas me demander de venir sans me parler de ton idée.

— Je te le dirai le moment venu.

— Bon, d'accord, a-t-elle répondu en me jetant un regard contrarié. Mais je ne vais pas t'accompagner longtemps. Ça ne va pas plaire à Scullyrumpus... a-t-elle ajouté en marmonnant.

— Merci. Tu ne le regretteras pas.

— Moi non, mais toi si.

Elen a pris la main de sa fille.

— Je suis désolée de ne pas avoir un deuxième gilet pour toi.

— Aucune importance, a répondu Rhia d'un ton joyeux. Merlin me prêtera le sien. N'est-ce pas, mon frère ?

— D'accord, ai-je grommelé en lui tendant le gilet. Tiens, tu l'utiliseras comme couverture ce soir.

— Dans ce cas, a dit Cairpré, déroulant son écharpe et me la jetant sur les genoux, tu auras aussi besoin de ça. Quant à toi, Rhia, tu devrais prendre ma jument, Coella. Il me faudra moins d'une journée de marche pour rentrer chez moi. Tu en auras plus besoin que moi... À moins que tu empruntes le cheval de Merlin, a-t-il ajouté avec un clin d'œil.

Elle a écarté cette proposition d'un revers de main.

— Pas pour le moment, en tout cas. Quand partons-nous ? m'a-t-elle demandé, plus sérieuse.

— Nous chevaucherons au lever du jour. Nous chevaucherons pour le bien de tout Fincayra.

— Alors, il est temps de dormir, mon frère.

Nous nous sommes allongés sur le sol de terre. Couché sur le dos entre Rhia et Lleu, j'ai posé l'écharpe sur ma poitrine pour avoir plus chaud et, en attendant que le sommeil me gagne, j'ai regardé distraitement la fumée du feu s'échapper dans la nuit par un trou percé dans le toit de chaume. Pendant ce temps, j'écoutais la respiration régulière de Lleu. Peu à peu, la mienne a adopté le même rythme et, à mon tour, je me suis endormi.

∾ IX ∾

AUTOUR DU FEU

Quelques heures plus tard, j'ai été réveillé par le froid. Il faisait encore nuit dans la hutte remplie d'odeurs de fumier et de vêtements enfumés. Pris de frissons, je me suis aperçu que l'écharpe avait glissé par terre. Mais surtout, le feu s'était complètement éteint.

Je me suis levé et, remuant mes doigts ankylosés, je me suis approché de l'âtre tout doucement pour ne déranger personne. J'ai trituré les cendres avec une brindille, espérant y trouver un reste de braise. Mais il n'y avait que des charbons recouverts de cendres et quelques bouts de fumier épargnés par les flammes.

Quel ennui ! Comment faire pour rallumer un feu ? J'ai pensé au chant magique, mais l'éruption de flammes qu'il provoquait toujours réveillerait tout le monde. Et, plus encore que de chaleur, mes compagnons avaient besoin de sommeil.

Les mains serrées sous les aisselles, je parcourais la pièce du regard à la recherche de combustible, lorsque j'ai découvert près du mur des bouts de bois de l'épaisseur de mon bâton. Je suis allé les ramasser avec mille précautions pour éviter les bras et les jambes de mes amis. Mais avec quoi y mettre le feu ? J'ai récupéré les pierres à feu de Cairpré à côté du foyer et, en faisant le moins de bruit possible, j'ai réussi à en faire jaillir des étincelles. Pas assez cependant pour enflammer les bouts de bois. Après plusieurs minutes d'efforts infructueux, j'avais encore plus froid qu'avant. Mes doigts étaient gourds. Dégoûté, j'allais renoncer, résigné à passer le reste de la nuit à grelotter, quand quelque chose m'a poussé dans le dos. Je me suis retourné et j'ai vu Lleu qui tendait une main vers moi. Il tenait entre ses doigts une poignée de débris d'écorce séchée.

Face à ce jeune garçon si débrouillard et généreux, je n'ai pu m'empêcher de sourire. Les coins de sa bouche se sont timidement relevés. Pas pour longtemps, mais j'ai compris qu'il avait répondu à mon sourire.

Puis, sans un mot, il s'est approché du foyer, ses pieds nus raclant le sol. Il a disposé les débris d'écorce en tas au centre, de manière que l'air puisse passer. En frappant les pierres l'une contre l'autre, j'ai réussi à faire jaillir une étincelle, qui a atterri au pied du tas d'écorce. Nous avons soufflé dessus très doucement, tous les deux ensemble.

L'écorce a commencé à rougeoyer et un mince filet de fumée s'est élevé. Nous avons soufflé encore. Cette fois, une flamme est apparue. Il a suffi de quelques bouts de bois posés dessus pour qu'un beau feu se mette à crépiter.

Tout en nous réchauffant les mains devant les flammes, nous nous sommes regardés en silence, satisfaits du travail accompli. Autour de nous, la hutte ruisselait de lumière, des vagues d'orange coulaient sur les murs. Et une chaleur nouvelle nous a envahis.

Au bout de quelques instants, nous sommes retournés à nos places sur le sol. J'ai contemplé quelque temps la nouvelle colonne de fumée et, comme l'air était encore froid, j'ai ramassé l'écharpe à côté de moi. Au contact de la laine, une idée m'est venue.

Je me suis penché vers Lleu. Il m'a regardé, un doute dans ses yeux. À la lueur du feu, je pouvais voir le sang séché qui avait formé une croûte autour de son oreille coupée. Doucement, je lui ai offert l'écharpe, sachant que Cairpré serait aussi content que moi s'il la portait.

Il a hésité un moment. Finalement, il a tendu le bras et pris l'écharpe avec un timide sourire. Puis il a fait une chose inattendue : au lieu de l'enrouler autour de son cou ou de s'en couvrir la poitrine, il l'a enroulée autour de ses pieds nus.

Il m'a remercié d'un dernier hochement de tête, s'est pelotonné sur le sol et, peu après, il s'est rendormi. Tout comme moi.

 DEUXIÈME PARTIE

∽ X ∽

LE RÉVEIL

ux toutes premières lueurs du jour, alors que la nuit commençait à peine à s'éclaircir, Rhia et moi nous sommes mis en route. Quand nous avons franchi les portes du village, notre haleine et celle de nos montures formaient des nuages de buée blanche. Le froid me pinçait le visage, raidissait mes membres, et mes doigts engourdis étaient aussi durs que le sol. Pendant ce temps, les soucis se bousculaient dans ma tête. La seule chose qui me donnait envie de sourire était le souvenir de Lleu et du feu que nous avions allumé ensemble.

Rhia, comme moi, semblait perdue dans ses pensées. Recroquevillée dans le gilet de mère, elle se laissait porter par Coella, dont les oreilles pivotaient avec appréhension. De mon côté, je chevauchais Ionn en écoutant le claquement de ses sabots sur la terre gelée et le craquement des plaques de givre. Bientôt, elles deviendraient des flaques. J'ai jeté un coup d'œil à Rhia et j'étais content de la voir porter le gilet. Touché par la lumière vacillante d'avant l'aube, le gilet reluisait de tons de jaune des fleurs astrales. Les yeux verts de Scullyrumpus reluisaient aussi d'entre les plis où il s'était blotti.

Au moment où nous traversions un boqueteau de chênes, de frênes et d'aubépines, le soleil s'est levé, teintant d'or le sommet des arbres dénudés. Rhia s'est tournée vers moi, et j'ai vu à son air sombre combien elle regrettait la Druma et ses hivers si doux. Elle devait également s'interroger sur mes projets.

Mes projets... un bien grand mot pour une simple idée dont je n'étais même pas sûr qu'elle marcherait, ni que Rhia l'approuverait. Heureusement, j'avais encore le temps d'y réfléchir, car ma sœur m'avait donné jusqu'à la tombée du jour pour m'expliquer. Mais les heures passaient, et j'étais toujours aussi mal à l'aise.

Le reste de la journée, nous avons poursuivi notre route vers le nord à travers les plaines glacées. Nous parlions peu, mais la mine renfrognée de Scullyrumpus m'en disait beaucoup sur son humeur. Les chevaux avançaient sans se presser, comme les nuages au-dessus de nous. À quoi bon forcer l'allure puisque je ne savais pas très bien moi-même où nous allions ?

Finalement, un pâle coucher de soleil a éclairé le ciel à l'ouest. Alors que nous approchions d'un ruisseau sortant d'un épais bouquet d'arbres, j'ai repéré un chêne penché à la lisière de la forêt.

— Voilà un endroit tout indiqué pour passer la nuit, ai-je annoncé à Rhia.

— Merveilleux, vraiment merveilleux, a marmonné la voix sur son épaule. Et rien pour le dîner, j'en suis sûrsûr.

Rhia l'a fait taire d'un geste.

— J'ai des biscuits d'avoine, glouton. Et peut-être des baies, si tu es sage. Merlin a quelque chose à nous dire.

— Bienbien, quand gros balourd parle, ça m'aide à dormir.

Sans nous soucier d'attacher les chevaux, nous nous sommes assis près des racines du chêne. Elles semblaient retenir la terre comme une main décharnée. Rhia a sorti une poignée de biscuits et des baies séchées de sa poche. Les baies étaient pourpres et aigres. Malgré tout, j'en ai pris quelques-unes, et Scullyrumpus les a avalées en se léchant les babines. J'ai trouvé une pierre ronde et j'ai brisé quelques lames de glace qui recouvraient le ruisseau pour pouvoir y plonger la gourde de Rhia dans le ruisseau. Quand elle a été enfin pleine, mes doigts étaient gelés.

— Dommage que tu n'aies pas un peu de ton délicieux sirop de framboise, ai-je dit.

Ses yeux se sont mis à briller rien que d'y penser. Malgré les circonstances, j'étais content d'être avec elle. En tout cas pour une nuit.

— Bon, ai-je commencé, si nous...

— Bonne nuit, bavard, a lancé Scullyrumpus en se glissant dans sa poche, un biscuit dans chaque patte. Tu vas encore caqueter toute la nuit. Évite de tomber dans la rivière, cette fois, *hek-heka*, *hii-hii-hii-ho*.

J'ai secoué la tête tandis que ses oreilles disparaissaient dans la poche.

— Quel charmant compagnon! ai-je lancé.

Rhia a avalé une de ses baies.

— Il me fait rire, parfois. Ce n'est pas rien.

— Moi, il me donne des aigreurs d'estomac.

— Parle-moi plutôt de ton idée, m'a-t-elle demandé tout en tapotant mon genou.

J'ai inspiré profondément :

— Réfléchis une minute à notre problème. Nous n'avons pas le temps de prévenir toutes les créatures de Fincayra. Je dois donc décider lesquelles seront les plus utiles pour repousser Rhita Gawr, et partir à leur recherche. Je pensais d'abord aux grands aigles des Gorges.

Tout en réfléchissant à mes paroles, elle faisait tourner une baie entre ses doigts.

— Ça me paraît raisonnable. Continue.

Je l'ai observée longuement.

— Rhia, il y a des créatures que tu connais mieux que moi... qui, comme moi, te font confiance.

Aussitôt, elle s'est raidie. Puis, elle s'est adossée à une grosse racine.

— Tu ne veux quand même pas que... Non, Merlin. J'aimerais bien t'aider à rassembler tout le monde, mais je ne peux vraiment pas.

— Pourquoi ?

— Parce que c'est impossible !

— Ça, nous ne le savons pas.

— Moi, je le sais ! En tout cas, moi, je ne peux pas le faire, a-t-elle déclaré, en détournant son regard. Je suis de la Druma, tu le sais. Comme mes amis les arbres.

J'ai posé une main contre l'écorce profondément crevassée du chêne.

— Peut-être qu'ils t'écouteraient. Peut-être sortiraient-ils de ce sommeil qui les retient au sol depuis si longtemps.

— Ça m'étonnerait. Même les arbres de la Druma, qui sont plus éveillés que les autres, ne peuvent plus soulever leurs racines du sol. Ils dorment depuis si longtemps qu'ils ont oublié, à présent.

— Et ceux qui marchent ? ai-je insisté. J'en ai rencontré un, l'année dernière, près des Marais hantés.

Elle a écarquillé les yeux.

— Un nynniaw pennent ?! Un vrai ? Tu ne me l'as jamais dit ! s'est-elle écriée.

Puis, tout aussi vite, son enthousiasme est retombé.

— Tu sais comme ils sont rares. Il paraît qu'il n'en reste plus que cinq ou six sur l'île. Et rien ne les distingue des autres arbres. D'ailleurs leur nom signifie : *toujours là, jamais trouvé.*

Ma main a suivi les sillons de l'écorce, puis s'est posée sur son épaule. J'ai insisté.

— Tu pourrais les trouver, Rhia. Je sais que tu pourrais ! Et si tu les trouves, ils sauraient peut-être comment réveiller les autres arbres. Penses-y ! lui ai-je dit, les yeux dans les yeux. Imagine, une forêt en marche comme dans ta description d'hier soir ! Si l'armée de Rhita Gawr voyait ça...

Ma phrase est restée en suspens, mais mon regard ne l'a pas lâchée.

— Tu te rappelles ? *Comme une montagne en mouvement, comme une marée sur la terre.*

Elle passait la main dans ses cheveux bouclés et m'observait, sceptique.

— C'est beau à imaginer. Mais...

— Quoi ?

— C'est juste que je ne suis pas bonne pour les choses de ce genre.

— Qu'est-ce que tu racontes ? Tu as affronté Stangmar dans son propre château, non ?

— Oui, et ça ne m'a pas plu du tout.

— Et tu m'as accompagné aussi dans l'antre du dragon, non ? Ce n'était pas Gwynnia que nous avions en face de nous, mais son père, trois fois plus grand et mille fois plus en colère.

Son expression s'est radoucie. Elle a même esquissé un sourire.

— C'était le jour où tu as mordu dans ta botte.

— Hmm, ai-je fait, faisant mine de mâcher quelque chose de coriace. Donne-moi un peu plus de sel.

— Pas besoin ! a-t-elle enchaîné avec un franc sourire. Tu en as bien assez avec la sueur de tes pieds.

Nous avons tous deux éclaté de rire. Scullyrumpus, surpris, a sorti la tête. Apercevant un biscuit sur une racine, il a profité de notre inattention pour s'en emparer et replonger dans sa poche en toute tranquillité.

Lorsque nos rires se sont calmés, Rhia a fixé son regard sur moi.

— Tu es fou, mon frère. Complètement fou.

J'ai hoché la tête sans rien dire.

— Tout ça, c'est ridicule, a-t-elle continué. Et dangereux, en plus, avec Stangmar qui rôde dans les parages, et cet individu qui a des épées à la place des bras.

De nouveau, j'ai acquiescé en silence.

Elle m'a jeté un regard noir. Mais finalement, elle a capitulé.

— D'accord, je m'en occuperai… Mais comment réussis-tu toujours à me faire faire toutes ces choses?

— De la même façon que tu réussis à me faire voler accroché à une branche.

Elles s'est mise à pianoter contre le tronc penché du chêne qui se perdait déjà dans les ombres du crépuscule.

— Dis-moi à quoi tu penses encore. Pendant que je m'emploierai à réveiller les arbres, quels alliés espères-tu trouver?

— Eh bien, les grands aigles des Gorges, comme je te l'ai dit. Ils sont difficiles à trouver, tu le sais, mais je les ai aidés par le passé et j'espère qu'ils ne l'auront pas oublié.

— Qui d'autre?

— Les géants, le plus possible. Shim s'en charge. Mais nous aurons également besoin des nains, qui sont de redoutables guerriers.

— Ce ne sera pas commode, a-t-elle dit avant d'envoyer sa dernière baie dans sa bouche. Ta dernière rencontre avec Urnalda n'a pas été des plus faciles.

J'ai passé mes doigts contre le bois sculpté de mon bâton.

— Je le sais bien. Mais elle n'est pas seulement la reine des nains. C'est une enchanteresse puissante, et elle lit dans l'avenir. Elle sait peut-être déjà quels dangers nous menacent. Si je parvenais à la convaincre... Un nain en colère vaut bien une douzaine des gobelins de Rhita Gawr.

— Attends. C'est sûr, Rhita Gawr peut compter sur l'aide des gobelins, ses vieux alliés. Mais le plus gros de son armée sera constitué par des esprits, des êtres immortels. C'est ce que t'a dit Dagda. Comment penses-tu les combattre ?

J'ai réfléchi un moment en écoutant les clapotements du ruisseau entre ses rives gelées.

— Je ne sais pas, ai-je fini par avouer. Je ne sais vraiment pas. Nous devrons juste faire de notre mieux.

Rhia réfléchissait, elle aussi.

— Il faudrait contacter les sœurs du vent, a-t-elle dit. Si seulement je pouvais retrouver notre vieille amie Aylah...

— On ne trouve jamais le vent, c'est lui qui nous trouve. Il y a peut-être quelqu'un que je pourrais joindre, c'est la Grande Élusa. Elle se battra pour Fincayra, j'en suis sûr ! Avec sa taille et son pouvoir — sans parler de son appétit colossal qui sied bien à une araignée géante —, c'est la créature la plus dangereuse de l'île. À part Gwynnia, bien sûr.

Mon cœur s'est serré en pensant à Hallia qui était partie vers le nord à la recherche de l'antre de Gwynnia. Le trouverait-elle à temps ? Gwynnia serait-elle là ? Et disposée à nous suivre ?

— Nous aurons besoin d'hommes et de femmes, a déclaré Rhia d'une ton ferme. De toutes les bonnes volontés que nous pourrons trouver. Mes amis les elfes des bois se joindraient peut-être à nous, bien qu'ils soient aussi insaisissables que des ombres.

À peine visible sur le sol qui s'obscurcissait, la mienne a secoué la tête vigoureusement.

— D'accord, d'accord, lui ai-je lancé. Aucun de ces elfes n'est aussi insaisissable que toi.

Elle a cessé de secouer la tête.

— Les goules des marais, également, ai-je ajouté, m'adressant à Rhia.

— Non, pas elles. Ce sont de redoutables guerrières, je l'admets, mais on ne peut pas s'y fier.

— Tu n'étais pas là quand je les ai aidées. Elles sont déjà venues à mon secours pour rembourser leur dette. Peut-être recommenceront-elles ?

— Elles sont au bas de notre liste. Seules les pierres vivantes seraient encore pires. Tu n'obtiendras jamais d'une pierre vivante qu'elle te parle, et encore moins qu'elle se joigne à toi.

— Mais si, Rhia, j'ai déjà parlé à l'une d'entre elles ! Tu ne te rappelles pas ? Cette nuit où la pierre vivante a essayé de m'avaler ? Nous avons parlé. Il me semble encore entendre sa voix grave et rocailleuse. Il y a de la vie dans ces vieux rochers, et une grande sagesse aussi. Je suis sûr que j'arriverai à me faire comprendre.

— Moi, je préfère essayer d'éveiller les arbres. Si vraiment c'est possible.

— Eh bien, vas-y, ai-je suggéré en désignant le chêne.

Elle m'a regardée, hésitante, puis a posé la main, doigts écartés, sur l'écorce du tronc. Les yeux fermés, elle a commencé à parler d'une voix grave et voilée dans la langue du chêne. *Hooo washhhaaa washhhaaa lowww, hooo washhhaaa lowww wayanooo.* Elle a psalmodié plusieurs fois ce chant.

Dans la racine sous mes cuisses, j'ai perçu un léger soubresaut, presque un mouvement, mais pas vraiment. Était-ce juste le fruit de mon imagination ? J'ai posé ma main sur le tronc, à côté de celle de Rhia, et peu à peu, j'ai senti sous ma paume une vague de chaleur irradier du cœur de l'arbre. *Hooo washhhaaa washhhaaa lowww, hooo naaayalaaa washhhaaa lowww.*

Une autre racine a frémi, très légèrement. Elle s'est contractée, comme un bras sur le point de bouger. En même temps, une branche au-dessus de nos têtes s'est mise à se balancer et à claquer contre le tronc. Un feuille morte a atterri douce-ment dans l'épaisse chevelure bouclée de Rhia, qui a ouvert des yeux émerveillés, tandis que la chaleur de l'arbre augmentait légèrement.

— Ça marche, a-t-elle murmuré, tout excitée. Tu le sens ?

— Vois si tu arrives à lui faire soulever ses racines hors du sol !

Mais, au moment même où je parlais, l'arbre s'est immobilisé. Sous ma paume, la chaleur a faibli aussi vite qu'elle était apparue. Rhia et moi avons repris le chant, plus fort et plusieurs fois de suite. La chaleur continuait à diminuer, s'échap-pant des fibres du bois comme l'eau d'une bou-teille cassée. Quelques secondes plus tard, je ne sentais plus qu'une écorce rugueuse sous ma main.

Sans nous décourager, nous avons essayé de chanter une nouvelle fois en gardant les paumes appuyées si fort contre l'arbre que les veines se gonflaient sur le dos de nos mains. Pourtant, rien ne bougeait : pas la moindre vibration, pas la moindre chaleur. Aucune vie.

Finalement, nous avons abandonné.

— Ce ne sera pas facile, a conclu Rhia d'un air triste.

Secouant la tête, elle a délogé la feuille qui a flotté jusqu'au sol, près de ses pieds.

— Non. Pourtant, tu as vraiment déclenché quelque chose. Qui sait? Peut-être trouveras-tu un autre moyen, un nouveau mot, un nouveau ton, qui pourrait faire toute la différence.

Rhia a presque souri à mes paroles.

— Tu crois vraiment?

— C'est possible, tu sais.

Elle a levé la tête vers les branches du chêne.

— Peut-être que oui, peut-être que non.

Au même instant, une petite tache de lumière, pas plus grosse qu'un pépin de pomme, a scintillé dans une crevasse du tronc. Elle s'est envolée, étincelante, avec un léger bourdonnement. Une lumilule! Jusque-là, je n'avais vu qu'une seule de ces délicates créatures, mais je n'avais jamais oublié sa beauté.

La petite lumière volante a tourné autour de nos têtes avant de venir vers moi. Tandis que je retenais mon souffle, elle s'est posée, aussi légère qu'un grain de poussière, sur le bout de mon nez. Elle est restée là quelques secondes à agiter les ailes. J'avais l'impression étrange qu'elle m'observait encore plus attentivement que je ne l'observais moi-même. Puis elle s'est envolée et, profitant d'un courant d'air, elle a disparu dans les arbres.

En regardant la lumilule s'en aller, Rhia a imité le bourdonnement de ses ailes.

— Elle me fait penser à une étoile filante, mais en beaucoup plus petit. Visiblement ton nez pointu lui plaisait, a-t-elle ajouté en souriant.

Du bout du doigt, j'ai touché l'endroit où la créature s'était posée si brièvement.

— Peut-être avons-nous recruté notre première alliée.

— C'est possible, tu sais, a répondu Rhia, complice.

Soudain, Ionn a henni. Le cheval qui, jusque-là, broutait tranquillement près du ruisseau, s'était redressé, la tête tournée vers la plaine. J'ai suivi son regard et vu une silhouette émerger des ténèbres.

Je me suis levé d'un bond. Était-ce... Non, impossible. Et pourtant si, c'était bien lui. J'ai tout de suite reconnu sa démarche rapide et feutrée.

— Lleu! me suis-je écrié.

Le jeune garçon a couru vers nous et s'est arrêté, haletant, au bord du ruisseau. Il s'est agenouillé, a plongé son visage dans l'eau et a bu à grands traits, avant de se relever et de s'essuyer le menton et les joues avec sa manche tout en faisant attention à son oreille.

— Tu as couru jusqu'ici ? Tu nous as suivis ?

Il a hoché la tête, envoyant quelques gouttes sur l'écharpe grise que je lui avais donnée la veille.

— Ben oui, a-t-il répondu, comme si courir toute une journée n'avait rien d'exceptionnel.

Rhia avait l'air tout aussi surprise que moi. Je me suis mis à genoux de sorte que le visage de Lleu et le mien se touchaient presque.

— Dis-moi, mon garçon, ai-je murmuré. Pourquoi as-tu fait ça ?

Il a tiré sur l'écharpe de laine qu'il portait à présent autour du cou.

— Cette écharpe est à vous, et je vous l'ai pas rendue, ce matin. Vous êtes parti trop tôt.

Je n'ai pu m'empêcher de sourire.

— Non, Lleu. Je l'ai laissée parce que je te l'ai donnée, comme mon ami me l'avait donnée.

Il pensait sincèrement qu'il devait me la rendre, je n'en doutais pas, mais ses véritables motivations étaient certainement plus profondes. Pourquoi s'intéressait-il tant à moi ? Sentait-il de façon instinctive que mon enfance n'avait pas été très différente de la sienne ?

Je lui ai tapoté l'épaule doucement.

— Comment va cette oreille ?

Il a tressailli. Puis, redressant les épaules, il a répondu :

— Pas trop mal, m'sieur. J'ai eu des douleurs toute la nuit et j'peux pas la toucher, mais pour c'qui est d'entendre, ça va. Le plus pire, c'est le rêve que j'ai fait la nuit dernière, a-t-il ajouté avec un frisson. Mais vous m'avez aidé à surmonter ça.

— À vrai dire, si je m'en souviens bien, c'est toi qui m'as aidé. Et tu peux m'appeler Merlin.

Ses yeux brillaient, malgré la faible lumière. Puis, il a serré les lèvres avant de dire :

— J'en ai vu d'autres qui couraient, maître Merlin. Des enfants comme moi, et qui couraient vite. Ils fuyaient quelqu'un ou quelque chose, j'suis sûr. J'sais pas quoi, et j'ai pas attendu pour le savoir. Mais j'me demandais si, des fois, c'était pas le...

— ... le même qui t'avait attaqué ? Non, non, ai-je dit pour le rassurer. C'est impossible.

Il n'avait pas l'air convaincu.

— Mais il est toujours dans les parages. Et p't-êt' bien qu'il en poursuit d'autres.

— Pas toi, en tout cas, ai-je dit en prenant sa main dans la mienne. Tu n'as rien à craindre, maintenant. Je te le promets.

Il a hoché la tête, hésitant.

Je lui ai tendu les biscuits qui me restaient.

— Tiens, prends ça. C'est un peu léger après ta longue journée, mais on fera mieux demain matin.

— Merci, maître Merlin.

Et il a fourré les biscuits dans sa bouche.

Je l'ai observé jusqu'à ce qu'il ait fini de les manger.

— Tu peux rester avec nous ce soir, Lleu, et il ne t'arrivera rien. C'est certain. Mais demain, je le crains, nous devrons de nouveau nous séparer.

Devant sa mine déconfite, j'ai dû lui expliquer :

— Rhia part de son côté, et moi du mien. Ce serait beaucoup trop dangereux pour toi, comme pour n'importe qui d'autre d'ailleurs, de voyager avec l'un de nous deux.

Il m'a regardé bravement, mais sa mâchoire tremblait.

— Allons, ne t'inquiète pas. Nous ne te laisserons pas tout seul. Je vois bien que tu sais te débrouiller. Avant de te quitter, nous t'emmènerons dans un village ou une ferme accueillante.

Je l'ai pris par l'épaule et l'ai entraîné vers une plaque de mousse derrière le chêne.

— C'est là que nous dormirons. Inutile de faire du feu, ce soir, ai-je précisé quand je l'ai vu mettre la main dans sa poche. Nous avons tous besoin de sommeil, à présent.

Je me suis bien gardé de lui dire que si on n'allumait pas de feu, c'était pour éviter d'attirer l'attention de visiteurs indésirables.

Il a hoché la tête et bâillé longuement. Puis il a retiré l'écharpe pour s'en faire un oreiller. Quelques instants après, il dormait, roulé en boule sur le côté. Nous avons contemplé un moment ce garçon qui, malgré son jeune âge, était déjà habitué à passer la nuit sur un sol froid.

L'obscurité s'épaississait autour de nous. On ne voyait plus les crevasses dans l'écorce du chêne; les arbres de la forêt, derrière, se fondaient en une masse obscure, aussi noire que le ciel. Il n'y aurait pas d'étoiles, ce soir. En soupirant, je me suis demandé qui ferait les rêves les plus effrayants, cette nuit : Lleu ou moi?

Cependant la présence de cet enfant, je ne sais pourquoi, allégeait un peu mes craintes. Son bon cœur m'attendrissait. Couché ainsi, le visage soucieux, il m'a fait penser au jeune roi dont je portais l'épée et dont j'avais promis de partager le fardeau. Dans un pays lointain, un pays qui, un jour, d'après certaines prédictions, serait appelé l'île de Merlin.

Mais tout cela faisait partie d'un autre monde, d'un autre temps. C'était le pays où je vivais maintenant qui comptait avant tout, le monde de Rhia, d'Hallia et de Shim. C'était ce lieu-là que j'aimais, et je ferais tout ce qui était en mon pouvoir pour le protéger.

∾ XI ∾

La main d'Ellyrianna

Cette nuit-là, une fois de plus, j'ai rêvé de la plume de Fléau. Mais, dans ce rêve, je ne la chevauchais pas, je l'observais de loin. La plume aux bandes argentées descendait des nuages éclairés par le soleil. Elle glissait, tournoyait, portée par les courants, tantôt l'un, tantôt l'autre, flottant toujours haut dans les airs.

Soudain, elle s'est mise à changer. Elle a grossi, en largeur et en longueur, pour finalement devenir une aile entière. Puis une autre aile identique est apparue à côté de la première. Toutes deux ressemblaient à s'y méprendre à celles de mon ami Fléau, sauf qu'entre elles, il n'y avait rien. Juste de l'air. Le corps de l'oiseau était invisible.

Elles ont commencé à battre en rythme et sont montées très haut dans le ciel, avant de plonger vers la terre, fendant les nuages comme une lance.

Petit à petit, un corps s'est formé entre les ailes. C'était le mien ! Tantôt je battais des ailes, tantôt je planais. Le vent faisait pleurer mes yeux. Mais peu m'importait, car je me sentais totalement vivant et libre.

Tout à coup, j'ai été pris dans une violente bourrasque. Le vent hurlait de tous les côtés, déchirait les nuages. Je ne maîtrisais plus mon vol. Après avoir tourbillonné dans les airs, j'ai fini par atterrir sur un rivage de sable. J'ai roulé dans les dunes, sur des coquillages colorés, puis je suis tombé dans la mer recouverte de brouillard et j'ai disparu dans les flots.

Je me suis réveillé en pleine obscurité. Les branches du vieux chêne s'entrechoquaient dans la brise du soir. Je me suis assis. Instinctivement, j'ai attrapé ma sacoche pour y prendre ma plume. Elle était là, douce et souple. Réelle. J'ai essuyé mon front en sueur sur ma manche. Des images confuses se bousculaient encore dans ma tête : l'apparition d'une aile, puis d'une autre ; des plumes brillant au soleil ; mon corps qui traversait le ciel. Puis un vent violent, et la mer qui m'engloutissait.

Que signifiait ce rêve ? Rien de bon, certainement. Et pourquoi ce rivage de sable me semblait-il si familier ? L'avais-je déjà vu ? Peut-être dans un autre rêve.

Le chêne craquait, ses branches se tordaient. Tandis que Lleu restait profondément endormi sur le lit de mousse, Rhia a remué. Elle s'est assise, tout éveillée, le visage sombre, et pas seulement à cause de la nuit. J'ai tendu la main vers elle.

— Tu as fait un rêve, toi aussi ?

— Non, pas un rêve, a-t-elle répondu en enroulant son petit doigt autour du mien. J'ai juste un pressentiment, comme si quelque chose d'horrible, mais vraiment horrible, allait arriver.

J'ai inspiré lentement une bouffée d'air froid.

— Moi, j'ai rêvé d'ailes, Rhia. D'ailes d'abord sans corps, puis avec un corps. D'ailes trouvées et ensuite perdues dans la mer. J'ignore quelle en est la signification.

Elle s'est rapprochée de moi.

— Où ça, dans la mer ? Dans un endroit particulier ?

— Je ne saurais le dire, si ce n'est que... que c'était un rivage, une plage, avec... Oui, je sais, le Rivage des Coquillages parlants, l'endroit où je suis arrivé avec mon radeau de fortune ! C'est bien ça, j'en suis sûr.

Rhia tortillait ses boucles avec ses doigts d'un air songeur.

— Mais pourquoi là-bas, je me le demande, a-t-elle dit.

Soudain aux aguets, elle s'est écriée :

— Merlin, tu entends ?

Une sorte de bourdonnement sourd, aussi obsédant que le craquement des branches mais plus mélancolique, nous parvenait des profondeurs de la forêt. J'ai tendu l'oreille pour essayer de comprendre ce qui pouvait être à l'origine de ce bruit, mais sans succès.

— Viens, ai-je dit, prenant mon bâton d'une main et son bras de l'autre. Suivons-le.

— Et si Lleu se réveille et s'aperçoit que nous sommes partis ?

Je me suis mordillé la lèvre.

— Espérons seulement que ça n'arrivera pas. De toute façon, nous ne serons pas partis longtemps.

Tandis que je me dirigeais vers l'épais bosquet en évitant les racines enchevêtrées du chêne, Rhia a hésité.

— Il fait encore plus sombre là-bas. Si j'essayais d'utiliser l'Orbe comme lanterne ?

— Pour prévenir tout le monde de notre arrivée ? Non, mieux vaut rester invisibles. Viens, maintenant. Ma seconde vue nous guidera.

— Elle te guidera, toi. Et pendant que tu gambaderas devant, je me cognerai aux troncs et buterai contre les racines.

— Eh bien, tu verras quel effet ça me fait quand tu cours devant, comme en allant à Caer Aranon.

— Tu appelles ça courir ? C'était juste une promenade.

— Alors promène-toi avec moi, maintenant.

Je lui ai pris la main et j'ai plongé dans les fougères. Après avoir enjambé quelques troncs de frênes morts, nous nous sommes enfoncés dans l'obscurité du bois. Ma seconde vue s'avérait très efficace : je voyais même la buée formée par mon haleine, mais surtout je pouvais suivre le cours du ruisseau qui coulait entre les plaques de glace. La rive, assez large, facilitait la traversée des bois, en dépit des branches basses qui nous piquaient les épaules ou s'accrochaient à nos cheveux. Grâce au ciel, Scullyrumpus, insensible aux cahots du parcours, se tenait tranquille dans sa poche, sur la manche de Rhia.

Le bruit mystérieux s'amplifiait peu à peu. Au bout d'un certain temps, j'ai compris qu'il s'agissait de voix. Il y en avait plusieurs : des voix d'hommes et de femmes. Ils chantaient une mélopée, lente et lugubre, dont je ne distinguais pas encore les paroles.

Le ruisseau en a rejoint un autre plus large. L'eau qui giclait sur la rive recouvrait le sol par endroits de fines couches de glace. Mon pied dérapait souvent et j'ai dû m'arrêter à plusieurs reprises pour vider ma botte de l'eau glacée. À mon grand désespoir, de tels accidents n'arrivaient jamais à

Rhia. J'essayais de ne pas prêter attention à son expression de jubilation. Au moins, me disais-je, Scullyrumpus ne me regardait pas.

Enfin, les arbres se sont espacés pour faire place à une prairie d'herbe givrée des deux côtés du ruisseau. Un peu plus tard, alors que nous contournions un rocher, j'ai vu soudain d'où venait la mélopée. J'ai pris Rhia par la main et je me suis arrêté.

Un peu plus loin, devant nous, se tenaient sept ou huit personnes rassemblées près du ruisseau. Elles portaient des robes foncées et des châles de deuil. Des bougies brûlaient à leurs pieds. Derrière elles s'élevait un petit monticule de terre fraîchement retournée.

En silence, nous avons écouté les paroles de leur chant dont le flot s'écoulait comme une rivière de larmes.

Une bougie allumée, une bougie qui s'éteint,
tel un soleil qui se couche au matin :
Qu'elle est brève cette vie, riche d'espoir et d'amour,
qui meurt dès qu'elle a vu le jour.

Sur les eaux du vaste monde,
portée par le fleuve éternel,
Vogue une chandelle au fil de l'onde,
à la flamme tremblante et frêle.

Ô chandelle! Continue à brûler
jusqu'à ce que ta mèche soit consumée.
Ravive l'étincelle si tôt disparue,
la flamme que nous avons à peine connue.

D'où vient cette lumière puissante,
qui illumine la vie des êtres?
Et où s'en va la flamme ardente
que rien ne fera renaître?

Une vie a pris fin, une vie sans lendemain,
une vie affligée d'un si cruel destin.
Pour notre plus grand malheur,
la chandelle s'est éteinte avant l'heure.

Ô chandelle! Continue à brûler
jusqu'à ce que ta mèche soit consumée.
Ravive l'étincelle trop tôt disparue,
la flamme que nous avons à peine connue.

Une fois le chant terminé, alors que ses tristes notes flottaient encore dans l'air parmi les branches dénudées, les personnes se sont baissées pour prendre chacune une bougie sur le sol. Elles ont placé les bougies allumées sur de grandes feuilles rondes, celles de l'arbre des morts qui pousse tout au long de l'année entre les racines des aubépines. Ensuite, les personnes les ont déposées sur le ruisseau avec beaucoup de précaution, et elles les ont laissé partir au fil de l'eau comme une procession de barques funéraires.

Puis les voix ont repris en chœur :

Une bougie allumée, une bougie qui s'éteint,
tel un soleil qui se couche au matin :
Qu'elle est brève cette vie, riche d'espoir et d'amour,
qui meurt dès qu'elle a vu le jour.

Avec ces derniers mots, les flammes vacillantes des bougies, bientôt submergées par l'eau glacée, ont peu à peu disparu. La mine sombre, les gens ont commencé à s'en aller. Seul un vieil homme aux cheveux blancs a continué à suivre des yeux les bougies emportées par le courant.

Discrètement, nous nous sommes approchés. Nous étions à quelques pas de lui quand il a sursauté et reculé, apeuré. Il nous a observés, inquiet.

— Ne craignez rien, ai-je dit. Nous ne vous voulons aucun mal. Nous sommes seulement des voyageurs de passage.

— Ah bon, a répondu le vieil homme d'un air accablé. La journée a déjà été assez douloureuse.

— Qui est mort ? s'est informée Rhia en désignant la tombe.

— Une petite fille. Si jeune, si pleine de vie ! Elle s'appelait Ellyrianna.

— Ellyrianna, a-t-elle répété. C'est un bien joli nom.

— Oui, mais son rire était plus joli encore.

— C'était votre fille ?

L'homme a fixé de nouveau les chandelles pendant un moment.

— Oui et non. Elle était l'enfant de tout le monde dans le village. Elle dormait, mangeait, travaillait et riait avec nous, mais elle n'avait pas de parents.

Ma gorge s'est serrée.

— C'était une orpheline ?

— Oui, a-t-il dit, puis il s'est arrêté de parler le temps de regarder une chandelle crépiter avant d'être engloutie par le courant. Et personne ne sait pourquoi elle a été tuée.

— Tuée ? me suis-je écrié. Qui a fait ça ? Le savez-vous ?

Le vieil homme s'est tourné vers moi, le regard vide.

— Personne ne connaît son nom. C'est un guerrier, un guerrier monstrueux avec des épées à la place des bras.

Rhia et moi sommes restés sans voix. Le vieil homme qui, apparemment, n'avait rien remarqué, a poursuivi tristement :

— Il lui a tranché la main. La main d'Ellyrianna ! Nous avons tenté de la sauver, mais elle a perdu tout son sang. C'était affreux.

— Quelle horreur! a gémi Rhia. Comment peut-on commettre une tel acte de cruauté, et envers une enfant, en plus?

— De tels actes, tu veux dire, ai-je rectifié en pensant à Lleu et en enfonçant mon bâton dans la terre de dégoût. Qui est ce guerrier? Et pourquoi attaque-t-il des orphelins?

Je me suis rapproché de lui et j'ai ajouté :

— A-t-il dit où il allait?

Le vieil homme a réfléchi, la pâle lumière éclairant sporadiquement son visage.

— Il a parlé de Caer Darloch, le prochain village en allant vers le nord, mais je ne sais pas s'il en venait ou s'il s'y rendait.

— Il n'a rien dit d'autre?

Lentement, l'homme a fait oui de la tête.

— Il a dit que la mort de cette fillette n'était qu'un début. Oui, un début! Et que beaucoup d'autres enfants allaient subir le même sort... ou pire encore. À moins que...

— Quoi?

— À moins que celui qui porte le nom de Merlin l'affronte en combat singulier.

XII

DÉCISION

Nous sommes rentrés au camp transis de froid et de peur. À peine arrivé, j'ai couru voir comment allait Lleu. Grâce au ciel, il était toujours endormi sur le tapis de mousse, à l'endroit où nous l'avions laissé. Avec un soupir de soulagement, j'ai ramassé son écharpe qui avait glissé par terre à côté de lui et je l'ai enroulée autour de ses pieds nus. Puis, entendant Rhia claquer des dents, je lui ai demandé de nous réchauffer avec l'Orbe. Elle a accepté avec joie.

Nous avons passé le reste de la nuit assis sur les racines du chêne à nous demander ce qu'il fallait faire. Il nous restait bien peu de temps.

— Par le sang de Dagda, ai-je maugréé en donnant un coup de bâton contre le tronc, nous avions déjà trop à faire. Et maintenant, ça !

— Qui est cet assassin aux bras en forme d'épées ? a dit Rhia pour la vingtième fois. Et pourquoi des enfants ? Des orphelins ?

— Grands dieux, Rhia ! Je n'en sais pas plus maintenant qu'il y a une heure.

Elle leva les bras pour étirer son dos ankylosé.

— Je sais, je sais, mais je ne peux pas m'empêcher de me poser des questions. Et surtout, pourquoi est-ce qu'il t'en veut? a-t-elle ajouté en me fixant au-dessus des flammes.

— Tu penses bien que je me la pose aussi, ai-je répondu, agacé. Et, ce qui est tout aussi mystérieux, pourquoi est-il apparu précisément maintenant?

Elle continuait à m'observer avec attention.

— Crois-tu… C'est idiot, je le sais… mais crois-tu que cela pourrait avoir un rapport avec le fait que tu as cru, jadis, être aussi un orphelin?

— Je ne vois pas pourquoi.

J'ai plié et déplié mes doigts au-dessus de la sphère pour tenter de les délier.

— Juste parce que j'ai passé ces années sans savoir qu'Elen était ma mère, ni Stangmar mon…

Je me suis interrompu, incapable de prononcer le mot *père*.

— Se livrer à de si terribles attaques juste à cause de ça? ai-je enchaîné. Non, non, cela n'a pas de sens. Ce guerrier a une motivation plus sérieuse, un but plus vaste. Je le sens, Rhia.

Tout à coup, une nouvelle idée m'est venue.

— Serait-il lié, par hasard, au plan de Rhita Gawr?

— Comment donc ?

— Eh bien, peut-être que Rhita Gawr sait que j'ai été informé de ce qui allait arriver. Il a pu envoyer ce guerrier pour me distraire, pour m'empêcher de rassembler une armée contre lui.

Rhia a haussé les sourcils, étonnée.

— Si tel est son but, il est en train de réussir. La nuit la plus longue de l'hiver est seulement dans douze jours, et nous venons de passer la plus grande partie de la nuit à parler de cette histoire, sans avoir trouvé la moindre solution.

— C'est vrai, ai-je admis en grinçant des dents. Mais tu es d'accord que c'est plus qu'une coïncidence que cet homme aux bras en forme d'épées attaque justement maintenant ?

— Oui, je te l'accorde. Mais pourquoi des orphelins ?

J'ai jeté un coup d'œil du côté de Lleu, toujours roulé en boule, la tête sur une épaisse touffe de mousse. La lumière orange éclairait son visage et sa tunique.

— Peut-être que… Je sais, Rhia ! Quand Lleu nous a parlé de ces enfants qui couraient, fuyant je ne sais quoi, il n'a pas dit que c'étaient des orphelins. Tu te souviens ? Il a dit des *enfants*.

Elle n'avait pas l'air de comprendre.

— Et quand le vieil homme nous a parlé des menaces du guerrier et des nombreux enfants qui allaient mourir, il n'était pas question d'orphelins, mais également d'enfants.

Rhia se tripotait les cheveux d'un air perplexe.

— Où veux-tu en venir?

Je me suis penché pour poser la main sur son genou.

— Tu ne vois donc pas? Les orphelins sont tout simplement des enfants, mais des enfants sans protection! Les plus faciles à attaquer.

Elle a écarquillé les yeux.

— Alors tu penses que ce monstre s'en prend à tous les enfants qu'il peut trouver?

— Oui! Ce qu'il veut, c'est se battre avec moi et s'il n'obtient pas bientôt satisfaction, il multipliera ses attaques. Il ne se contentera plus d'amputer ses victimes, mais il les tuera, et il pourchassera tous les enfants.

— Mais pourquoi, Merlin? Ça n'a pas de sens.

J'allais répondre quand Lleu s'est retourné dans son sommeil en gémissant. À la lueur vacillante de l'Orbe, on ne voyait de son oreille qu'un bout de chair noircie. Je l'admirais, ce garçon : avec quel calme il m'avait répondu qu'il pouvait encore entendre malgré tout, et que le pire était dans ses rêves! Connaître de telles frayeurs à son âge...

Tandis que je le regardais, il a poussé un nouveau gémissement, mais plus aigu, cette fois. On aurait cru un animal pris au piège. J'en frissonnais, et pourtant je savais que son sort aurait pu être pire encore. Comme celui d'Ellyrianna, ou des futures jeunes victimes du guerrier.

La rage au cœur, je me suis tourné vers Rhia.

— J'ai pris une décision.

— Tu… tu vas l'affronter ?

— Je ferai ce qu'il faut pour sauver les enfants de ce pays.

Rhia a secoué la tête avec vigueur.

— Mais alors, la nuit la plus longue ? Et ce que tu dois faire pour arrêter Rhita Gawr ?

J'ai empoigné fermement mon épée.

— Je dois d'abord arrêter cet assassin.

— C'est de la folie, Merlin ! Si dangereux qu'il soit, il est beaucoup moins redoutable que Rhita Gawr. Certes, il tue des enfants, mais l'autre va tout détruire, toutes les créatures qui vivent dans cette île. Il n'y a pas de comparaison !

Elle a levé l'Orbe à la hauteur de mon visage. Je sentais sa chaleur sur mon cou et mon menton.

— Regarde-moi, a-t-elle ordonné. Dis-moi la vérité, à présent. Pourquoi fais-tu ça ? Est-ce juste par pitié pour de pauvres orphelins ?

J'ai repoussé la sphère. Des rayons orange passaient entre mes doigts, découpant notre visage et l'écorce de l'arbre en tranches.

— C'est beaucoup plus que ça ! Ce sont des enfants, Rhia. Ils souffrent et meurent ici même, en ce moment. Un enfant n'a pas de prix. Chacun d'eux pourrait être un poète, un guérisseur... ou un enchanteur.

— Je sais, Merlin. Mais je pense au risque de perdre notre pays à jamais.

— Moi aussi ! Si ce guerrier réussit, Fincayra sera touchée en son cœur même. Si on assassine les enfants d'un pays, ai-je expliqué en lui prenant la main, on détruit son avenir. À quoi servirait de repousser Rhita Gawr et son armée si tant d'enfants sont mutilés ou tués que notre avenir est gâché à jamais ? Si chaque jour est aussi abominable que les rêves du petit Lleu ?

Rhia m'a regardé longuement, puis a hoché la tête d'un air sombre.

— Tuer les enfants de Fincayra... C'est comme si on privait la forêt de ses graines.

— Exactement. Voilà pourquoi je dois me lancer à la poursuite de ce monstre et l'arrêter. Je suis sûr que j'ai encore le temps de m'en occuper et d'arriver au cercle de pierres avant la nuit la plus longue.

— Mais qui lancera l'alerte ? Qui rassemblera le peuple de Fincayra ?

Je l'ai regardée sans rien dire.

Elle a tressailli.

— Non, Merlin ! Tu ne penses quand même pas que…

— Si, Rhia. Tu peux répandre la nouvelle, rassembler les habitants.

— Mais, pour la plupart d'entre eux, je ne suis qu'une étrangère.

— Pas pour les elfes des bois, ni tes amies les naïades. Sans oublier les grands aigles des Gorges qui t'ont appris à parler leur langue ! Et les glynmaters, cachés dans leurs grottes secrètes ?

Elle s'est frotté la tête en grognant.

— Ils me connaissent, oui, mais est-ce qu'ils m'écouteront ?

— Ça, personne ne peut le dire. Ce que je sais, ai-je ajouté en me glissant à côté d'elle, c'est que même pour ceux qui ne te connaissent pas, tu seras bien plus qu'une étrangère. Tu seras Rhia, la femme des arbres enchantés ! Tu portes l'Orbe de feu à ta ceinture, tu as les oreilles pointues de tous les Fincayriens et, en plus, tu leur apportes la parole de Dagda.

Elle fixait la sphère, le front barré de plis profonds. Sa peau brillait sous ses yeux comme le reflet d'une flamme intérieure. J'ai passé mon bras autour de sa taille.

— Et rappelle-toi, ai-je repris, il y a encore une chose sur laquelle tu peux toujours compter, c'est mon amour. Et aussi ma foi en toi.

Alors elle m'a regardé.

— Je crois que je devrais commencer par les aigles, a-t-elle déclaré.

J'ai poussé un soupir de soulagement.

— Nom d'un os de géant, quelle fille courageuse !

— Pas courageuse, Merlin, seulement pleine de *frolie*, comme dirait notre ami Shim. Après tout, je suis ta sœur, a-t-elle ajouté d'un air malicieux.

J'ai pouffé de rire.

— Pour ça, j'ai de la chance.

— Voilà une déclaration que je ne suis pas prête d'oublier, mon frère.

Je n'ai pas pu m'empêcher de sourire.

Le ciel s'éclaircissait lentement à l'est, au bout des plaines gelées. Des bandes roses et rouges apparaissaient à l'horizon, colorant le dessous d'épais nuages.

— Le jour va se lever. Si j'allais chercher de quoi nous faire un petit déjeuner ?

Avant qu'elle ait pu répondre, une petite tête est sortie de la poche sur sa manche. Après un long bâillement, il a couiné :

— Petit dédéjeuner ? Quelqu'un a dit petit dédéjeuner ?

— Oui, ai-je répondu sèchement. Et si tu en veux un, tu peux participer.

Surprise, la bestiole a secoué la tête en faisant claquer ses longues oreilles, et elle s'est tournée vers Rhia.

— Quel grognon ! Il est toujours comme ça le matin ?

— Il n'a pas beaucoup dormi, c'est tout, a-t-elle répondu en lui chatouillant le museau. Fais ce qu'il te dit, tu veux bien ? Trouve des navets ou d'autres racines, et tu auras ton petit déjeuner plus vite.

Il s'est léché les babines d'appétit. Là-dessus, l'animal a quitté sa poche, sauté par terre et filé dans les fougères.

— En tout cas, tu sais y faire pour le réveiller, ai-je remarqué.

Rhia est redevenue sérieuse.

— J'aimerais surtout savoir m'y prendre aussi bien pour réveiller les arbres.

J'ai ramassé mon bâton et mis le pied sur l'une des racines du chêne.

— Si quelqu'un a une chance d'y parvenir, c'est sûrement toi. En attendant, construis-nous un trépied et trouve quelque chose qui puisse nous servir de pot. Je vais allumer un feu et commencer à chercher les ingrédients.

— Je vais vous aider, a annoncé Lleu, venu nous rejoindre. Qu'est-ce qu'il vous faut ?

— Du petit bois, ai-je répondu en souriant. Tu sais où on peut trouver ça ?

∽ XIII ∽

LE VISITEUR

Une demi-heure plus tard, un épais ragoût de navets, de cresson, de noix et de germes de mousse mijotait sur notre feu dans un bol de ronce de noyer. Assaisonné d'une pincée de poudre de gland offerte par Lleu, et servi dans des coupes en écorce d'orme, ce plat avait un goût, ma foi, fort agréable. Et il nous a bien réchauffés. Assez, même, pour que Rhia retire son gilet et l'accroche à une branche du chêne. Pendant que nous mangions, les premiers rayons de l'aube ont atteint les plus hautes branches des arbres, les couvrant d'une couleur ambrée. Un corbeau a croassé au loin. Les herbes sèches des plaines qui s'étiraient à l'est étincelaient de la couleur de la rouille.

Tout en servant les restes du ragoût, Rhia a jeté un coup d'œil du côté des chevaux. Coella broutait tranquillement les fougères, tandis que Ionn, seul dans son coin, frappait le sol de son sabot.

— Ionn sent quelque chose, a remarqué Rhia. Tu crois qu'il sait que nous avons changé nos plans ?

— C'est possible, ai-je répondu avant d'avaler ma dernière cuillèrée de ragoût, puis de déposer mon bol en écorce à mes côtés. Ce cheval a un don pour comprendre ce qui se passe.

À ces mots, Ionn a secoué sa crinière et henni bruyamment. Je me suis levé, en même temps que Rhia et Lleu. Scullyrumpus, pressentant des ennuis, se léchait les pattes fébrilement. Soudain Lleu a étouffé un cri et pointé le doigt vers une partie de la lisière encore dans l'ombre.

Une silhouette vêtue d'une cape, la tête enfouie sous un capuchon, était sortie des arbres et s'avançait à grands pas. L'homme, de haute taille malgré ses épaules voûtées, donnait l'impression d'un être puissant et dangereux, comme un loup blessé.

Ionn a frappé le sol de ses sabots, puis il est venu vers moi. Je lui ai caressé le museau, mais il a henni nerveusement. La peur se lisait dans ses yeux, ce qui était rare chez lui. J'ai de nouveau observé la silhouette qui s'approchait. Qui était-ce donc pour provoquer chez Ionn une telle réaction ?

Il m'a semblé apercevoir une épaisse barbe noire sous le capuchon, et un visage rude, comme taillé à la serpe, avec des yeux noirs, un air farouche et une mâchoire proéminente. Arrivé de l'autre côté du ruisseau, il s'est arrêté.

Brusquement, il a repoussé son capuchon en arrière pour se faire reconnaître.

Mais je savais déjà qui il était. C'était l'homme que je méprisais le plus, l'homme qui n'avait infligé que des souffrances à son pays : Stangmar.

J'ai saisi la poignée de mon épée et, hardiment, je me suis dirigé vers lui.

— Alors comme ça, a-t-il grogné de sa voix grave, tu me tuerais sans hésiter ?

J'ai serré les dents.

— Non, je ne m'abaisserai pas à votre niveau.

Il a serré les poings, des poings massifs.

— Tu as détruit tout ce que j'avais, misérable. Tout ! Je suis issu d'une longue lignée, et ceux parmi mes ancêtres qui ont régné sur cette île avant moi sont trop nombreux pour être nommés. Mais aucun n'a jamais été renversé par son propre fils.

— Aucun n'a jamais tenté d'*assassiner* son propre fils !

Après un silence, pendant lequel je sentais son regard plein de rage, il a repris d'une voix lugubre :

— Notre sinistre histoire ne me concerne plus, maintenant. Ce n'est pas toi que je cherche, mais quelqu'un d'autre.

J'ai entendu Rhia hoqueter derrière moi.

— Comment nous avez-vous trouvés ? ai-je demandé.

— Les traces de l'étalon, bien sûr! Tu crois que je ne connais pas mon propre cheval? Son sabot porte encore une entaille qui date de notre première bataille.

Ionn a henni et tapé du pied avec force. Je l'ai regardé par-dessus mon épaule; il y avait maintenant du défi dans ses yeux.

— Toi, mon garçon, tu t'es toujours mis en travers de mon chemin, a déclaré Stangmar d'un ton glacial. Tu m'as volé mon royaume! Mon château, mes soldats, mes serviteurs. Mais cette fois tu ne m'empêcheras pas de passer. Où est Elen?

Il grognait telle une bête féroce.

Ferme et droit devant lui, je lui ai tenu tête.

— Je vous empêcherai de lui faire du mal.

— Dis-moi où elle est!

— Jamais.

Stangmar en tremblait de rage. Puis il a paru se maîtriser.

— Elle m'a quitté. Sans un mot, sans même une lettre, avant que j'aie eu le temps de...

Et là, il a frappé son poing dans sa paume et sa colère est revenue.

— Mais pourquoi je te raconte ça? Tu n'as pas besoin d'en savoir plus! Il faut que je la retrouve, c'est tout. Je suis sûr que tu sais où elle est. Alors dis-le-moi, a-t-il ajouté en tapant du pied contre la berge du ruisseau, ce qui a fait fendre la glace.

— Pour que vous puissiez la tuer? Elle sait très bien ce que vous lui auriez fait si elle n'était pas partie. La même chose que vous avez essayée avec moi!

Il a poussé un grognement sourd. Une étincelle s'est élevée de notre feu pour aller se poser sur son épaule, où elle s'est éteinte lentement.

— Écoute-moi jusqu'au bout! a-t-il crié. Je ne veux pas lui faire de mal. Je n'ai jamais voulu ça.

— Ah, non? ai-je lancé, ironique.

— Je dis la vérité! a-t-il crié. Je veux juste lui parler. J'ai quelque chose à lui dire.

J'en avais assez entendu.

— Vous voulez seulement la tuer!

Il a secoué la tête vigoureusement.

— Tu ne comprends pas. Je… enfin, je…

Il a fait un geste avec le bras comme s'il cherchait à saisir les mots dont il avait besoin.

— Tu vois, je… je l'aime.

— Vous vous imaginez que je vais croire une histoire aussi insensée? me suis-je exclamé, stupéfait.

— Non, a-t-il marmonné, d'une voix douce, presque tendre. J'espérais juste que tu m'écouterais. Tu ressembles tant à celui que j'étais à ton âge…

Je me suis raidi. L'idée que je puisse avoir quoi que ce soit de commun avec cet homme me révulsait.

— Laissez-nous. Et arrêtez vos recherches. Vous ne retrouverez jamais Elen. Jamais.

Son visage s'est durci à nouveau.

— Ça, nous verrons, mon garçon. Et tu verras aussi comment Rhita Gawr traite ses ennemis, a-t-il lancé avec un petit sourire narquois.

J'ai senti des élancements dans mes cicatrices sur les joues. L'avertissement de Dagda résonnait encore à mes oreilles : *Pour sortir vainqueur de la plus longue nuit de l'hiver, tu devras battre ton plus grand ennemi, rien de moins.* Cet ennemi, c'était Rhita Gawr, sans aucun doute. Pourtant, Stangmar suscitait en moi une colère plus profonde.

Rhia s'est avancée vers lui et, debout à mes côtés, elle a déclaré avec fermeté :

— Il a raison. Vous ne la retrouverez jamais.

— Ah oui ? a ricané Stangmar. Et qui es-tu donc pour me dire ce que je ferai ou ne ferai pas ?

Elle l'a fixé longuement avant d'annoncer :

— Je suis sa fille. Et aussi la vôtre.

Son visage dur s'est quelque peu radouci, et il a regardé Rhia avec plus de curiosité que de mépris. Malgré moi, je me suis surpris en train de me dire qu'il avait l'air presque ému, presque beau. Il a desserré les poings.

— La fille que nous avions perdue, il y a longtemps, dans la forêt? a-t-il demandé, incrédule.

— Oui, la fille que vous avez baptisée Rhiannon. Les arbres m'ont élevée, se sont occupés de moi. Mais, au fond de mon être, je n'ai jamais oublié mes vrais parents, et je me demandais toujours si je vous reverrais.

Elle a pris l'Orbe de feu attaché à sa ceinture. Pendant qu'elle le levait devant elle, une lueur orange s'est allumée à l'intérieur. Éclairée par le globe et par le soleil levant, son visage rayonnait. Il semblait briller d'une autre source encore, une source qui ne se voyait pas.

— Autrefois, vous possédiez cet Orbe, a-t-elle dit d'une voix douce. Vous disiez que c'était un de vos Trésors. Avez-vous appris à utiliser ses pouvoirs?

Stangmar, qui ne la quittait pas des yeux, n'a rien répondu.

— Il peut guérir une âme brisée, a-t-elle poursuivi en s'approchant de lui.

Je lui ai lancé un regard inquiet, mais elle m'a ignoré.

— Tenez, prenez-le. Essayez-le sur vous.

Les doigts de Stangmar ont remué, hésitants, comme s'ils devaient prendre une décision. Puis sa main s'est levée, suivie du bras entier. Il a tendu le bras vers l'Orbe.

— S'il vous plaît, a supplié Rhia, utilisez-le pour redevenir l'homme que vous étiez autrefois.

À ces mots, Stangmar s'est raidi. L'air arrogant, la bouche pincée, il a frappé l'Orbe à toute volée et l'a envoyé se fracasser contre le vieux chêne. Un éclair de lumière orange a illuminé l'air un instant. Puis plus rien.

Rhia a regardé, médusée, les tessons éparpillés sur les racines du chêne. Lleu a couru la rejoindre avec Scullyrumpus. Muets de stupéfaction, ils restaient là, bouche bée, devant les débris de l'Orbe de feu.

— Vous l'avez détruit ! me suis-je écrié, frappant le sol de mon bâton.

— Comme toi, tu as détruit mon royaume ! Maudit soit le jour où tu es revenu sur cette île !

Là-dessus, il s'est approché de Ionn. L'étalon a donné un grand coup de queue, couché les oreilles en arrière, puis s'est cabré, frappant l'air de ses sabots, avant de s'éloigner au galop. Il s'est arrêté à quelques pas de nous, a secoué sa crinière et nous a observés, fièrement dressé, son pelage noir brillant au soleil du matin.

— Soit, a grommelé Stangmar. Le cheval t'appartient. Mais la victoire finale, c'est moi qui l'aurai.

Il a sorti de sa poche un objet qu'il a jeté dans le feu. Une épaisse fumée noire nous a enveloppés. Toussant, pleurant, nous avons dû reculer et attendre que la fumée se dissipe pour pouvoir à nouveau respirer normalement. Ionn a henni et trotté jusqu'à moi. Il m'a donné un coup de naseaux, et j'ai caressé sa joue. Puis j'ai regardé autour de moi : Stangmar s'était envolé... avec Coella.

— La jument a disparu ! ai-je crié, furieux.

— Et elle n'est pas la seule, a dit Rhia, tristement, en poussant du pied les restes de l'Orbe. Je n'aurai même pas appris à m'en servir.

Je l'ai serrée dans mes bras pour la réconforter.

— Ce n'est pas de ta faute.

— Si. Je n'aurais jamais dû le lui montrer. Pourtant, il y a quelque chose d'étrange, dit-elle après avoir plissé les lèvres. Je l'ai déjà laissé tomber, et je suis moi-même tombée dessus une ou deux fois. Mais il ne s'est jamais cassé ni fendu. C'est presque comme si... enfin, comme s'il avait été prêt à se briser précisément maintenant.

J'ai touché sa ceinture, là où l'Orbe avait été pendant si longtemps.

— J'aimerais tant pouvoir te le rendre ! Mais j'ignore s'il existe un moyen magique de le faire, ai-je avoué.

— Pendant un moment, j'ai bien cru qu'il allait s'en servir pour se guérir.

J'ai serré plus fort mon bâton.

— Pour sauver cet homme, il faudrait bien davantage que le pouvoir de l'Orbe.

Scullyrumpus, qui semblait, lui aussi, avoir du mal à accepter l'évidence, s'est faufilé parmi les racines et a fouillé un moment dans les débris. Finalement, il a abandonné, apparemment convaincu que le Trésor avait bel et bien été détruit. L'oreille basse, il est retourné vers Rhia, a grimpé sur son épaule et s'est blotti dans son cou.

— Il faut prévenir mère, ai-je déclaré. Elle doit rester là où nous l'avons laissée, dans ce petit village. C'est sans doute le seul endroit où il ne risque pas d'aller la chercher.

— Mais tu l'as entendue. Elle doit partir demain.

— Alors nous devons l'avertir aujourd'hui même. Le problème, c'est que Stangmar va peut-être essayer de nous suivre, toi ou moi...

Nos regards se sont portés sur Lleu. Je me suis mis à genoux devant lui.

— Est-ce que tu pourrais t'en charger, mon garçon ? Courir jusqu'au village maintenant ?

— Je pourrais le faire, maître Merlin, a-t-il commencé en tirant d'un air gêné sur ses mèches blondes. S'il le faut vraiment… Mais, pour de vrai, je n'en ai pas tellement envie.

— S'il te plaît, ai-je supplié. C'est pour sauver Elen, la femme qui s'est si gentiment occupée de toi.

Lentement, il a hoché la tête.

— Il faut que tu sois là-bas avant la nuit. Tu lui diras de rester dans ce village jusqu'à ce que nous venions la chercher. D'accord ?

— Oui, maître Merlin.

Je l'ai serré dans mes bras en lui donnant une petite tape amicale dans le dos.

— Merci, mon garçon. Maintenant, bois un bon coup avant de partir.

Pendant qu'il s'approchait du ruisseau, je me suis levé et j'ai ramassé l'écharpe, restée sur la mousse, là où il avait dormi.

— Eh ! Lleu ! N'oublie pas ça.

Il a relevé la tête. À la vue de l'écharpe, son visage tout mouillé s'est fendu d'un grand sourire. Il est revenu vers moi et je la lui ai passée autour du cou.

— Voilà, ai-je dit, le serrant encore une fois dans mes bras. Maintenant, file. Oh… et, Lleu…

— Oui, maître Merlin ?

J'ai fixé ses yeux de la couleur de la boue.

— Sois prudent.

Il s'est attardé quelques secondes, tournant sa langue dans sa bouche comme s'il voulait dire quelque chose. Mais aucun mot n'est venu. Après une hésitation, il m'a quitté et s'est mis à courir à travers l'herbe sèche en direction du sud.

Je l'ai suivi du regard un moment, puis j'ai senti Rhia me fourrer quelque chose sous le bras. C'était le gilet de ma mère, dont le tissage de fleurs astrales brillait au soleil.

— Tu en auras besoin, a-t-elle décrété.

— Toi aussi. Tu devrais le garder.

Elle a secoué la tête.

— Non, non, mère te l'a donné. D'ailleurs, ce n'est que justice, vu que je vais prendre ton cheval.

J'ai écarquillé les yeux, sidéré.

— Tu es d'accord, non ? a-t-elle dit en jetant un coup d'œil du côté de Ionn, qui se dirigeait vers le vieux chêne.

Ses muscles saillants brillaient dans leur mouvement.

— Oui, bien sûr. Tu as une plus grande distance à parcourir, et tu es plus pressée. Mais ça me surprend toujours quand tu as mes idées avant moi, ai-je ajouté en souriant.

Elle a souri à son tour.

— Ce sont généralement tes meilleures idées.

— Ça, c'est bien vrai.

Elle m'a pris la main.

— Où vas-tu commencer tes recherches ?

— Dans ce village au nord, dont nous a parlé le vieil homme. Qu'est-ce que c'était, déjà ? Ah oui, Caer Darloch.

J'ai inspiré l'air frais et mordant du matin après de pousser un soupir.

— Si ce guerrier est vraiment à ma recherche, je ne tarderai pas à le trouver. J'espère seulement que ce sera avant qu'il ait fait une autre victime.

Rhia a enroulé son doigt autour du mien.

— Trouve-le, Merlin, et fais ce qu'il faut pour l'arrêter. Ensuite, attends-moi au cercle de pierres. Je compte sur toi, d'accord ?

— Sois tranquille, j'y serai, ai-je promis. Moi aussi, je compte sur toi.

Une dernière fois, j'ai observé son visage, si sensible et réfléchi, et en même temps si hardi et imprévisible.

— Chevauche bien, à présent. Comme si tu avais des ailes.

∞ XIV ∞

CHUTE DE NEIGE

La neige est arrivée soudainement. Au moment même où Rhia et moi nous séparions, le soleil a disparu derrière un épais tissu de nuages, et les premiers flocons sont tombés, de gros flocons lourds qui descendaient sans discontinuer, recouvrant les plus hautes branches du chêne et comblant les fissures du tronc. En peu de temps, les racines se sont transformées en bourrelets blancs.

J'ai choisi de longer la lisière de la forêt, espérant que la neige s'accumulerait moins au pied des arbres. Je connaissais par expérience les difficultés et les dangers qu'on pouvait rencontrer en traversant les congères en rase campagne. Malgré la tempête vers laquelle je semblais me diriger, je m'inquiétais surtout pour Lleu, parti seul vers le sud à travers la plaine. N'allait-il pas se perdre dans toute cette blancheur ? Combien de temps ses pieds nus tiendraient-ils dans la neige ?

Juste devant moi, une branche de sapin s'est cassée. Dans un nuage de cristaux scintillants, un gros paquet de neige est tombé sur le sol.

Tandis que mes bottes crissaient sur ce tas gelé, d'autres questions m'ont envahi l'esprit : où trouver ce guerrier aux bras en forme d'épées ? Il s'attendait sans doute à ce je me lance à sa recherche. C'est pour cette raison qu'il avait annoncé son défi au vieil homme — et certainement à d'autres. Mais que faire si, en arrivant à Caer Darloch, je découvrais qu'il en était déjà reparti ? Ou peut-être n'avait-il pas du tout l'intention de s'y arrêter, et voulait-il simplement passer par là en montant vers les hauts plateaux, plus au nord, là où vivaient Urnalda et ses nains.

Le simple fait de penser à elle m'a donné des frissons. Même si je souhaitais ardemment que les nains rejoignent le peuple de Fincayra au cercle de pierres, j'espérais néanmoins que Rhia ne rencontrerait pas la perfide enchanteresse. Elle aurait déjà bien assez de difficultés à convaincre les grands aigles des Gorges et les autres !

Les flocons tombaient dru lorsque j'ai quitté la lisière. Dès l'instant où j'ai commencé à marcher dans la plaine, j'ai dû affronter un vent cinglant. Le sol disparaissait à présent sous une couverture d'un blanc uniforme, où les congères s'accumulaient en une succession de vagues.

Le vent hurlait. Mes doigts gelés collaient à mon bâton. La buée qui sortait de ma bouche se transformait en givre sur mes joues et ma barbe naissante. Une fois de plus, je me suis pris à rêver d'avoir un jour une longue barbe, bien épaisse, qui me protégerait de telles tempêtes.

Comment aurais-je pu me battre contre qui que ce soit dans ces conditions ? Qu'importe. J'étais convaincu que je trouverais ce guerrier, ce tueur d'enfants, où qu'il soit. Et que je mettrais fin aux horreurs dont il se rendait coupable. Pour toujours.

Avisant un vieux pommier noueux, dont plusieurs branches alourdies par la neige descendaient jusqu'au sol, j'ai décidé de m'abriter un moment. En m'approchant, j'ai aperçu une petite tache brune sur une branche haute : une pomme, ridée et sèche, mais peut-être mangeable. Je l'ai fait tomber avec mon bâton, je me suis assis et j'ai mordu dedans. Elle était dure et rongée par les vers, mais elle a laissé dans ma bouche un goût acidulé qui m'a rappelé des parfums printaniers : les pommiers en fleurs, les nouvelles feuilles, la gentiane bleue, les fraises des bois... Cela faisait combien de temps ? Les jambes croisées, je grignotais le fruit en me demandant si le printemps reviendrait jamais dans ce paysage.

Pour le moment, le monde se couvrait de neige.

Une fois la pomme terminée, j'ai jeté le trognon. Il a atterri sur la tête de mon ombre, à peine visible sur le sol parmi celles de l'arbre. Susceptible comme toujours, elle me l'a aussitôt renvoyé et il m'a frôlé le nez.

— Oh, du calme ! ai-je protesté. J'ai peut-être un grand nez, mais ce n'est pas une cible.

J'ai compris à sa posture qu'elle était toujours fâchée.

— D'accord, ai-je repris. Excuse-moi. Mais parfois je me demande comment je peux te supporter ! Tu es aussi irritable que…

Je me suis interrompu et, avec un petit sourire coupable, j'ai ajouté :

— … que moi.

Tandis que mon ombre se tordait de rire, à juste titre, j'ai attrapé ma sacoche pour en sortir la plume de Fléau et j'ai essayé d'imaginer quelle pouvait être la vie du faucon dans l'Autre Monde. Il devait passer des heures à voler, planer, plonger dans cet univers de brumes, comme il aimait le faire autrefois dans ce monde-ci. Peut-être volait-il à côté de Dagda ou se laissait-il emporter là où les vents le menaient… Et à qui s'en prenait-il dans ses accès de rage maintenant que je n'étais plus avec lui ?

Comme il me manquait !

Avec mélancolie, j'ai rangé la plume dans ma sacoche. Puis, malgré le vent, je suis sorti de mon abri pour affronter de nouveau la neige. J'étais reconnaissant à ma mère de m'avoir équipé d'un vêtement chaud. Tout en me frayant un chemin à travers une congère, je me suis retourné brièvement pour regarder l'arbre une dernière fois. Je songeais à celui qui l'avait planté, jadis. C'était un acte de foi : foi en l'avenir, foi dans les enfants qui, un jour, en récolteraient les fruits. Enfin, tristement, j'ai glissé mon bâton dans ma ceinture et je suis reparti, les mains bien au chaud sous mes aisselles.

La première chose à faire pour trouver le village était de chercher de l'eau : un ruisseau, un petit lac ou un affluent de la Rivière Perpétuelle. Il n'était pas facile de deviner la position du soleil derrière les nuages, mais j'ai fait de mon mieux pour ne pas perdre la direction du nord. Dans cette tempête, je risquais de passer le reste de la journée à tourner en rond.

La neige me collait les cheveux, s'insinuait dans mon cou jusque sous ma tunique, mais je n'y prêtais pas attention. L'important maintenant était de trouver l'homme aux bras en forme d'épées. Très vite, mes orteils ont été engourdis par le froid, mes cheveux, remplis de glaçons qui pendaient sur mes oreilles. Malgré cela, je continuais à avancer.

Tout à coup, j'ai mis le pied dans un trou et piqué du nez dans la neige. J'en avais plein la bouche. En me débattant pour me sortir de là, j'ai aperçu une légère dépression juste à côté de moi. Un ruisseau ! J'avais quitté la rive sans m'en rendre compte.

Je suis remonté tant bien que mal sur le talus et, après m'être essuyé la figure, j'ai longé le cours d'eau. Au bout d'un moment, il s'est élargi, si bien que la neige n'occupait plus tout le lit. En même temps, la tempête a commencé à se calmer. Les flocons se sont espacés et le vent a diminué.

C'est alors que j'ai senti une odeur de fumée. Venait-elle d'un seul feu ou de plusieurs ? Je n'aurais pu le dire. Au bout d'un moment, j'ai aperçu de la brume au loin et, un peu plus tard, un toit de chaume, puis un autre et un autre encore. C'était bien un village.

Il était constitué d'une vingtaine de chaumières, plus solides et plus soignées que celles de Caer Aranon. Il y avait des enclos pour les moutons, les chèvres et les poules, dont certaines s'aventuraient déjà hors des poulaillers et couraient dans la neige. De nombreuses maisons avaient des porches et des jardinières, et quelques-unes, des sièges balançoires pour la détente. C'était sans aucun doute une des communautés rurales qui prospéraient à la frontière sud du royaume des nains. Mais était-ce bien Caer Darloch ?

Je me dirigeais vers la place du village, qui était entourée de quelques-unes des plus grandes maisons, dont une habitée par un forgeron, quand, soudain, j'ai entendu un bruit qui m'a fait frémir. Des pleurs d'enfant ! Je me suis retourné et, à mon grand soulagement, j'ai vu une femme devant sa porte qui retirait à son fils son pantalon trempé de neige. Le visage rouge et couvert de larmes, il criait comme un malheureux, mais il n'y avait pas de quoi s'inquiéter.

Au même instant, une voix bourrue m'a interpellé :

— Qu'est-ce qui t'amène ici, étranger ?

Je me suis de nouveau retourné et, cette fois, je me suis trouvé devant un homme trapu, aux cheveux noirs et au teint rouge. Il tenait à la main une lance en obsidienne noire, mais verticalement, comme mon bâton — fort heureusement, sa pointe brillante n'était pas dirigée vers moi. Du moins pas encore.

— Eh bien ? a-t-il aboyé, me fixant d'un œil soupçonneux.

— Je suis bien à Caer Darloch ? ai-je demandé.

— Dis-moi d'abord ce qui t'amène ici.

— Une affaire qui vous concerne autant que moi. Je voudrais savoir si vous avez vu un guerrier avec des épées à la place des bras.

L'homme a haussé les sourcils. Une étrange mimique a tordu ses traits. J'ai cru qu'il se sentait mal. Tout à coup, il s'est esclaffé.

— Un guerrier, dis-tu ? Sans bras ? Ha ha ha ! a-t-il fait en se tapant les cuisses. Oh, elle est bien bonne, celle-là, ha ha ha !

Je l'ai toisé d'un œil sévère tout en brossant le collet de ma tunique pour en retirer la neige.

— Il n'y a pas de quoi rire. Il a bien des épées à la place des bras, et il s'en sert pour mutiler les enfants.

Le gaillard s'est remis à rire de plus belle.

— C'est sûr, il doit être très dangereux sans bras ! Ha ha ha !

— Je dis la vérité !

— Eh bien, ta vérité, elle est joliment drôle.

— Pas du tout ! ai-je protesté, sentant la colère monter en moi. Vous ne comprenez donc pas ? Tous les orphelins, tous les enfants sont en danger ! Vous n'avez donc pas de cœur ?

— Si fait, si fait, a-t-il gloussé. Et aussi des bras... a-t-il ajouté, avant d'être repris par le fou rire. Ho ho, c'est trop beau. Cœur, bras... ha ha ha !

Cette fois, j'ai perdu patience.

— Vous trouverez sans doute ça moins drôle quand Rhita Gawr attaquera votre village et vous transpercera avec cette lance, ai-je dit en montrant la pointe de la sienne.

D'un seul coup, le visage de l'homme est devenu sérieux.

— Maintenant, tu n'es plus drôle. Et ta présence ici n'est pas bienvenue, a-t-il dit en pointant sa lance vers moi.

— Qui êtes-vous pour me dire de partir ? Je dois parler aux anciens du village, ou au responsable. Quelqu'un qui a un grain de bon sens.

Il se faisait plus menaçant avec son arme.

— Je suis Lydd, gardien de Caer Darloch. Et je t'ordonne de partir.

Il appuya son geste en donnant un petit coup de son arme, effleurant ma tunique.

Malgré le fait que mes vêtements effilochés et mes cheveux pleins de neige me donnaient plutôt l'air d'un vagabond que d'un enchanteur, j'ai répondu avec assurance :

— Et moi, je suis celui qu'on appelle Merlin, et je vous ordonne de me conduire auprès de vos anciens !

Il est devenu cramoisi.

— Merlin, vraiment ? Tu crois que tu peux te faire passer pour un grand enchanteur rien qu'en volant son nom ? D'après ce qu'on raconte, le vrai Merlin peut disperser une troupe de gobelins d'un simple geste de la main ! Tu n'es qu'un impertinent bouffon. Va-t'en, je te dis ! Sinon ton sang rougira la neige de cette place, termina-t-il en appuyant sa lance contre mes côtes.

Serrant les dents, je l'ai fixé droit dans les yeux.

— Ce ne sera pas le mien, mais le vôtre.

D'un petit coup de poignet, j'ai envoyé un éclair bleu en direction de sa lance. L'homme a reculé d'un bond en criant et a lâché son arme. Atterré, il a regardé la pointe d'obsidienne fondre sur la neige en grésillant, jusqu'à ce qu'il ne reste plus qu'une tache noire sur le sol blanc.

Enfin, il a levé la tête, de la terreur dans les yeux.

— Alors tu es vraiment…

— … Merlin, oui. Maintenant, dites-moi, y a-t-il des enfants orphelins dans ce village ?

Il a ouvert la bouche, l'a refermée, a fait un pas en arrière, puis un autre. Alors que je levais la main pour l'arrêter, il a tourné les talons et s'est sauvé.

— Revenez ! ai-je crié.

Mais il a continué à courir et a disparu derrière la maison du forgeron.

— Diable ! me suis-je écrié en regardant mon ombre. C'est peut-être un mauvais gardien, mais je ne vaux guère mieux comme enchanteur.

Mon ombre sur la neige a agité les bras. Il m'a semblé qu'elle m'encourageait.

— Essayer encore ? Oui, oui, tu as raison. Je vais chercher quelqu'un d'autre. Mais j'espère que j'aurai plus de chance.

Ne voyant personne alentour, je me suis dirigé vers une maison de l'autre côté de la place. Alors que je montais les marches, j'ai entendu des pas précipités à l'intérieur. Un enfant a crié :

— Maman, il y a un mendiant, dehors !

Cela commençait mal. J'ai frappé à la porte. Aucune réponse. J'ai frappé de nouveau. Toujours rien. Je suis reparti en colère.

À la maison suivante, la porte s'est au moins ouverte… avant de m'être claquée au nez. Furieux, je suis retourné sur la place.

Je faisais les cent pas en me demandant à quelle porte j'allais frapper, quand un hurlement strident a déchiré l'air. Je me suis arrêté net. Encore un enfant au pantalon mouillé ? Non, ce cri était différent. Il a retenti une deuxième fois. Il venait de quelque part derrière l'abri des chèvres. La main à mon épée, j'ai couru vers l'enclos, sauté par-dessus la clôture et contourné l'abri. Et là, sous l'avancée du toit de chaume, j'ai découvert un petit garçon échevelé, blotti sur la paille, qui poussait des cris affreux. Au-dessus de lui, un pied sur le bras de l'enfant, prêt à lui trancher la main, se tenait un colosse aux larges épaules. Ses bras étaient deux épées étincelantes.

TUEUR

rrête ! ai-je ordonné. Relâche ce garçon !

D'un coup de pied, le guerrier a repoussé sa proie sur le côté, projetant de la paille dans toutes les directions. Le petit garçon s'est réfugié en gémissant au fond de l'abri et s'est blotti derrière une chèvre. Dans le même temps, son agresseur s'est retourné. Dès qu'il m'a vu, il s'est avancé d'un pas déterminé au centre de l'enclos. Ses bottes laissaient des empreintes profondes dans la neige fraîche. Il s'est campé devant moi, me fixant droit dans les yeux. Une vraie brute. Il faisait au moins une tête de plus que la moyenne des hommes, les épaules et le torse protégés par une armure, et un crâne muni de cornes lui masquait le visage. De part et d'autre de son corps pendaient deux lourdes épées à double tranchant.

— Alors, a-t-il braillé, ce lâche petit morveux d'enchanteur ne se cache plus ?

— C'est toi le lâche, ai-je rétorqué. Toi qui pourchasses des enfants innocents.

Il m'a jeté un regard noir, ses armes semblant prises d'un soubresaut.

— J'ai mes raisons. Ah oui, par la mort de Dagda ! De très bonnes raisons !

J'étais sur le point de sortir mon épée, quand quelque chose dans la voix de ce guerrier m'a fait hésiter. L'avais-je déjà entendue quelque part ? Ou peut-être en rêve ? Oui, sans doute. C'était encore un de ces rêves qui paraissent tellement vrais qu'ils finissent par le devenir.

— Quel est ton nom ? ai-je demandé d'une voix ferme, m'efforçant de garder les pieds bien plantés sur la neige. Et qu'est-ce qui m'empêcherait de te tuer, là, tout de suite ?

Le colosse a fait un autre pas vers moi.

— Appelle-moi Tueur. Tu vas voir comme je porte bien mon nom.

Là-dessus, il s'est rué sur moi en rugissant, ses deux lames pointées vers ma poitrine. J'ai juste eu le temps de tirer mon épée et de l'entendre tinter dans l'air. Brusquement, il a changé son angle d'attaque et ses lames ont visé mes genoux ! Une fraction de seconde avant qu'il ne me tranche les jarrets, j'ai bondi en arrière et les ai évitées de justesse.

Me voyant déséquilibré, il a renouvelé son attaque à une vitesse fulgurante et, d'un coup d'épaule dans les côtes, il m'a expédié dans la clôture. De la neige et de la paille ont jailli d'un côté à l'autre de l'enclos. J'ai roulé sur le sol pour échapper à ses lames, qui ont fait voler la clôture en éclats.

Vite, j'ai tiré mon bâton de ma ceinture. J'avais à présent deux armes, comme lui. Il a foncé de nouveau sur moi. Cette fois, il visait ma tête. Je me suis baissé et ses lames m'ont frôlé et ont heurté en même temps l'extrémité de mon bâton. J'ai senti le coup se répercuter jusque dans mes chevilles, mais le bâton a résisté en lâchant une flambée d'étincelles bleues. Surpris, mon adversaire a reculé d'un pas, ce qui m'a donné le temps de m'éloigner.

Ah, me suis-je dit, *ce bâton n'est pas fait que de bois. Tout comme moi je ne suis pas fait que de muscles et d'os!* La magie, voilà ce qui allait me permettre de le vaincre. Si les pouvoirs de mon bâton restaient imprévisibles, même pour moi, j'en possédais bien d'autres que je savais maîtriser. Et utiliser!

Pivotant sur mes talons, j'ai jeté un sort à ses épées. *Devenez lourdes, lourdes, impossibles à soulever.* Aussitôt, des coulures noires sont descendues de ses épaules et ont enrobé ses lames. En un instant, les deux épées ont été entièrement gainées de noir.

Tueur a titubé, comme s'il avait reçu un coup. Il a tenté de les lever à nouveau, mais les efforts fournis pour les tenir en l'air l'ont fait chanceler. Finalement, entraîné par leur poids, il s'est plié en deux et ses lames sont retombées brutalement sur le sol. Avec un rugissement de rage, il a essayé de les soulever encore une fois. Sans succès.

Je me réjouissais déjà de cette victoire, lorsque j'ai senti quelque chose de bizarre dans la main qui tenait mon épée. À ma stupéfaction, des filets noirs coulaient de la poignée et entouraient la lame. Elle est devenue lourde, trop lourde pour la tenir et, malgré mes efforts, elle est retombée dans la neige. Impossible de la soulever.

Il m'avait jeté le même sort! Ou bien avais-je mal manœuvré moi-même? Dans un cas comme dans l'autre, nos lames ne nous servaient plus à rien.

J'ai récité à toute vitesse la formule qui permettait d'annuler le sortilège. Cela a pris plusieurs secondes, à cause de la complexité des paroles et du ton. En plus, je devais veiller à ne viser que ma propre épée. À peine l'incantation finie, la gaine noire est rentrée dans la poignée. Mon épée était redevenue maniable. Je l'ai brandie au-dessus de ma tête en poussant un cri de joie.

Mais un cri identique est venu de mon adversaire. Lui aussi avait su annuler le sortilège! J'en suis resté coi. Qui était-il donc pour posséder de tels pouvoirs?

Au même instant, il s'est de nouveau rué sur moi, fendant l'air de ses armes redoutables. Je n'ai pas eu le temps de réfléchir. Mon seul moyen de défense était de bloquer les coups avec mon bâton. Des étincelles crépitaient dans l'air.

Il chargeait sans relâche, ne me laissant aucune chance de contre-attaquer. J'avais mal aux bras à force de parer ses coups et il se faisait de plus en plus offensif. Tout à coup, j'ai compris son plan : il me forçait à reculer dans l'abri ! D'ici peu, je serais acculé, incapable de manœuvrer. Le mur de l'abri se dressait d'un côté, la clôture, de l'autre.

Je devais me sortir de là au plus vite !

Un autre sortilège ? Oui, un qui me ferait gagner un peu de temps — juste assez pour imaginer mon propre plan. Je réfléchissais à toute allure quand mon coude s'est cogné contre le mur de bois.

Pour esquiver un coup, je me suis jeté à terre et, dès que mes mains ont touché le sol, j'ai su ce que je devais faire. Alors que je me projetais en avant, avec mes pieds mais aussi mes mains, j'ai senti mes membres parcourus d'une force nouvelle — la force des cerfs. Emporté par cette soudaine énergie, j'ai sauté le plus haut possible. Les lames de Tueur m'ont frôlé le dos, mais, devenu cerf, je me suis sauvé en bondissant par-dessus la clôture.

J'ai traversé la place, mes sabots martelant la neige. Puis je me suis retourné. Je m'attendais à voir mon ennemi figé sur place derrière l'enclos des chèvres.

Au lieu de cela, un autre cerf a surgi. Qui était-ce? J'ai fait un bond de côté, mais un bois de sa ramure m'a déchiré le flanc et une douleur fulgurante m'a transpercé l'arrière-train. Le sang coulait le long de ma patte. Au prix d'un gros effort, je me suis remis à courir.

L'autre gagnait du terrain. Brusquement, j'ai tourné et sauté sur le porche d'une maison, mais le cerf m'a suivi. La poursuite a continué tout le long de la galerie. Malgré la douleur de plus en plus vive, j'ai réussi à sauter par-dessus une rangée de bacs à fleurs remplis de neige.

Quand j'ai atterri sur la place, ma patte blessée a flanché sous moi. Mon ventre a glissé sur la neige, mais, par la force de ma volonté, j'ai réussi à me relever et à m'écarter au moment où l'autre cerf arrivait. Je me suis enfilé dans la forge du maréchal-ferrant dont j'ai renversé le soufflet au passage, soulevant des nuages de cendre et de suie. Malgré les yeux qui me piquaient et les élancements dans ma cuisse, je suis reparti dans la neige sans ralentir mon allure.

Alors que je traversais la place, j'ai entendu le souffle de l'autre cerf derrière moi et ses bois ont éraflé de nouveau ma patte blessée. J'ai contourné une maison, longé l'arrière d'une autre, courant toujours et faisant de mon mieux pour lui échapper, mais aucune de mes manœuvres ne marchait. Je me fatiguais rapidement. Il fallait à tout prix que je trouve un abri, juste pour souffler un peu. Apercevant un vieux chariot penché sur sa roue cassée, j'ai tenté un saut désespéré pour me réfugier derrière.

Mais ma patte de devant a heurté le côté du chariot, j'ai perdu l'équilibre et je me suis écrasé contre les planches du fond qui ont cédé sous mon poids. J'ai roulé dans la neige et quand, enfin, je me suis arrêté, je n'étais plus un cerf, mais un homme. Ma cuisse gauche me faisait horriblement mal ; ma jambière était déchirée et tachée de sang.

L'autre cerf a contourné l'épave du chariot. Horrifié, je l'ai vu se métamorphoser et redevenir le guerrier aux bras en forme d'épées. Il connaissait donc, lui aussi, la magie du cerf ! Avec des gloussements de satisfaction, il s'est avancé vers moi, brandissant ses deux épées pour m'achever.

Tous mes efforts pour me remettre debout n'ont servi à rien. Je me suis écroulé, à bout de forces. Mon épée et mon bâton, restés dans l'enclos des chèvres, ne pouvaient m'être d'aucun secours. Mobilisant mes dernières forces, j'ai reculé en me traînant dans la neige. Mais, déjà, l'ombre de Tueur rejoignait la mienne…

Mon ombre ? Peut-être pouvait-elle m'aider, justement. Non, il me fallait quelque chose de plus fort. Beaucoup plus fort. Le vent, par exemple. Oui ! Voilà. Alors que les redoutables lames étincelaient au-dessus de moi, j'ai murmuré en hâte l'incantation qu'Aylah m'avait enseignée pour faire lever le vent. À la fin, j'ai supplié : *Emporte-le loin d'ici, ô tempête. Loin, très loin !*

Une soudaine bourrasque s'est mise à souffler sur le village, renversant les chaises, les outils, les brocs d'eau. Les portes se sont ouvertes, des volets ont été arrachés. Des capes, des cannes tournoyaient dans l'air avec les flocons de neige, telles des volées d'oiseaux.

— Non ! a beuglé le guerrier que le vent repoussait en arrière. Non !

Emporté dans les airs, lui aussi, il se débattait en vain, agitant bras et jambes, et maudissant l'ennemi invisible contre lequel il ne pouvait rien. Puis, au moment où il passait au-dessus des maisons les plus proches, une nouvelle rafale a balayé le village, avec une force terrible… mais dans l'autre sens ! En dépit de mes efforts pour me cramponner au pilier d'un porche, j'ai été emporté à mon tour. Dans un tourbillon de débris, j'ai

aperçu mon épée et mon bâton, qui volaient, eux
aussi.

Et pendant ce temps-là, je continuais ma
course folle à travers les airs, roulant, tournant,
cul par-dessus tête, sans pouvoir m'arrêter. Les
vents hurlaient de tous les côtés, dessus, dessous.
Ils cesseraient, je le savais, quand ils termine-
raient leur course. Le sortilège avait sa volonté
propre. Seulement, je ne comprenais pas comment
Tueur avait pu connaître l'incantation. Ses pouvoirs étaient puissants, beaucoup trop pour une
créature aussi mauvaise, mais je ne voyais pas
comment l'arrêter, vu qu'ils égalaient les miens.

Le vent m'emportait loin du village, au-dessus
des arbres dénudés et des champs immaculés.
Faible et désorienté, je n'ai même pas remarqué
qu'il commençait à tomber, ni que j'approchais
d'un plateau rocheux.

J'ai heurté le sol avec un bruit mat. J'ai roulé
sur les pierres plates et, enfin, je me suis arrêté.
Mais le monde continuait à tourner autour de moi
et il faisait de plus en plus sombre. Avant de perdre
connaissance, j'ai pourtant senti quelque chose
de dur et pointu s'enfoncer dans mes côtes. Un
rocher, peut-être... ou la pointe d'une lance.

∾ XVI ∾

La question

e me suis réveillé.

L'obscurité m'enveloppait, mais ce n'était pas celle de la nuit. Je sentais une pierre dure et froide dans mon dos. Avais-je atterri sur le plateau rocheux ? Non, non. L'air était différent : il avait une odeur de rance, d'humidité et de je ne sais quoi d'autre que j'avais déjà senti quelque part. Mais où ?

J'ai tâté la pierre avec le plat de la main. À ma grande surprise, elle n'était pas lisse, mais taillée au ciseau par des mains expertes. J'étais donc dans un tunnel ou une pièce souterraine ! Avec l'aide de ma seconde vue, j'ai découvert un mur vertical près de moi, un autre du côté opposé et, sur les deux, assez près du sol, un support de fer forgé avec une torche éteinte.

Tout à coup, j'ai reconnu l'odeur : une odeur de poils de barbe drue et emmêlée. Et j'ai compris où j'étais : dans un souterrain des nains !

Je me suis assis, à demi hébété, et je me suis rendu compte alors que ma jambe ne me faisait plus mal. Comment était-ce possible ? J'ai tâté ma cuisse. Aucune douleur. Et pas de cicatrice ! Mes jambières n'étaient plus déchirées. Elles avaient été reprisées avec du gros fil.

Soudain, des torches se sont allumées et ont éclairé la pièce. Malheureusement, je ne voyais ni mon épée ni mon bâton. Mon ombre les a cherché aussi, mais en vain. Les murs étaient entièrement nus. Seule une porte en fonte devant moi en rompait l'uniformité. J'en observais les motifs — des nains occupés à sculpter, graver, forger — quand des pas ont résonné de l'autre côté.

La lourde clenche s'est soulevée, la porte s'est ouverte et deux nains robustes sont entrés. Ils se sont mis chacun d'un côté du passage, croisant leurs bras sur lesquels étaient peints d'étranges symboles. Ils devaient m'arriver au niveau de la poitrine, mais ils étaient suffisamment costauds pour faire face à la plupart des hommes. Ils me fixaient avec des yeux de braise, les mâchoires serrées derrière leurs barbes noires et épaisses. Ils étaient munis de tout un assortiment d'armes : des poignards ornés de pierres précieuses, des haches à double tranchant et des arcs en bois de chêne avec des carquois remplis de flèches. Les pieds fermement plantés sur le sol, ils semblaient solides comme le roc.

Après eux est entrée une personne étrange, mais majestueuse, vêtue d'une robe pourpre ornée de runes et de motifs géométriques argentés. Dans une main, elle tenait un bâton en bois usé et noirci par le temps, dans l'autre, les restes d'une sorte de pâtisserie aux fruits qu'elle a fourrée dans sa bouche et mangée avec avidité. À son front brillait un bandeau de pierreries, essentiellement des saphirs, tandis que sa tignasse rousse se dressait sur sa tête comme un buisson épineux. C'était Urnalda, enchanteresse et reine des nains. Elle s'est arrêtée devant moi. En mâchant, elle faisait cliqueter ses boucles d'oreilles faites de coquillages.

Je n'étais pas ravi de la revoir, mais je me suis efforcé de ne pas montrer mes craintes. Pas assez, sans doute, car, lorsque je me suis incliné pour la saluer, elle m'a frappé l'oreille de la pointe de son bâton.

— Tu n'es pas content de me voir, on dirait, a-t-elle déclaré de sa voix perçante après avoir avalé sa pâtisserie.

Tout en me frottant l'oreille, j'ai essayé de rester poli.

— Je vous remercie d'avoir soigné ma jambe.

Elle a fait non de la tête, ce qui a fait cliqueter ses boucles d'oreille.

— Très bien, mais tu es quand même fâché de me voir.

— Nous ne nous sommes pas quittés en très bons termes lors de notre dernière rencontre, lui ai-je rappelé.

Les regards noirs que je lui lançais n'ont pas dû lui plaire. Elle a grogné et les deux nains ont saisi le manche de leur hache. Mon ombre, sentant les ennuis venir, s'est recroquevillée à mes pieds. Mais Urnalda a levé la main.

— Patience, a-t-elle commandé à ses gardes. Je me sens encore bienveillante envers notre invité, le célèbre enchanteur Merlin.

— Vous voulez obtenir quelque chose de moi, n'est-ce pas? ai-je dit d'un ton brusque.

Les gardes, qui avaient lâché leurs armes, les ont ressaisies. Ils se sont tournés vers l'enchanteresse, attendant les ordres. Mais Urnalda est restée impassible.

— Tu es devenu plus sage, Merlin, a-t-elle remarqué. Du moins un peu plus, a-t-elle ajouté avec un sourire au coin des lèvres. Mais seras-tu assez sage pour récupérer ton bâton d'enchanteur? Et ta précieuse épée? Je n'en suis pas si sûre.

— Mon bâton et mon épée? ai-je tonné. Vous les avez?

— Peut-être bien, enchanteur, peut-être bien. Toutefois, avant qu'Urnalda décide si elle t'aidera ou non, ce sera à toi d'aider Urnalda.

Derrière elle, un des gardes a émis un grognement approbateur. L'enchanteresse s'est retournée
aussitôt, le doigt pointé vers lui.

— Je ne t'ai pas demandé ton avis! a-t-elle
lancé avec mépris.

— M-m-mes excuses, Urnalda, a-t-il bafouillé,
stupéfait.

— Bien. Et veille à ce que ça ne se reproduise
plus, a-t-elle ajouté en le menaçant du doigt.

— Oui, Urnalda, a-t-il répondu au garde-
à-vous.

Mais dès qu'elle a eu le dos tourné, il a lancé
un clin d'œil complice à son compagnon.

Instantanément, l'enchanteresse s'est
retournée, sa robe violette chuintant à chaque pas,
et s'est avancée vers le nain, qui a reculé contre
la porte.

— Alors, maintenant, tu te moques de moi,
hein?

— N-n-non, Urnalda, p-p-par ma barbe,
aucunement.

À voir la sueur qui perlait à son front, il était
vraiment apeuré.

Elle s'est penchée en avant, ses cheveux roux
tremblants de rage.

— Par ta barbe, tu es donc un menteur.

Sans lui laisser le temps de protester, elle a
levé la main et claqué des doigts. Un éclair écarlate a embrasé la salle. Quand la lumière rouge

s'est éteinte, le nain avait changé d'aspect : sa barbe noire et broussailleuse avait disparu, remplacée par une masse de plumes rose vif, délicatement bouclées comme les plumes d'un oiseau exotique.

Le garde, qui ne s'était pas encore rendu compte de ce changement, n'a pas bronché. Son collègue, en revanche, a été pris d'un fou rire. D'un simple regard, Urnalda lui a imposé le silence. Inquiet, le nain transformé a levé sa main pour caresser sa barbe. Dès qu'il a senti les plumes, il a poussé un hurlement. Il en a arraché une, puis l'a regardée et s'est enfui en courant. Ses cris ont résonné longtemps dans le couloir.

Après avoir jeté un regard oblique à l'autre nain, qui avait du mal à réprimer son rire, Urnalda s'est tournée vers moi. Ses joues, d'habitude grises et pâles, étaient encore rouges de colère. Elle m'a regardé avec ses petits yeux plissés.

— Est-ce que tu veux récupérer ta précieuse épée et ton bâton ?

— Oui, j'en ai besoin. Et tout de suite ! Car nous avons fort à faire, vous et moi.

— Moi ? a-t-elle dit, avec son petit sourire en coin. Alors c'est toi maintenant qui veux quelque chose.

— En effet. Tout Fincayra est en danger.

— Fincayra ? Et en quoi ça concerne les nains, le peuple d'Urnalda ? a-t-elle rétorqué d'un ton dédaigneux.

J'allais lui répondre quand elle m'a interrompu d'un geste de sa grosse main.

— Tes histoires de malheur ne m'intéressent pas, Merlin. Seul mon peuple m'intéresse.

— Mais...

— Chut ! Et ne t'amuse pas à essayer tes sortilèges sur moi. Tu ne t'es pas très bien débrouillé contre ton adversaire aux bras en forme d'épées. Ce serait bien pire contre Urnalda. En outre, a-t-elle ajouté en ricanant, j'ai toujours ton bâton.

— Vous êtes au courant pour Tueur ? ai-je demandé, surpris.

— Chut !

— Il fait peut-être partie du plan contre...

— Tais-toi, jeune enchanteur ! Voici quelles sont mes conditions, a-t-elle annoncé, penchée en avant, les yeux levés vers moi. Réponds à mes questions et je te rendrai tes biens. Sinon... je déciderai de ce que je dois faire.

— Il faut m'écouter, ai-je protesté.

Elle a frappé le sol de son bâton, faisant voler de la poussière et des cailloux.

— Non ! Tu te trompes. Moi je parle et toi tu écoutes.

Avec beaucoup d'efforts, j'ai réussi à tenir ma langue.

— Bien, alors, voici ma question.

Elle a inspiré, prête à dire quelque chose, puis s'est reprise pour se tourner vers le garde.

— Sors de la pièce, a-t-elle ordonné, et n'écoute pas aux portes, sinon je change les poils de ta barbe en vers grouillants !

Le nain a porté la main à sa barbe avec inquiétude et s'est dépêché de sortir. J'ai entendu ses pas dans le couloir : il en a fait une bonne dizaine. Apparemment satisfaite, l'enchanteresse s'est de nouveau tournée vers moi. Elle s'est raclé la gorge et a chuchoté d'une voix râpeuse.

— Ma question est la suivante : depuis plusieurs semaines, mes visions du futur ne sont pas claires du tout. Jamais la brave et sage Urnalda n'avait connu pareille situation. Au-delà de la nuit la plus longue de l'année, qu'on appelle la Veille de Dundealgal, je ne vois rien. Absolument rien.

Elle a froncé les sourcils.

— À part des serpents fantomatiques qui sifflent et se crachent à la tête les uns des autres. Ils reviennent souvent dans mes visions.

Avec dédain, elle a craché dans ses mains et les a frottées rapidement l'une contre l'autre, avant de poursuivre :

— Mais Urnalda se moque des serpents. Ce qui inquiète Urnalda, c'est de ne rien voir d'autre ! Une enchanteresse sans visions, c'est inadmissible !

Elle en tremblait de rage.

J'ai hoché la tête d'un air sombre.

— Et votre question est : pourquoi ?

— En effet, c'est bien ma question, a-t-elle répondu en enfonçant son bâton dans le sol.

— Et si j'y réponds, vous me rendrez mon bâton et mon épée ?

— Ce sont mes conditions.

— La réponse n'a rien à voir avec vous ou vos pouvoirs. Vous êtes toujours aussi puissante. En revanche, elle a à voir avec l'avenir.

Elle a paru soulagée. Puis son visage s'est assombri.

— Quel sera cet avenir ?

Cette fois, elle ne murmurait plus.

— Je ne sais que ce que j'ai appris à travers une vision, il y a quelques nuits. Dagda m'a rendu visite et m'a parlé.

Urnalda s'est raidie.

— Le plus grand des esprits t'a parlé ? À toi, un petit enchanteur qui a à peine de la barbe au menton ?

— Oui, il m'a parlé de l'avenir.

Elle m'a observé attentivement. Je voyais bien qu'elle essayait de savoir si je disais la vérité. Au bout de quelques secondes, elle a hoché la tête.

— Continue.

— Il a dit que quand viendrait la plus longue nuit de l'hiver, l'Autre Monde et le monde de Fincayra se rapprocheraient dangereusement. Un passage s'ouvrira entre les deux au cercle de pierres appelé Danse des géants. Par ce passage, Rhita Gawr et ses armées se précipiteront et tueront toute vie mortelle sur leur route, sauf si vous, moi et tous les habitants de Fincayra sommes là pour les arrêter.

Pendant un bon moment, elle n'a fait que fixer les torches qui crépitaient près des murs.

— A-t-il dit autre chose ?

— Des choses que je n'ai pas comprises, oui, à propos d'ailes et d'autres affaires. Mais il voulait surtout nous avertir, pas seulement moi ou l'espèce des hommes et des femmes, mais tous les habitants de l'île. Vous ne voulez pas vous joindre à moi, Urnalda ? ai-je demandé en lui tendant les mains. M'aider à sauver le monde que nous partageons ?

Elle a repoussé mes mains d'un coup de son bâton.

— Me joindre à toi et à l'espèce humaine ? Combattre aux côtés de ceux qui exterminaient mon peuple il n'y a pas encore si longtemps ? Tu as donc oublié ce que votre roi, ce Stangmar dont le sang coule dans tes veines, a fait aux nains ? a-t-elle terminé d'une voix aiguë.

— C'est notre seul espoir, ai-je insisté.

— Le vôtre, oui ! Mais le peuple d'Urnalda s'en sort très bien tout seul.

Ses traits se sont adoucis et un air de désir profond s'est dessiné sur ses traits quand elle a dit :

— Un jour, notre peuple n'aura plus rien à craindre, et nous cesserons de construire des tunnels et des défenses. Alors, nous bâtirons un grand amphithéâtre de pierre en plein air : l'Amphithéâtre du peuple d'Urnalda ! J'en rêve depuis si longtemps, Merlin ! Un lieu où je pourrai voir tout mon peuple assemblé, un lieu pour mes discours hebdomadaires et des pièces de théâtre en mon honneur.

Brusquement, elle est sortie de sa rêverie et a tapé du pied avec rage. Toute la salle en a vibré jusque dans ses fondations.

— Adresse-toi donc aux géants, ces crétins aux orteils poilus ! Ils sont dangereux, presque aussi redoutables pour les nains que les humains. Mais ils sont tellement stupides que tu auras peut-être plus de succès avec eux.

À mon tour, je me suis mis en colère et j'ai frappé le mur de pierre.

— C'est vous, Urnalda, qui êtes stupide ! Et entêtée ! Une vraie tête de mule ! Croyez-vous vraiment que vous pourrez échapper à Rhita Gawr quand il aura envahi les terres au-dessus ? Votre royaume souterrain sera écrasé aussi facilement que des ailes de papillon dans son poing.

Les yeux de l'enchanteresse flamboyaient à l'égal des torches.

— Je ne ferai jamais alliance avec les hommes. Jamais.

Dominant ma colère, j'ai décidé de faire une dernière tentative.

— Je sais que vous attachez une grande importance au bien-être de votre peuple. J'ai souvent entendu parler de tout ce que vous avez fait pour lui durant votre règne. Alors, pour lui, je vous en conjure, revenez sur votre décision.

— Tu me flattes, enchanteur. Tu ne sais rien de mon règne. Mes nains n'ont pas le droit de parler de ces choses à ton espèce.

— Non, je suis franc. Mon ami Shim, un vrai géant qui a vécu un certain temps parmi les vôtres, m'a raconté beaucoup de choses. Et il...

— C'est un traître, un espion ! a-t-elle fulminé, serrant son bâton si fort que de minces

traînées de fumée se sont élevées des runes gravées dessus. De tous les géants, c'est le pire. Il s'est
fait passer pour l'un des nôtres ! Si jamais il
remet les pieds dans ce royaume, il sera exécuté
sur-le-champ. Qu'il ose seulement revenir, cet
imbécile, nous l'attendons de pied ferme !

— Vous vous trompez sur lui, ai-je rétorqué,
furieux. Et aussi sur ce qui est le mieux pour votre
peuple ! Vous ne comprenez donc pas ? J'essaie de
vous prévenir du plus grave danger que vous ayez
jamais connu.

Urnalda m'a fixé d'un regard noir.

— Tu ferais mieux de t'inquiéter d'autres dangers, Merlin. Oui, comme ton ami aux bras en
forme d'épées. Il est tout près, bien plus près que
tu ne l'imagines.

Sans me laisser le temps de lui demander des
explications, elle a frappé dans ses mains. Les
pierres sous mes pieds ont tremblé, puis vibré violemment. Des fissures se sont formées, crachant
de la poussière. J'ai fait un bond de côté juste au
moment où s'ouvrait une étroite crevasse.
Stupéfait, j'ai vu monter de ses profondeurs mon
bâton et mon épée ! Je les ai attrapés au vol, de
crainte que l'enchanteresse ne change d'avis.

— Vous êtes peut-être bornée, mais au moins
vous honorez vos engagements, ai-je grogné en
glissant mon épée dans son fourreau.

— Mieux que la plupart de ceux de ton espèce. L'honneur ! Ce sera le sujet de mon premier discours à mon peuple, un jour, quand mon grand amphithéâtre sera construit. Je ne sais pas quand, a-t-elle ajouté d'un air sombre.

Elle a pianoté sur son bâton de bois.

— Tu es un idiot, Merlin, mais toi aussi tu es honorable. Tu as répondu à ma question, comme je l'espérais. Même si tu m'as insultée. C'est pourquoi j'ai soigné tes blessures, alors que tu t'étais presque vidé de ton sang. Tu étais si faible qu'il a fallu plusieurs jours à Urnalda pour te rendre tes forces.

J'ai senti le sang quitter mon visage.

— Plusieurs jours ? Combien de temps reste-t-il avant la nuit la plus longue ?

— Sept, jeune enchanteur, à partir du prochain coucher de soleil. À ce moment-là nous saurons si ce que tu prétends est juste.

≈ XVII ≈

DES GRAINES

Quelques heures plus tard, la troupe de nains qui m'escortait à travers le dédale de tunnels souterrains s'est arrêtée brusquement. Le chant grave et rythmé qu'ils avaient entonné quand Urnalda nous avait dit au revoir s'est aussi interrompu. Mais pas mes récriminations. Pourquoi devais-je perdre autant de temps à marcher ? Pourquoi ne m'avait-elle pas fait sortir par la porte la plus proche, comme je le lui avais demandé ?

Nous nous trouvions à présent non pas devant une porte proprement dite, mais face à un bloc de pierre. À la lumière vacillante des torches, j'ai vu que sa surface était couverte de runes qui, je le savais, renfermaient les symboles du sortilège. Sans un mot, deux des nains m'ont poussé brutalement vers le bloc. Mon bâton a accroché un pli du sol et j'ai trébuché. Instinctivement, je me suis protégé le visage avec le bras, certain de m'aplatir contre la pierre.

Au lieu de cela, je suis passé au travers et je suis tombé à plat ventre sur un sol gelé.

Je me suis retourné, crachant des tiges et des bouts de feuilles givrés. L'air était encore hivernal, mais j'ai senti une douce chaleur dans ma nuque : celle des premiers rayons de soleil que je voyais depuis longtemps. Avec un mélange de colère et d'admiration, j'ai levé les yeux vers le rocher duquel je venais de dégringoler. Urnalda était vraiment douée pour la dissimulation. Pratiquement personne ne pouvait remarquer la porte cachée dans ce rocher, et encore moins trouver le moyen de l'ouvrir.

Personne sauf Rhita Gawr. Il n'aurait aucun mal à découvrir ses entrées secrètes et ses ouvrages défensifs. Et il serait tout aussi impitoyable avec elle qu'elle envisageait de l'être avec Shim.

Quel sort réservait-elle au géant si jamais il revenait ? Un piège quelconque devait l'attendre, mais de quel genre ? Une immense fosse ? Des lances spéciales ? Si seulement Urnalda avait pris au sérieux mon avertissement plutôt que de ruminer sa colère contre les hommes et les géants, tout le monde y gagnerait, y compris son peuple.

En jetant un regard autour de moi, j'ai aperçu des collines basses à l'horizon, d'où émergeaient quelques arbres tordus. Des bandes de neige alternaient avec des plaques de terre brune, comme dans un gâteau feuilleté. J'ai tout de suite su où je me trouvais.

Urnalda m'avait relâché en bordure des Plaines rouillées, à la limite de son royaume. Cela expliquait la longue marche ! Avait-elle fait cela pour me rapprocher du cercle de pierres et de la future bataille ? Je l'ignorais. Mais je la soupçonnais de vouloir m'éloigner le plus possible avant de me libérer.

La position du soleil a confirmé mes craintes concernant le temps qui nous restait. C'était déjà la fin de l'après-midi ; j'avais perdu presque toute la journée rien qu'en venant ici. Les collines brillaient dans la lumière dorée mais, pour une fois, je n'étais pas sensible à la beauté du paysage.

Nous ne disposions plus que d'une semaine à peine, et je n'avais rien fait. Rien du tout ! Je ne m'étais pas débarrassé de Tueur, et je n'avais trouvé aucun moyen de mettre fin à ses attaques. Il avait sans doute assassiné d'autres enfants pendant que j'étais chez les nains ! J'espérais seulement que Rhia s'en sortait mieux pour recruter des alliés. Où était-elle, à présent ?

Le regard perdu dans le lointain, j'ai pensé à Hallia. Comme j'aurais aimé la revoir et courir de nouveau à ses côtés ! Quelques mois plus tôt seulement, nous nous promenions ensemble sur ces terres mêmes en suivant les anciennes traces de son peuple, toujours seuls tous les deux, sauf lors d'une brève visite à mes amis, les vieux jardiniers T'eilean et Garlatha.

L'idée m'est venue soudain d'aller les voir dans leur maison sur les collines. Ils ne pourraient pas m'aider dans mes recherches, je le savais. Mais je profiterais auprès d'eux de quelques instants de répit, et ce moment de calme en compagnie d'amis me permettrait de réfléchir à ce que je devais faire ensuite.

Je me suis donc mis en route. À chaque pas, la pointe de mon bâton se plantait dans le sol durci, piquant des feuilles mortes ou des croûtes de terre. Mon ombre, à côté de moi, donnait des signes de découragement. Elle savait, elle aussi, que mes problèmes et ceux de Fincayra s'aggravaient d'heure en heure.

À l'approche des collines enneigées, le terrain a commencé à monter. À part un faucon qui est passé dans le ciel en poussant des cris aigus, ce monde semblait désert. Les creux où, au printemps, l'eau giclait sur les cailloux moussus et les joncs trempés de rosée, étaient secs et durs. Une jeune aubépine qui, en une autre saison, aurait été couverte de fleurs roses et blanches, était aussi nue que mon bâton.

Un peu plus loin, j'ai aperçu un éperon sur une colline, fendu en son milieu par un profond sillon.

J'ai pressé le pas, car je reconnaissais l'endroit. Bientôt, j'ai repéré, à l'intérieur du sillon, la maisonnette de pierre grise qui semblait sortie du flanc même de la colline : c'était là qu'habitaient T'eilean et Garlatha.

À côté de la cabane, située dans l'ombre de la colline, j'ai entrevu une trace de vert. Plus j'approchais, plus la couleur paraissait vive. Intrigué, j'ai concentré ma vision pour m'en assurer : non, je ne m'étais pas trompé, c'était bien du vert. Beaucoup de vert.

Des rangées d'arbres feuillus encadraient la maison, couverts d'autant de feuilles que les habits de Rhia. Leurs branches ployaient sous le poids des fruits : des poires dorées, des prunes violettes aussi grosses que mon poing, des cerises, des pommes et même des fruits du larkon en forme de spirale, mes préférés. Sous les branches odorantes poussaient des haies couvertes de toutes sortes de baies, comme des mûres et des fraises. Il y avait même des baies llyr en abondance, des baies rares et réputées pour guérir les muscles tordus et, la rumeur disait, les rêves brisés. Sur les murs, de la vigne grimpait chargée de lourdes grappes, tandis que des fleurs bleues ornaient le dessus de la porte.

C'était une chose de voir ce jardin toujours luxuriant en automne quand j'étais passé avec Hallia. Mais aujourd'hui, j'étais sidéré de voir tous ces fruits et ces fleurs en plein hiver. Comment était-ce possible ? Même les prouesses de mes amis jardiniers ne pouvaient inverser le cycle des saisons !

Soudain je me suis souvenu que, comme Rhia à qui on avait confié un des Trésors de Fincayra, ils avaient reçu en dépôt la légendaire Harpe fleurie dont les cordes magiques pouvaient faire revivre la terre et fleurir les plantes.

Aussi leur jardin était-il bien vivant, et ce n'était que justice, car T'eilean et Garlatha eux-mêmes, en dépit de leur grand âge, semblaient ne jamais perdre leur vitalité. Leur passion du jardinage en était bien la preuve, tout comme la vivacité de leurs querelles. Ils se chamaillaient à la manière des vieux couples qui ne peuvent se passer l'un de l'autre, et leurs taquineries m'attendrissaient.

En enjambant le mur comme à mon habitude, j'ai eu l'impression d'entrer dans le printemps. J'ai ouvert mon gilet et humé l'air doux et parfumé. Libellules, abeilles et cétoines dorées bourdonnaient autour des fleurs.

Au moment où j'allais frapper à la porte, j'ai entendu un gémissement derrière la maison. J'ai rapidement fait le tour et, arrivé à l'angle, je me suis arrêté net. Mon ombre s'est étirée, comme si elle tentait de fuir ce que nous avons vu.

T'eilean, le visage livide, était adossé au tronc d'un vieux cerisier, les cheveux retombant sur ses épaules, la main droite crispée sur sa poitrine. À l'exception de ses pupilles noires et des rides qui entouraient ses yeux, son visage était blanc. À genoux près de lui, Garlatha, aussi pâle que lui, lui caressait le front.

Tous deux ont tourné la tête vers moi en même temps.

— Oh, c'est toi, Merlin ! s'est écriée Garlatha. Tu arrives au bon moment. Maintenant plus que jamais, tes pouvoirs de guérisseur nous seront précieux.

Le vieil homme a secoué la tête.

— Même un enchanteur ne peut plus rien pour moi, mon canard.

Je me suis agenouillé près de Garlatha.

— Racontez-moi ce qui est arrivé.

Elle a montré du doigt un sac marron en tissu, posé parmi les racines du cerisier.

— T'eilean était là, en train de ramasser les graines des fruits comme nous le faisons toujours pour les planter, quand il s'est brusquement effondré, a-t-elle expliqué en passant la main dans la chevelure blanche de son mari. Tout ce que j'ai réussi à faire, c'est l'amener ici pour qu'il puisse s'asseoir.

— Ma poitrine, a gémi T'eilean. J'ai mal... J'ai de la peine à... oooh, Dagda... respirer.

J'ai posé ma main à plat sous la sienne, contre ses côtes, et je me suis concentré mentalement sur chacun des organes : le foie, l'estomac, les poumons, le gauche puis le droit, les intestins, le cœur. Un violent élancement m'a traversé la main et le bras. J'ai sursauté.

— C'est votre cœur, T'eilan, ai-je dit, sans cacher mon émotion. J'ai l'impression... enfin... que c'est sérieux. Je ne sais pas si c'est quelque chose que je peux soigner.

Il a avalé sa salive et articulé péniblement :

— Non... tu ne peux pas... Je le sens.

— Allons, ne sois pas si affirmatif, l'a gentiment grondé Garlatha. C'est quand tu es le plus sûr de toi que tu te trompes le plus.

Son mari a esquissé un sourire.

— Tu t'en aperçois seulement maintenant, mon canard, après soixante-neuf ans de mariage ?

— Soixante-dix, a rectifié Garlatha.

— Quoi qu'il en soit, ai-je repris, je ne perds pas tout espoir. Attendez, je vais essayer de trouver un moyen.

J'ai replacé ma main sur ses côtes et commencé à sonder plus en profondeur.

— Tu n'as jamais renoncé... facilement, m'a dit T'eilean. Je me souviens... la première fois que… tu es passé ici, en allant affronter Stangmar et ses soldats. Tu as à peine pris le temps… de goûter un fruit du larkon.

Quand j'ai senti les tissus déchirés à l'intérieur du cœur, j'ai eu la nausée, mais je me suis efforcé de ne pas le montrer et de garder un ton détendu et confiant.

— Je me souviens de ce fruit, ai-je répondu à T'eilean. On aurait dit une bouchée de soleil, de soleil pourpre. Le meilleur fruit que j'aie jamais mangé.

— Et que tu mangeras jamais, a ajouté Garlatha. Sous sa peau, ce fruit contient beaucoup plus qu'on ne l'imagine.

— Comme ces graines, là-bas, ai-je fait remarquer.

— Oui, ou comme les enfants. Je suis toujours émerveillée par toutes les richesses qu'ils ont en eux.

À ces mots, j'ai frémi.

T'eilean a poussé un long gémissement de douleur. Cette fois, j'ai été pris d'une telle nausée que j'ai dû m'appuyer contre le tronc de l'arbre. Tremblant, j'ai retiré ma main de sa poitrine.

— La lésion est trop profonde.

J'ai baissé la tête vers mon ombre et celle-ci secouait la tête d'un air grave.

— Je ne sais pas comment la soigner.

— C'est comme... la Harpe, a marmonné le vieil homme.

— La Harpe fleurie ? ai-je demandé à Garlatha qui serrait la main de son mari. Elle est cassée ?

— Oui, a-t-elle répondu tout bas sans le quitter des yeux. Ce matin, tout à coup, elle s'est décrochée du mur. Ça a fait un bruit épouvantable. Quand nous nous sommes approchés pour la ramasser, toutes les cordes étaient cassées, sauf une. Et quand T'eilean l'a soulevée, cette dernière corde a lâché. Elle s'est enroulée sur elle-même, avec un bruit qui ressemblait à des pleurs de bébé.

Une larme a coulé lentement le long du cou ridé de Garlatha. J'ai d'abord cru qu'elle pensait à la harpe, et peut-être à son jardin qui serait privé de ses bienfaits. Puis, la voyant caresser la main de T'eilean, j'ai compris.

— Ce n'est pas tant que... je ne veuille pas mourir, lui a-t-il dit, alors qu'une nouvelle grimace de douleur lui déformait les traits. C'est que... je ne veux pas... te laisser seule. Tu n'aurais plus personne... pour se quereller avec toi, a-t-il ajouté avec une petite étincelle dans les yeux.

Elle a hoché la tête lentement.

— Notre vie ensemble est comme un bulbe précieux contenant tout ce qu'il faut pour traverser les saisons.

— Non, non, pas vraiment, a-t-il répliqué. Plutôt comme une graine emportée par le vent... qui peut atterrir... n'importe où et germer.

J'ai pensé à Hallia, maintenant si loin, qui portait au poignet la corde d'un autre instrument brisé.

— La fois où je suis venu avec Rhia, votre vie lui a fait penser à autre chose.

— À quoi donc ? a demandé Garlatha.

— À deux arbres qui ont poussé si près l'un de l'autre que leurs branches se sont entremêlées. Ils sont toujours indépendants, chacun avec ses racines, mais ils sont aussi un être entièrement nouveau. Car ils se soutiennent, se protègent l'un l'autre et se tiennent mutuellement chaque jour.

Les deux vieillards m'ont regardé un long moment. Puis Garlatha a rompu le silence.

— Je me souviens, maintenant. Mais comment un arbre continue-t-il à vivre sans l'autre ?

J'ai secoué la tête, les yeux fixé sur les branches du cerisier couvert de fruits rouges foncés.

— Tu te rappelles ? m'a demandé T'eilean, la première fois que tu es venu ici, tu nous as raconté l'histoire de deux personnes... qui avaient vécu une longue vie ensemble. Quand l'heure de la mort est venue, les dieux...

— ... les ont changés en arbres ! s'est exclamée Garlatha. Peux-tu, Merlin ? Peux-tu faire ça pour nous ?

— S'il te plaît, a enchaîné le mari, se hissant un peu plus haut contre le tronc. Moi aussi... je le souhaite.

D'un geste de la main, j'ai essayé de calmer leur ardeur.

— Attendez, rien ne dit que je suis capable de faire ce genre de chose. Et même si je l'étais, je ne suis pas sûr que ce soit vraiment ce que vous voulez.

— Oh, mais si, a imploré la vieille femme. Plus que tu ne l'imagines. Beaucoup plus, a-t-elle insisté, les yeux plongés dans ceux de son époux.

— Ce serait risqué, ai-je objecté. De telles transformations engagent l'esprit autant que le corps. Cela pourrait porter atteinte aux deux, peut-être gravement.

— S'il te plaît, ont-ils supplié en chœur.

— Non, non, vraiment, je ne peux pas.

— S'il te plaît, Merlin.

Je sentais une telle sincérité, une telle force dans leur désir que j'ai fini par consentir. Ils méritaient de choisir leurs propres risques, et leur propre destin.

Lentement, je me suis levé, j'ai pris mon bâton et j'ai reculé de quelques pas, en prenant soin de ne pas trébucher contre une haie couverte de mûres. J'ai pris une profonde inspiration et concentré toute ma force. Les yeux pleins d'espoir, T'eilean et Garlatha se tenaient par la main plus fort que jamais. Au bout d'un moment, j'ai commencé à réciter dans ma tête les diverses incantations destinées à libérer la magie contenue dans chaque graine, celle qui fait éclore le printemps : le pouvoir de Changer.

Une chaleur nouvelle m'a parcouru tout entier, du fond de la poitrine jusqu'au bout des doigts. Le vent s'est levé, a agité les branches de l'arbre d'où sont tombées quelques cerises. Des feuilles, des brindilles et des graines éparses se sont envolées et ont tourné autour de nous. Elles brillaient d'une lumière qui ne venait pas du soleil déclinant.

Soudain a jailli un éclair blanc d'une telle puissance que je suis tombé à la renverse. Quand j'ai regardé l'endroit où étaient mes amis, ils avaient disparu.

Autour de moi, rien n'avait changé. Les arbres étaient là, comme avant, la maison de pierre grise aussi ; même le sac de graines n'avait pas bougé.

Qu'avais-je donc fait ? Quelque chose n'avait pas marché. Je voulais seulement les transformer. Espérant trouver une explication, j'ai exploré le sol à quatre pattes, là où se trouvaient mes amis quelques secondes plus tôt. Mais il n'y avait aucune trace d'eux, pas le moindre début d'explication. La seule réponse qui m'est venue à l'esprit m'a fait frémir.

Je les avais fait disparaître. Corps, esprit, tout.

Accablé de chagrin, je me suis relevé. Sans réfléchir à ce que je faisais, j'ai ramassé le sac de graines et mon bâton, et je me suis dirigé comme un somnambule vers l'entrée de la maison. Je ne pouvais ni parler, ni penser, ni sentir quoi que ce soit. Ce jardin qui me semblait si plein de vie peu de temps avant avait l'air à présent complètement désert.

J'ai longé le mur jusqu'au portail. Au moment de le franchir, je me suis retourné pour regarder la petite maison encore une fois. Et là, j'ai été si surpris par ce que j'ai vu que j'en ai laissé tomber le sac de graines.

Devant la porte se dressaient deux larkons majestueux, couverts de fruits, dont les branches feuillues s'entrelaçaient étroitement. Et je savais qu'ils resteraient longtemps ainsi.

Mon regard s'est posé sur le sac ouvert. Une partie des graines s'était répandue sur la bonne terre du jardin. Certaines étaient minuscules, d'autres beaucoup plus grosses que celle que j'avais dans ma sacoche, et elles brillaient sous la lumière dorée des derniers rayons du soleil.

Les graines sont comme des enfants, avait dit Garlatha. Elles renferment tous les espoirs, toutes les possibilités de l'avenir. Tout à coup, une idée m'est venue. J'ai compris comment je pourrais empêcher le guerrier aux bras en forme d'épées de faire d'autres victimes. J'avais à peine le temps, mais j'y arriverais. Après un ultime regard vers les deux arbres, je suis sorti du jardin.

XVIII

RASSEMBLEMENT

ès que j'ai franchi le mur de pierre grise, j'ai retrouvé l'hiver. Une rafale de vent glacial a balayé la colline dénudée et m'a fouetté le visage. J'ai eu brusquement l'impression de plonger dans un lac de montagne aussi froid que les champs de neige alentour. J'avais les doigts et les orteils frigorifiés. Fini les délicieux parfums qui me chatouillaient les narines. Je ne sentais plus qu'une odeur de terre et d'herbe froides.

J'ai refermé mon gilet. Sur le sol, mon ombre filiforme tremblait de froid, elle aussi.

Au-dessus de moi, les nuages qui couraient à toute allure avaient pris des teintes rouges et violettes. Le soleil allait bientôt disparaître derrière la vaste plaine. J'ai pensé aux paroles d'Urnalda — *sept jours, à partir du prochain coucher de soleil* —, et les battements de mon cœur se sont de nouveau accélérés.

Mais maintenant, j'avais un plan. Plutôt que d'essayer de vaincre le guerrier aux bras en forme d'épées, ce qui semblait impossible, ou de perdre encore un temps précieux à le chercher, je changerais de tactique. Au lieu d'affronter Tueur, je mettrais tout mon zèle à l'empêcher de faire d'autres victimes.

Pour commencer, je rassemblerais tous les enfants sans protection. J'en trouverais autant que je pourrais et je les mettrais à l'abri du danger, qu'ils soient orphelins ou séparés de leur famille. Ainsi, au moins, les enfants les plus vulnérables de Fincayra échapperaient à ses attaques. Il devait y en avoir quelques dizaines dans l'île, pas davantage, ce ne serait pas trop difficile. Si je réussissais à exécuter ce plan en moins d'une semaine, je pourrais encore rejoindre Rhia avant la nuit la plus longue.

Restait à savoir comment. L'esprit en ébullition, je me suis mis à arpenter le flanc de la colline. Mon ombre, qui me suivait, s'allongeait à vue d'œil.

Bien sûr, j'aurais besoin d'aide. Une seule personne ne suffirait pas à regrouper tous les enfants en si peu de temps. Jamais je n'ai autant regretté de ne pas maîtriser le pouvoir de Sauter !

Tandis que je marchais en tapant des pieds pour me réchauffer, un autre problème a surgi : où emmener les enfants une fois rassemblés ? Il fallait un endroit éloigné, où ils seraient vraiment à l'abri du danger, où même Tueur, avec tous ses pouvoirs, ne pourrait pas les retrouver. Non, mon plan ne valait rien! Si je n'avais pas un lieu où les cacher, les enfants seraient aussi exposés qu'auparavant.

Les nuages flottaient haut dans le ciel. Totalement inaccessibles, séparés du reste du monde, ils semblaient presque solides tant ils étaient sombres. On aurait dit des îles de terre et de pierre.

Des îles… Appuyé sur mon bâton, je me suis arrêté. Une île inaccessible, j'en connaissais une! L'Île oubliée.

J'ai poussé un soupir qui blanchit le papillon sculpté sur mon bâton. Pour l'atteindre, je devrais franchir la barrière de sortilèges qui la séparait du reste de Fincayra. Ce ne serait pas facile. Mais cet obstacle même, si je le surmontais, offrirait une garantie supplémentaire pour la protection des enfants.

Je me demandais cependant ce que je découvrirais, une fois là-bas. Je ne savais presque rien de cet endroit. Un jour, une femme nommée Gwri aux cheveux d'or, un esprit venu des étoiles, m'avait raconté que du gui doré, l'emblème de l'Autre Monde, poussait sur l'île. Malheureusement, elle n'avait rien dit de plus. Mais si le gui, le rameau d'or, poussait là-bas, les terres devaient être habitables.

Enfin, je verrais cela plus tard. Ma première tâche, dans l'immédiat, était de trouver les enfants et de les rassembler dans les quelques jours qui me restaient. Et sans aide, rien ne serait possible.

Mon ombre, qui s'étirait à présent presque jusqu'en haut de la colline, m'a soudain rappelé quelqu'un. Un géant ! D'un seul coup, j'ai su à qui j'allais demander de l'aide, et aussi quel était le meilleur moyen de le trouver.

— Mon ombre ! me suis-je écrié. J'ai besoin de toi.

Sur la colline rougie par le couchant, mon ombre a penché la tête d'un air méfiant.

— Écoute-moi, ai-je dit d'une voix suppliante. Ton pays et le mien sont en grand danger, tu le sais. De même que les jeunes innocents qui n'ont personne sur qui s'appuyer. J'ai un plan pour les protéger, mais il ne peut marcher qu'avec ton aide.

Comme je l'espérais, l'ombre a levé la tête et bombé le torse.

— Trouve Shim. Allez, arrête de secouer la tête ! Il est dans le nord, avec les géants de Varigal. Il faut que tu le rejoignes. J'ai dit : arrête de secouer la tête ! Il faut que tu le persuades de chercher tous les enfants orphelins qu'il peut trouver, et tous les enfants qui circulent sans surveillance. Il devra me les amener sur le Rivage des Coquillages

parlants, près des dunes à l'embouchure du fleuve.
Tu connais l'endroit. Il me faudra près de trois
jours pour arriver là-bas, nous nous retrouverons
donc dans trois jours.

J'ai vu qu'elle rechignait.

— Allez, s'il te plaît. Ça changera tout si tu
m'aides.

Les mains sur les hanches, elle continuait de
résister.

— S'il te plaît, ai-je imploré.

L'ombre s'est éloignée de quelques pas, puis
s'est retournée vers moi.

— Quoi ? Tu veux *quoi* ? Non, non, je ne peux
pas faire ça ! Hors de question.

L'ombre a croisé les bras d'un air buté.

— Alors là, tu exagères ! ai-je protesté.

Nous nous sommes toisés.

Le jour déclinait et mon ombre pâlissait. D'ici
peu, elle aurait disparu et je ne pourrais plus lui
parler. Je devrais alors attendre l'aube pour
reprendre le dialogue. Je ne savais même pas où
elle passait la nuit. Certains matins, je craignais
de ne pas la voir réapparaître, bien que cela ne se
soit encore jamais produit.

— Bon, d'accord, ai-je grogné. Ta condition
est injuste, indigne, inacceptable ! Mais je m'y
soumets. Trouve Shim, et aide-le à rassembler les
enfants, sans oublier Lleu, au village. Si tu fais ce

que je te demande, je... je te donnerai une semaine de congé chaque année pour aller où tu veux faire toutes les bêtises que tu veux.

Ravie, mon ombre a hoché la tête et elle est partie à toute vitesse vers le nord-ouest, visible-ment contente d'elle.

XIX

L'esprit de la brume

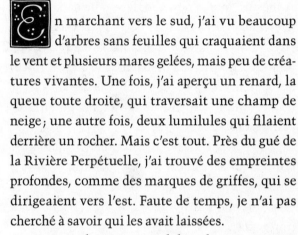n marchant vers le sud, j'ai vu beaucoup d'arbres sans feuilles qui craquaient dans le vent et plusieurs mares gelées, mais peu de créatures vivantes. Une fois, j'ai aperçu un renard, la queue toute droite, qui traversait une champ de neige ; une autre fois, deux lumilules qui filaient derrière un rocher. Mais c'est tout. Près du gué de la Rivière Perpétuelle, j'ai trouvé des empreintes profondes, comme des marques de griffes, qui se dirigeaient vers l'est. Faute de temps, je n'ai pas cherché à savoir qui les avait laissées.

J'ai marché jusque tard dans la nuit, tout en réfléchissant à mon plan. Shim parviendrait-il à rassembler les enfants assez tôt ? Et à supposer qu'il réussisse, comment nous rendre sur l'Île oubliée ? Nous pourrions sans doute construire une embarcation quelconque, quoique ce ne serait pas facile. Mais après, il faudrait encore passer à travers la barrière de sortilèges. Je préférais pourtant toutes ces incertitudes à l'idée de voir les attaques de Tueur se poursuivre, et à la perspective d'un nouveau combat contre lui.

Le deuxième jour, j'ai bifurqué vers le sud, en suivant la Rivière Perpétuelle. Même en hiver, ses eaux bouillonnaient. Parfois, il m'a semblé entrevoir des naïades dans les nuages de gouttelettes. À mesure que je descendais vers le sud, le froid devenait moins vif et la neige disparaissait des rives, mais le paysage était encore bien hivernal. Même dans les zones inondables, là où se forment des marécages pleins de vie en d'autres saisons, je n'ai vu qu'un serpent se faufiler sur un tapis de plantes desséchées.

Juste avant d'atteindre la côte, j'ai aperçu les bois de la Druma à l'ouest. Comme j'aurais aimé revivre parmi ces arbres verdoyants, avec mes plus chers amis ! Je savais, hélas, que c'était impossible.

Dans la pâle lumière du début de l'après-midi, je suis arrivé à la rangée de dunes bordant le rivage. J'avais presque un jour d'avance sur Shim — si, toutefois, il venait. Il ne me restait plus qu'à attendre.

J'ai commencé à escalader la dune la plus haute. Mes bottes et mon bâton s'enfonçaient dans le sable. La pente était raide au début, mais ensuite elle s'adoucissait, comme sur la carapace d'une grande tortue. Bientôt j'ai entendu le bruit du ressac et senti l'odeur du sel. Un grand cormoran aux plumes noires, contrarié par ma présence, s'est envolé sur une dune voisine.

Parvenu au sommet, je me suis assis pour reprendre mon souffle et vider le sable de mes bottes. À côté de moi, un gros coquillage en spirale dressait sa pointe violette comme un éperon. En face, le mur de brume était tellement dense que je ne voyais même pas la mer. C'était la brume qui entourait toute l'île de Fincayra, celle où se tissaient les histoires qui, d'après le peuple d'Hallia, formaient la trame du Tapis Caerlochlann.

L'épaisseur de la brume cependant ne m'empêchait pas d'entendre les vagues. Pendant un long moment, je les ai écoutées se soulever, redescendre et se briser. La mer respirait à son rythme, inlassablement, comme elle le faisait depuis des siècles et des siècles. Quelque part là-bas, je le savais, nageaient les corps luisants des gens de la mer. Ils étaient si insaisissables que je les avais vus seulement deux fois au cours de mes voyages, et très brièvement. Mais leurs voix m'appelaient en silence depuis longtemps et elles me fascinaient.

Les gens de la mer... Je ne sais pourquoi, ils me semblaient proches malgré la brume qui dissimulait leur monde aquatique. Peut-être y avait-il du vrai dans l'histoire selon laquelle ma propre grand-mère — Olwen, femme du puissant enchanteur Tuatha — était sortie de l'océan, liant à jamais son peuple à l'espèce humaine.

Qu'aurait fait Tuatha à ma place ? me demandais-je. Il aurait sûrement trouvé le moyen de transporter les enfants sur l'île. Distraitement, j'ai tapoté mon bâton qui, il y a bien longtemps, avait été touché par son pouvoir. Un léger parfum de sapin a flotté jusqu'à moi, se mêlant à la brise marine.

Lentement, le mur de brume en face de moi a bougé et des formes bizarres sont apparues à l'intérieur. Je n'en reconnaissais aucune, mais toutes étaient troublantes. On aurait dit qu'elles avaient été empruntées à mes rêves les plus affreux. Puis, l'espace d'une fraction de seconde, j'ai entrevu un œil, sombre et mystérieux. Il m'observait, visiblement. Était-ce Tuatha ? J'ai bien regardé cet œil, jusqu'à ce qu'il s'efface. Non, ce n'était sûrement pas lui... Dagda peut-être, ou... Rhita Gawr.

L'épais sourcil a été la dernière partie de l'œil à disparaître. Il s'est étiré à travers le rivage, telle une aile chatoyante, avant de se dissoudre dans les nuages mouvants.

En dessous du mur de brume, j'ai remarqué quelque chose d'étrange sur le sable : une sorte de corde, faite d'algues, d'herbe de mer, de plumes de mouette et d'autres dépôts marins, qui longeait toute la plage. Roulée par les vagues, poussée de plus en plus haut par la marée, elle avait été laissée là par le reflux.

J'ai souri tristement. Cette longue tresse, telle une natte d'amoureuse offerte en cadeau à la terre, me rappelait celle dont j'aimais tresser les beaux cheveux auburn.

Je commençais à rêver, quand une légère secousse au niveau de ma taille a attiré mon regard sur les plis de ma tunique. Un petit crabe moucheté de brun était en train de m'escalader. Amusé, je l'ai pris délicatement par sa carapace, mais la plus grosse pince est restée accrochée au tissu. J'ai tiré d'un coup sec et, finalement, il s'est décroché. Mais il gigotait tellement que je l'ai lâché. Dans sa chute, il a heurté la poignée de mon épée, qui a tinté comme un carillon lointain.

Aussitôt, ce bruit de lame m'a fait penser à Tueur. Qu'y avait-il chez ce guerrier qui me semblait si bizarrement familier ? Quelque chose dans sa posture ou sa voix, peut-être… Pourtant, un être aussi cruel, doté d'un tel pouvoir, je ne l'aurais pas oublié.

Tandis que je me posais ces questions, la brume a semblé se durcir, s'aplatir telle une feuille de métal dressée à la verticale, traçant une ligne nette entre le sable et les vagues. Comment Tueur

avait-il acquis ses pouvoirs ? Qu'ils soient si semblables aux miens me troublait : j'alourdissais son
épée, il alourdissait la mienne ; quand je me méta-
morphosais en cerf ou invoquais le vent, il en faisait autant. C'était terriblement difficile de lutter
contre un tel adversaire. Aussi impossible, en fait,
que de se battre en duel contre soi-même.

Me battre en duel contre moi-même. Une nouvelle
idée a surgi au milieu de mes réflexions. Était-il
pensable que tous les pouvoirs de ce guerrier
viennent non pas de lui-même, mais de moi ? En
écoutant le bruit des vagues derrière le mur de
brume, j'ai essayé d'envisager une telle possi-
bilité. Peut-être, en effet, qu'en libérant mes
forces dans la bataille, je rendais mon ennemi plus
fort !

Mes yeux se sont posés au pied de la dune, sur
une flaque d'eau qui se faufilait entre les galets et
les coquillages colorés. Tous ces coquillages,
roses, jaunes, bleus, venaient de l'autre côté du
mur de brume. Comme moi, un jour, ils avaient
été brutalement arrachés de leur lieu d'origine et
rejetés sur le rivage. Ce jour où j'avais moi-même
échoué sur cette côte me paraissait bien loin, à
présent. Mais le souvenir en était toujours clair
dans ma tête. La bouche pleine d'eau saumâtre, je
m'étais retrouvé subitement sans parents, sans
identité et, néanmoins, doté d'une frêle lueur

d'espoir. Je croyais que, d'une façon ou d'une autre, je découvrirais ce à quoi j'aspirais profondément, à condition de chercher longtemps et avec détermination.

Si seulement j'avais eu la même lueur d'espoir à présent ! Hélas, c'était de plus en plus un sentiment d'échec que j'éprouvais, en même temps qu'une douleur plus forte au point sensible entre les omoplates.

Sans réfléchir, j'ai saisi le coquillage violet à côté de moi et l'ai sorti du sable, envoyant dans le même mouvement du sable sur mes vêtements. Je l'ai appliqué contre mon oreille. Une voix faible, voilée, en est sortie, mêlée à un bruit de gravier roulé par les flots.

— Vvvooole, a-t-elle dit. Vvvooole loin.

J'ai failli laisser tomber le coquillage.

— Voler ? Mais comment ?

— Vvvooole, a répété la voix.

Troublé, je me suis demandé si j'avais bien entendu. Peut-être avais-je simplement imaginé cette voix et transformé en mots le son de la mer. Mais non, je ne l'avais pas inventé. C'était un endroit où les coquillages pouvaient parler, je le savais, même si leur langage n'était pas toujours compréhensible. J'ai doucement reposé le coquillage dans son creux en m'interrogeant sur la signification de ses paroles.

La brume s'est remise en mouvement. Le reflet métallique a disparu, remplacé par un mur de volutes vaporeuses qui peu à peu s'est retiré, dégageant une grande partie de la plage. Devant moi se déployait une large bande de sable doré, parsemée de débris de bois, d'étoiles de mer, de crabes, de goémon et de coquillages colorés aux éclats de métaux précieux. Plus loin, derrière la fine bordure écumeuse des vagues déferlantes, s'étendait le vaste océan.

Un oiseau de mer a surgi de la brume, un cormoran brun. Son cou était courbé tel un ver géant. Il s'est posé dans l'eau près de la plage et a commencé à déambuler en poussant des cris. Quelques secondes plus tard, un héron bleu l'a rejoint, soulevant une gerbe d'écume. D'un pas tranquille, il a gagné la plage et s'est dressé, majestueux, face à la mer. Un deuxième cormoran est arrivé, suivi de deux canards aux couleurs vives, d'une grue au plumage noir ébouriffé. D'autres encore sont venus leur tenir compagnie, nageant, lissant leurs plumes, barbotant côte à côte.

De plus en plus nombreux, ils descendaient du ciel et remplissaient la plage de leurs cris, de leurs battements d'ailes, de leurs claquements de bec, à tel point que je n'entendais presque plus le bruit des vagues. Je les observais, fasciné, car je n'avais jamais vu un tel rassemblement de volatiles.

Pendant que je contemplais cet impressionnant spectacle, j'ai senti un courant d'air sur mes
joues. J'ai d'abord cru à l'arrivée d'un nouveau vol
d'oiseaux. J'ai levé les yeux, mais je n'ai rien vu.
Puis un souffle de vent plus chaud m'a de nouveau
caressé le visage, accompagné, cette fois d'une
vague odeur de cannelle. Je me souvenais de ce
parfum. C'était celui de la sœur du vent. Un jour,
elle nous avait fait traverser toute l'île de Fincayra,
Rhia et moi.

— Aylah! Aylah, c'est toi…

— Oui, Emrys Merlin, je suis venue. Et je resterai avec toi un moment, même si le vent ne reste
jamais très longtemps.

Son souffle me balayait tout le corps comme
une petite tornade et agitait mes manches.

Une idée a surgi dans mon esprit.

— Aylah, demain, des enfants arriveront ici,
et je dois les emmener en lieu sûr.

J'ai arrêté de parler un petit moment, car une
grosse vague est venue s'échouer sur la plage, cau-
sant un raffut auprès des oiseaux.

— Tu veux bien m'aider et les transporter
jusqu'à l'Île oubliée?

Un vent chaud a effleuré mon visage, m'enveloppant de l'odeur de la cannelle.

— Je ne peux pas rester jusqu'à demain,
Emrys Merlin, car d'autres mers et d'autres rivages
m'attendent.

— Mais j'ai besoin de ton aide !

— Je ne peux pas, Emrys Merlin, je ne peux pas. Et mon aide ne te suffira pas si tu veux te rendre sur cette île. Bien d'autres ont déjà essayé, ah oui, mais personne n'a jamais réussi.

— Je *dois* réussir, ai-je déclaré en frappant du poing sur le sable.

— Alors, tu dois essayer, Emrys Merlin, tu dois essayer.

— Tu ne peux vraiment pas nous aider ? ai-je insisté.

Pendant plusieurs secondes, l'air chaud m'a enveloppé.

— Je ne peux pas t'aider de la façon que tu me demandes, car demain je serai loin, loin d'ici. Mes sœurs et moi devons nous réunir, comme le font les wishlahaylagons depuis toujours, dans un endroit que nous appelons *la source du vent*. Mais je reviendrai un autre jour, Emrys Merlin, et ce jour-là, peut-être, je pourrai t'aider.

— J'ai besoin de ton aide tout de suite, Aylah.

— Tu as d'autres amis, ahhh oui, qui pourraient t'aider. À présent, adieu, Emrys Merlin, adieu.

Là-dessus, elle m'a effleuré la joue et, au même instant, l'odeur de cannelle et la douce chaleur qui m'enveloppait ont disparu. Aylah s'en était allée et, avec elle, ce bref moment d'espoir. Tout à coup, je me suis rendu compte que j'avais oublié de lui parler de la nuit la plus longue. Même si elle ne pouvait pas m'aider à sauver les enfants, elle et ses sœurs auraient au moins pu me seconder dans la bataille. Quel idiot j'étais d'avoir manqué une telle occasion !

La tête basse, je regardais fixement le rassemblement d'oiseaux aquatiques quand, en repensant au problème des enfants, je me suis demandé ce qu'Aylah avait voulu dire quand elle avait parlé d'autres amis ? Mes amis étaient aux quatre coins de Fincayra, aux prises avec leurs propres difficultés. Ils ne pouvaient m'être d'aucun secours dans l'immédiat. Pourtant, si elle m'avait dit cela, elle devait avoir une idée derrière la tête.

Juste à ce moment-là, une ombre s'est approchée par-derrière. Je me suis retourné aussitôt.

— Cairpré !

Je me suis levé d'un bond pour accueillir mon vieux maître. Il a rejeté sa capuche en arrière et, après m'avoir serré dans ses bras, il a reculé et m'a examiné de son regard impénétrable.

— Tu as l'air aussi épuisé que moi, Merlin. Tu te souviens des vers de ma dernière ode ? *Alors qu'au repos tu étais prêt, / Hélas, l'heure de l'épreuve a sonné.*

— L'épreuve, oui, ai-je répondu sombrement. Vous avez toujours la formule appropriée.

— J'en ai écrit tellement, mon garçon ! Mais la poésie n'en est pas pour autant plus facile à composer. Surtout les finales. J'ai souvent du mal à trouver les rimes… Sauf pour ta mère. Mais elle en vaut la peine, tu ne trouves pas ?

Cette fois, j'ai quand même réussi à sourire.

— Comment avez-vous su que j'étais là ?

— Grâce à Shim. Il parcourt la campagne à vive allure et transporte une quantité de passagers.

— Alors, il a eu mon message !

J'étais soulagé qu'au moins une partie de mon plan se réalise.

— Oui, a répondu Cairpré. Et il les transporte d'une curieuse façon, a-t-il ajouté avec une petite lueur dans les yeux.

— Comment ?

— Je te laisse le découvrir toi-même. Mais j'ai autre chose à te dire, a-t-il ajouté en passant son bras autour de mon épaule. C'est important. Viens, allons nous asseoir au calme, loin de ces oiseaux bruyants. Tu auras besoin de toute ton attention.

XX

LA BALLADE DE FINN

Cairpré et moi sommes descendus nous mettre à l'abri du vent, à l'écart du tintamarre des oiseaux, dans une petite ravine au pied de la dune, près d'un bouquet d'arbres aux troncs blanchis, dressés comme de gigantesques flèches fichées dans le sol. Au-delà des arbres se dressait les plaines inondables, une vraie courtepointe d'herbe sèche et de boue séchée.

— Cairpré, ai-je annoncé, j'ai un plan pour sauver les enfants, un endroit où ils seront en sécurité.

— Bien, mon garçon. *Puisse le sort capricieux / Obéir à nos vœux.*

— Je dois juste trouver…

— Plus tard, Merlin. Écoute d'abord ce que j'ai à te dire.

La gravité de son ton m'a intrigué.

— Très bien, de quoi s'agit-il ?

— J'ai retrouvé une ancienne ballade que j'avais complètement oubliée. Je m'en suis souvenu le jour où tu as parlé de ta vision.

Il a saisi ma main d'un coup et a ajouté :

— Elle a été écrite par le barde Finn Gaillion !

— Qui ?

Il a froncé les sourcils en se grattant le bout du nez, mimique que j'avais vue plus d'une fois au cours des nos séances d'étude et qui, je le savais, signifiait quelque chose comme *ignare*. Plus lentement, cette fois, il a repris :

— Finn Gaillion, un prophète des rivages de l'Ouest.

Je l'ai regardé avec des yeux ronds.

— Oui, un prophète, a-t-il répété les dents serrés devant mon ignorance, un voyant très connu, du moins de certains d'entre nous. Il y a fort longtemps, il parcourait la côte, mettant ses prophéties en vers. Malheureusement, la plupart sont à peu près aussi claires que les rivages brumeux où il les a écrites. Mais de temps à autre, il donne un aperçu saisissant sur l'avenir. Même si on préférerait l'ignorer, a-t-il terminé dans un murmure.

— Et que dit cette ballade ?

Il a fermé les yeux et s'est concentré pour retrouver les paroles, ses doigts pianotant contre sa cuisse. Puis il s'est mis à réciter :

> *Quand au solstice viendra*
> *La nuit la plus longue,*

Fincayra subira
La force de l'Autre Monde.
Esprits et mortels,
Aveugles et voyants,
Connaîtront alors
Le pire des combats.

À la Danse des géants
Une porte s'ouvrira
Sur des mondes instables,
Divisés par la peur.
Quand la lumière de l'aube
Le cercle touchera
Le sort de Fincayra
Alors on connaîtra.

Si une terre oubliée
Revient à ses rives,
Et les anciens ennemis
S'unissent à nouveau,
Les cieux à l'unisson
De chants résonneront,
L'harmonie rétablie,
Les ailes retrouvées.

Mais le contraire, hélas,
Peut aussi arriver :
Tous les espoirs détruits,

Et les Trésors maudits.
Alors des cieux en deuil
Descendra un linceul :
La plus longue des nuits,
Et la fin sans retour.

Il a rouvert les yeux et m'a regardé, l'air soucieux.

— L'enjeu est énorme, mon garçon.

— Il a bien parlé d'ailes ? Exactement comme Dagda. Je ne comprends pas à quoi ça correspond.

Le poète s'est frotté les mains pour les réchauffer.

— Moi non plus. Mais la partie qui m'intrigue le plus est cette phrase : *Si une terre oubliée / Revient à ses rives…* Il ne s'agirait quand même pas de l'Île oubliée ? a-t-il marmonné dans sa barbe.

— C'est là que j'emmène les enfants ! me suis-je écrié.

— Merlin ! Tu ne peux pas faire ça, a-t-il protesté, d'abord surpris, puis horrifié. Tu ne te souviens pas ? Il y a des siècles, cet endroit faisait partie de Fincayra, puis Dagda l'en a complètement détaché. Il l'a repoussé au large et entouré de sortilèges.

— Je sais tout cela. Mais si je trouve le moyen d'y accéder, les enfants seront en sécurité, là-bas, hors de la portée de cet horrible guerrier.

Cairpré a secoué vigoureusement la tête.

— Non, c'est impossible. Et d'abord, comment comptes-tu t'y rendre ?

— Eh bien, je… nous pourrions, euh…

— Je vois, a-t-il dit gravement.

Soudain, une idée m'est venue. Je me suis levé d'un bond et j'ai couru vers les arbres morts.

— Je sais, nous construirons un radeau ! ai-je lancé, faisant claquer ma main sur un des troncs blanchis. Oui, un grand radeau, avec ces arbres. Shim m'aidera. Ça marchera, j'en suis sûr !

Loin de partager mon enthousiasme, mon vieux maître m'a regardé, de plus en plus inquiet.

— La mer n'est pas le principal obstacle, mon garçon, loin de là. Tu oublies la barrière de sorti-lèges. Personne n'a jamais réussi à le franchir, pas même ton grand-père Tuatha. Et la plupart de ceux qui ont essayé n'en sont jamais revenus.

— Il faut que je trouve un moyen, ai-je déclaré d'un ton rageur. Pour les enfants, il le faut !

Disant cela, j'ai balancé mon bras qui a rencontré une branche et l'a cassée. Une pluie de bouts de bois sec m'est tombée dessus.

Le front aussi plissé que la dune derrière lui, Cairpré a repris :

— Ne peux-tu te battre contre ce guerrier ?

— Me battre, oui, mais pas le vaincre.

J'ai fait un pas vers l'avant, le visage sombre.

— J'ai l'impression qu'il me prend mes pouvoirs et s'en sert contre moi. La meilleure solution pour les enfants est de partir le plus loin possible.

— Ils risquent d'en mourir et toi aussi.

— Le risque est encore plus grand pour eux si je n'essaie pas. Cairpré, ai-je ajouté en m'asseyant à côté de lui, vous pourriez m'aider. Dites-moi ce que vous savez sur ces sortilèges.

Il s'est mordillé la lèvre avant de me répondre.

— Pratiquement rien. Seulement que quelque chose de terrible sort de la mer quand quelqu'un s'approche trop de l'île. Tu ne comprends donc pas, mon garçon ? Quelles qu'en soient les raisons, Dagda avait décidé que jamais personne ne retournerait là-bas. Jamais.

J'ai poussé un profond soupir.

— Qu'est-ce qui a bien pu se passer sur cette île ? Croyez-vous vraiment que cela avait quelque chose à voir avec les ailes perdues ?

— Je suppose que oui. Bien que personne ne puisse l'affirmer. Enfin, tout ce qui touche à cette île est un mystère ! Nous ne savons même pas si elle a jamais eu un nom.

— Elle est donc tout à fait oubliée. Y compris son nom.

— Oui. C'est comme si l'endroit, et même son souvenir, avaient été complètement détruits. Et si la ballade dit vrai, le même sort sera réservé à Fincayra.

— Attendez, ai-je protesté. Cette ballade est inquiétante, c'est sûr, mais elle laisse un peu d'espoir. Nous pourrions encore éviter cette *fin sans retour.*

Le regard soudain lointain, Cairpré a repris :

— Il n'y a pas que cela, hélas. Tu n'as pas encore entendu la dernière strophe.

D'une voix tremblante, il a récité les derniers vers :

> *Prends garde, toi qui luttes*
> *Pour défendre la cause :*
> *Le choix du sacrifice*
> *Peut s'avérer ruineux.*
> *Car adviendra le jour*
> *Où il faudra payer,*
> *Où quand on a gagné,*
> *En fait, on a perdu.*

— Encore !

J'ai pris une poignée de sable et l'ai versée sur ma botte pour observer les grains de sable dégringoler et retomber au sol.

— Comment ce qui est gagné peut-il être perdu ? ai-je ajouté.

— Difficile de le savoir, a répondu Cairpré, ses gros sourcils froncés. C'est seulement après ce *sacrifice* que nous finirons par comprendre.

Nous sommes restés un certain temps sans parler, concentrés sur nos pensées. Seuls les cris incessants des oiseaux retentissaient au loin. Cette ballade s'était gravée dans ma tête. Je me répétais indéfiniment certains vers, mais sans les comprendre davantage.

Enfin, le poète a rompu le silence.

— Allumons un feu, Merlin. Et mangeons un morceau. J'ai apporté tout ce qu'il faut, a-t-il dit en montrant sa sacoche de cuir.

— Oui. Nous aurons besoin de toutes nos forces si nous voulons l'emporter.

Cairpré m'a regardé avec un sourire affectueux.

— Tu es l'obstination incarnée, mon garçon.

— Non, non, juste la faim incarnée.

Là-dessus, il a sorti le contenu de sa sacoche : des flocons d'avoine, des baies séchées, un gros morceau de rayon de miel, un flacon de cidre, une fiole de noix muscade râpée, une marmite et deux cuillères en bois. Nous avons ramassé du bois flotté, de l'herbe séchée et, peu de temps après, nous nous réchauffions les mains à la chaleur de belles flammes crépitantes. Ce feu m'a fait penser à celui que j'avais allumé avec Lleu au village.

— Êtes-vous retourné au village après être rentré chez vous ? ai-je demandé à Cairpré pendant qu'il versait la muscade dans la marmite. Elen était-elle là ? Et Lleu ?

— Oui, ils étaient là tous les deux. Le petit Lleu a apporté ton message à Elen. Elle est restée là-bas, comme tu le souhaitais, bien que cela ne lui plaise pas beaucoup. Tiens, a-t-il ajouté, coupe-toi un bon morceau de rayon de miel et prends ta cuillère.

Nous avons mangé la bouillie directement dans la marmite. Malgré sa simplicité, ce repas me faisait l'effet d'un festin. L'odeur de pomme, d'avoine et de miel remplissait nos narines et cette bouillie consistante réchauffait nos corps en profondeur.

Tout en soufflant sur sa cuillère, le poète m'observait.

— D'une certaine façon, a-t-il dit, c'est une chance que Stangmar ait réapparu.

J'ai failli en lâcher ma cuillère.

— Comment cela ?

— Parce que sinon ta mère n'aurait pas pu s'empêcher d'aller au cercle de pierres, non pour se battre mais pour être près de toi et de Rhia. Même si elle déteste être confinée dans ce misérable petit village, elle y est sans doute en sécurité et toute l'horreur de la bataille lui sera épargnée.

Il a observé le feu avec mélancolie et a ajouté :

— *Ô âme si douce / Dérobée de son innocence.*

J'ai jeté un nouveau bout de bois flotté dans le feu.

— Mais c'est à cause de Stangmar qu'il est si difficile de trouver les alliés dont nous avons besoin aujourd'hui ! ai-je rappelé. Urnalda m'a pratiquement craché au visage quand je lui ai demandé de l'aide.

Le feu a crépité à ce moment, comme s'il appuyait mes dires.

— Et je doute que Rhia s'en sorte mieux avec les grands aigles des Gorges et les autres.

— Si tu ne reviens pas à temps de ton expédition, elle risque de se retrouver seule là-bas, a dit Cairpré sombrement.

— Ne vous inquiétez pas. Quoi qu'il advienne, j'y serai. Et vous, vous n'y serez pas ?

— Moi ? Je suis un homme de mots, pas d'épée. J'ai déjà du mal à me battre avec les rimes, alors avec un ennemi en chair et en os, ce serait bien pire ! Non, vous n'aurez vraiment pas besoin d'un empoté comme moi sur un champ de bataille. Mais je serai avec toi et Rhia de toutes les autres façons, a-t-il précisé en me fixant de son regard profond. Et Elen aux yeux saphir aussi.

— Je sais, ai-je dit tout bas. Vous resterez avec elle, alors ? Pour lui tenir compagnie pendant toutes ces épreuves ?

— Tu peux compter là-dessus, Merlin. Aussi longtemps qu'elle voudra de moi, je resterai auprès d'elle. Je ne connais pas de trésor plus précieux qu'une journée passée avec elle.

Pensif, j'ai serré les lèvres.

— Pour revenir à cette ballade, quand il est question des Trésors, qu'est-ce que cela signifie ?

— Rien de bon. Finn laisse entendre que les Trésors sont liés, d'une façon ou d'une autre, à l'avenir de Fincayra. Alors s'il leur arrive malheur, Rhita Gawr risque de l'emporter.

Il a passé ses doigts dans le sable.

— Mais il y a peu de chances que cela se produise. D'ailleurs, seul l'Éveilleur de rêves a été détruit.

— Quoi ? Il a été détruit ?

Ce cor dont il avait la garde, souvent appelé le Cor des Bonnes nouvelles, avait le pouvoir de transformer les rêves en réalité.

— Oui. Il s'est fendu inexplicablement, il y a quelques jours. Je feuilletais des livres à la recherche de la ballade, quand, tout à coup, de l'étagère où il était posé, il a émis une plainte mélancolique et s'est fendu en deux. Il est irréparable, a conclu Cairpré d'un air sombre.

— C'est ce qui est arrivé à la Harpe fleurie ! Détruite sans aucune explication.

Cairpré, à son tour, m'a regardé, atterré.

— C'est vrai ?

— Oui ! Et l'Orbe de feu a été brisé lui aussi, par la faute de Stangmar.

Cairpré est resté un instant figé sur place. Il semblait perdu dans ses pensées.

— Non, non, cela ne peut pas être lié ! s'est-il exclamé. Pourquoi le sort des Trésors serait-il lié à celui de Fincayra ?

J'ai posé une main sur son genou.

— Parce que, mon ami, ce ne sont pas leurs destins qui sont liés, mais leurs vies. Ils ont été fabriqués à partir des mêmes fibres, par les mêmes forces. C'est la magie de cette terre qui a donné naissance aux Trésors, et c'est la même magie qui leur a toujours donné ses pouvoirs.

Cairpré a hoché la tête lentement.

— Tu as raison, Merlin. Je m'en rends compte, à présent.

Il a repoussé une braise dans le feu d'un coup de botte.

— Et si je suis content que mon élève soit devenu mon maître, je ne peux que regretter que cela arrive au moment où nous allons tout perdre.

— Nous n'avons pas encore perdu. Écoutez, maintenant. Vous souvenez-vous de cette nuit, cette terrible nuit où nous nous sommes rencontrés pour la première fois ?

Il m'a regardé, silencieux.

— Eh bien, cette nuit-là, ai-je poursuivi, vous avez dit une chose que je n'ai jamais oubliée.

Le voyant se détendre un peu, j'ai continué :

— Vous m'avez dit que vous ne saviez pas si j'étais vraiment de Fincayra, si c'était vraiment mon pays. Le seul qui le saurait un jour, avez-vous ajouté, ce serait moi. Eh bien, je peux vous l'affirmer, à présent, Fincayra est bien mon pays, quel que soit le sort qui l'attende... ou qui m'attende. J'aime cette terre, Cairpré, ai-je continué, les larmes aux yeux, et je donnerai tout ce que j'ai pour la sauver.

— Dans ce cas, mon garçon, a-t-il déclaré d'une voix étranglée, c'est véritablement ton pays.

∽ XXI ∽

DES CORPS VOLANTS

En fin d'après-midi, Cairpré a quitté notre coin abrité au pied de la dune. Il s'est levé avec raideur, a épousseté le sable de sa tunique, puis m'a regardé d'un air à la fois triste et déterminé.

— Bonne chance, mon garçon. Tu m'as redonné du courage, c'est déjà beaucoup. Une preuve certaine de ta force ! Tu seras peut-être celui qui trouvera le moyen d'atteindre l'île, m'a-t-il soufflé, me serrant le bras avec confiance.

— Pour ça, vous pouvez compter sur moi, ai-je déclaré en enfonçant mon bâton dans le sol. Ensuite, je ferai tout ce qui est en mon pouvoir pour repousser Rhita Gawr.

Son regard déterminé a semblé perdre de son assurance.

— Je crains qu'aucun pouvoir ne soit assez puissant pour cela. C'est une brute féroce, qu'il prenne la forme d'un homme, d'un sanglier ou de tout autre chose. En tout cas, a-t-il ajouté en remplissant ses poumons d'air marin, ta bravoure a inspiré la mienne. Même si je ne te rejoins pas au cercle de pierres, j'encouragerai les autres de toutes mes forces à y aller.

— Merci, mon ami. Mais évitez les nains en ce moment. Vu l'état d'esprit d'Urnalda, tout homme ou géant qui pénétrerait sur ses terres mettrait sa vie en danger.

Le poète a répondu avec un petit sourire ironique.

— Ne t'inquiète pas. J'essaierai quelque chose de plus facile, par exemple la grande araignée mangeuse d'hommes des Collines embrumées.

— Élusa ? C'est tout aussi dangereux.

— Qu'est-ce qui ne l'est pas, de nos jours ? Je devrais dire quelque chose avant de partir, je sais, a-t-il ajouté, pensif. Quelques paroles profondes, ou du moins poétiques, qui soient dignes d'un barde. Mais je ne trouve rien, a-t-il soupiré. Pas la moindre petite rime d'adieu. Je t'avais bien dit que je n'étais pas très bon pour les finales...

Il s'est efforcé de sourire et a lâché mon bras. Puis il a remonté sa capuche. Son visage s'est enfoncé dans l'ombre, ne laissant plus apparaître que le bout de son nez. Je l'ai regardé partir à travers le bouquet d'arbres morts, silhouette sombre parmi les troncs blancs et, tandis qu'il s'éloignait le long du fleuve, je me suis demandé si nous nous reverrions un jour.

Après son départ, j'ai ramassé du bois afin d'alimenter le feu pour la nuit. Le soleil n'allait pas tarder à disparaître et avec lui le peu de chaleur qu'il nous donnait encore. Puis, alors que le ciel prenait les teintes violettes du raisin sauvage, j'ai terminé les restes de notre repas. Peu à peu, l'obscurité a envahi la terre. J'ai pensé aux arbres morts, et à la façon de les utiliser pour fabriquer un radeau en état de naviguer. Je pourrais les attacher ensemble avec des algues, ou avec des tiges sèches que j'avais repérées en bordure du fleuve.

La taille du radeau, bien sûr, dépendrait du nombre d'enfants à transporter. Si Shim se débrouillait bien, malgré le peu de temps dont il disposait, il en trouverait peut-être une trentaine. Même avec un grand radeau, ce serait déjà beaucoup. Mais l'idée de sauver toutes ces vies, toutes ces graines, renforçait ma détermination. Il fallait essayer.

Ce à quoi je n'avais pas pensé, et qui m'est apparu tout d'un coup, c'est que si je réussissais à protéger ces enfants contre les attaques de Tueur, ils le seraient peut-être aussi contre Rhita Gawr ! La barrière de sortilèges qui cachait l'île suffirait-elle à maintenir ce seigneur de la guerre à distance des côtes et de tous ceux qui s'y trouveraient ?

La lune s'est levée dans le ciel sombre. D'un rouge profond, elle ressemblait à un œil enflé et fâché au-dessus de nos têtes. Derrière la ligne de dunes, les oiseaux qui s'étaient installés sur le rivage se sont calmés. J'ai écouté leurs cris intermittents mêlés au bruit des vagues pendant un certain temps, obsédé par l'idée qu'il restait seulement quatre jours avant la nuit la plus longue. J'ai fini néanmoins par m'endormir, mais j'ai passé une nuit agitée.

À mon réveil, alors que les premières lueurs du jour teintaient de rose le sommet de ma dune, il m'a semblé entendre un grondement rythmé au loin. J'ai pris mon bâton et escaladé la pente sableuse. Arrivé en haut, j'ai découvert que le rassemblement d'oiseaux de mer avait pris des proportions gigantesques. Ils étaient des milliers maintenant à grouiller, jacasser, et ils occupaient toute la plage jusqu'au mur de brume. Il y avait des pélicans, des goélands, des cormorans, des risses, des grues aux longues pattes, des cygnes au cou gris, des canards, des hérons, des fous de Bassan et bien d'autres espèces que je ne saurais nommer. Les uns marchaient en poussant des cris ou en cacardant ; les autres dansaient ou battaient des ailes vigoureusement ; certains se tenaient sur une patte, indifférents au tumulte environnant.

À mesure que le jour se levait, le vacarme des oiseaux devenait plus assourdissant. En même temps, le grondement s'amplifiait au loin, au point que certains oiseaux en bordure du groupe ont commencé à y prêter attention. Par trois ou quatre, ils se sont envolés et se sont mis à décrire des cercles dans la brume en lançant des appels stridents à leurs compagnons. Ce n'est que lorsque le sol a commencé à trembler que la plupart d'entre eux se sont envolés à leur tour. Puis, par centaines, ils ont décollé dans un grand bruissement d'ailes.

Vu du haut de la dune, baignée de lumière dorée, le spectacle de toutes ces créatures ailées montant en spirale dans le ciel était impressionnant. Les paroles de Rhia me sont alors revenues en mémoire : *Imagine… prendre le temps de t'élever au-dessus des terres, esprit et corps à la fois.*

Elles prenaient pour moi, à présent, un sens tout à fait nouveau. Elle était là, la liberté, la vraie liberté, celle que j'avais ressentie dans mes rêves de vol, mais plus tangible, plus réelle. Sauter, bien sûr, gardait toujours pour moi un grand attrait, car c'était rapide et direct, mais physiquement, le vol offrait en plus une plénitude de sensation, une majesté du mouvement, un essor infini des sens.

Le nuage d'oiseaux s'est orienté vers l'est et le soleil levant. Je les ai regardés s'éloigner, s'évaporer peu à peu dans la lumière. En s'atténuant, leurs cris tumultueux se sont fondus dans un accord unique qui s'est répercuté à travers le rivage.

Tandis que montaient des traînées de brume cachant les derniers d'entre eux, j'ai eu l'impression de voir s'en aller non pas un vaste vol d'oiseaux, mais mon pays bien-aimé. Fincayra, ses couleurs et ses sons si variés étaient aussi en train de disparaître.

La plage, encore grouillante de vie un instant plus tôt, était maintenant complètement vide. On n'entendait plus que le bruit des vagues… et le grondement rythmé, de plus en plus fort. Je me suis retourné du côté des arbres morts et du fleuve.

C'est alors qu'est apparue à l'horizon une tête énorme, hirsute, qui grossissait à chaque secousse du sol. J'ai vite reconnu les yeux flamboyants de Shim, son nez bulbeux, son cou immense, ses épaules musclées et sa poitrine gigantesque. Vêtu d'un ample gilet, il tenait entre ses mains un chapeau à larges bords fait de branches tressées.

Appuyé sur mon bâton, je me suis penché pour mieux voir. Mais où étaient les enfants? Je n'en voyais aucun! La peur m'a saisi. Mon plan aurait-il échoué?

Soudain, quelque chose a bougé dans le chapeau. Des têtes, de toutes petites têtes! Et beaucoup plus que je n'aurais imaginé. Au moins

soixante-dix ou quatre-vingts ! Shim avait parfaitement rempli sa mission.

Mon soulagement, hélas, a été de courte
durée. Ces enfants étaient bien trop nombreux
pour un seul radeau ! J'ai compté les arbres morts :
cinquante, soixante, soixante-dix. Cela suffirait
peut-être pour construire un radeau assez grand
pour tout ce monde, mais saurais-je le manœuvrer
et le conduire à travers les sortilèges ?

Mon attention, alors, s'est reportée sur Shim.
À présent, je distinguais mieux les têtes de ses
passagers. Certains avaient les yeux brillants de
curiosité, d'autres au contraire semblaient crain-
tifs ou à demi endormis. Une petite fille, coiffée
de deux nattes dressées sur les côtés, était assise
sur les épaules d'un petit garçon au menton pointu
qui m'a fait penser à Hallia. Tous deux tendaient
le doigt vers le ciel en direction des oiseaux, sans
doute encore visibles de là-haut.

J'ai essayé en vain de trouver Lleu parmi tous
ces visages. Peut-être était-il caché par un autre
enfant ou dormait-il au fond du chapeau. En
revanche, j'ai reconnu le petit garçon que j'avais
sauvé dans l'enclos des chèvres à Caer Darloch. Il
sortait du chapeau et grimpait sur le pouce de
Shim. Une fillette dont les longs cheveux bruns
brillaient au soleil était assise sur le bord du chapeau. Elle se tenait à une branche et semblait

fascinée par les rouleaux de brume qui montaient du rivage.

En quelques enjambées qui ont fait trembler les dunes, Shim est arrivé jusqu'à moi. Il s'est arrêté juste avant les arbres morts. Comme toujours, sa taille m'a impressionné. Sa cheville poilue arrivait à mi-hauteur de ma dune.

— Bravo, Shim ! lui ai-je crié.

— Tu m'as déjà fait fraire des choses insrensées, Merlin, mais cette frois, c'est pire que tout.

Là-dessus, il a laissé échapper un bâillement si puissant que plusieurs enfants sont tombés à le renverse dans le chapeau.

— J'ai tellement srommeil ! J'ai passé deux nuits à marcher, à la recherche de tous les enfrants orphelins ! Dans les villages, les montragnes, sur les routes... Ce n'était pas fracile ! Parfois ils se bagarraient, se tiraient les cheveux, déchiraient leurs vrêtements. Et presque toute le nuit, ils voulaient que je chrante et que je leur raconte des histoires. Maintenant, j'ai vraiment besoin de repos. Certainement, tout à frait, absolument.

Alors que certains riaient toujours de la chute qu'ils avaient faite, une foule de voix enfantines se sont mises à piailler :

— Ne dormez pas, m'sieur Shim ! On veut encore voyager avec vous.

— Chante encore, grand Shim! Chante-nous ta chanson la plus longue, s'il te plaît!

— Hé! Comment t'es devenu si gros? T'as mangé une montagne pour ton p'tit déj'ner?

— Ouais, et après tu dois boire toute la mer pour faire descendre la montagne!

— Ouais, et puis après, tout ce liquide, y va ressortir en une grande, une énôôôrme cascade, hi hi hi!

Une voix plus grave, venue de l'arrière du chapeau, a tenté de ramener le silence.

— Voyons, les enfants, inutile de…

— N'ayez pras peur, la cascade ne vous éclaboussera pas! a lancé Shim, déclenchant de nouveaux éclats de rire.

Mais entre-temps, j'avais repéré l'endroit d'où venait la voix et j'ai reconnu ma mère. Elle était donc venue, elle aussi!

Au milieu de ce joyeux chaos, Elen m'a regardé, visiblement amusée. Shim, quant à lui, a étouffé un nouveau bâillement et posé le chapeau sur le rivage, entre la tresse d'algues qui marquait la ligne de la marée haute et le pied des dunes.

— Oh, s'il vous plaît, monsieur Shim, a crié la fillette aux deux nattes, assise sur le bord du chapeau. Ne nous déposez pas encore! Faites-nous voler comme les oiseaux qu'on a vus avant.

Shim s'est penché vers la fillette, qui était haute comme trois pommes.

— Ne t'inquiète pas, pretite, a-t-il répondu, le nez au niveau du sable. Je t'emmènerai faire un autre tour bientôt sous peu.

— Vraiment, monsieur Shim ? a-t-elle dit, les yeux écarquillés.

— Bien sûr, ma mignonne.

En longeant le bord du chapeau, elle s'est approchée du nez de Shim, s'est penchée timidement en avant et lui a planté un baiser sur la joue. Il en a rougi de plaisir et, pour la première fois depuis longtemps, il a souri.

Quand je les ai rejoints, d'autres enfants avaient déjà commencé à grimper par-dessus le bord du chapeau. Plusieurs, parmi les plus âgés, escaladaient déjà les dunes ou exploraient la plage sans se soucier du froid. Quelques-uns restaient pour m'aider à accueillir les plus jeunes. Ils les encourageaient à sauter dans leurs bras ou les transportaient s'ils avaient trop froid pour marcher. Shim a attrapé par les pieds deux garçons qui se battaient et les a laissé crier un moment la tête en bas.

Pendant ce temps-là, mon ombre est sortie de sous le gilet du géant, visiblement contente d'elle. Glissant le long de la couture, elle s'est enfilée dans une boutonnière et a sauté par terre. J'allais lui rappeler que les vacances n'avaient pas encore commencé, bien qu'elle les ait méritées, quand j'ai été distrait par une fillette d'une dizaine d'années qui se faufilait entre l'oreille et la tempe du géant. Elle a attrapé une mèche de ses cheveux, s'y est agrippée comme à une corde et s'est élancée dans le vide avant de se laisser retomber sur le sable. Puis elle est partie en courant sur la plage.

Sur ces entrefaites, ma mère est arrivée.

— Cette Medba me rappelle ta sœur, a-t-elle dit.

Les cheveux défaits, sa robe bleue tachée, elle avait l'air d'avoir presque aussi sommeil que Shim. Mais son visage rayonnait. Un petit garçon se tenait à côté d'elle.

— Lleu! me suis-je écrié, en tirant sur son écharpe de laine d'un geste taquin.

Il m'a regardé, sa bonne oreille reflétant les rayons du soleil à travers ses mèches.

— Content d'vous r'voir, maître Merlin.

Il m'a fait un grand sourire, où manquaient encore ses dents de devant.

— Et moi donc, mon ami! Alors, ai-je ajouté en me tournant vers Elen, tu n'as pas pu résister à l'envie de t'échapper de ce village.

— Je n'allais pas manquer une telle occasion, a-t-elle répondu en souriant. J'aimais beaucoup ce village, mais il fallait bien que quelqu'un aide Shim à s'occuper des enfants.

Devant le spectacle de ces petits diables sautant du chapeau, courant sur la plage, pataugeant dans les flaques et faisant des batailles de sable, il m'était difficile de la contredire.

— Je suis sûr que Shim était heureux de te voir ! Comme je le suis moi-même.

Nous nous sommes embrassés, puis, prenant du recul, elle m'a examiné d'un air soucieux.

— Tu as eu des ennuis, n'est-ce pas ?

— Oh, ai-je répondu d'un ton détaché, quelques-uns par-ci par-là. Mon principal problème pour le moment est de construire un radeau assez grand pour y embarquer tout le monde.

— Pourquoi ne pas demander à Rhia ? Elle a toujours des tas d'idées. Où est-elle, d'ailleurs ? a-t-elle dit après avoir jeté un regard alentour.

— Elle est... euh... elle a pris un autre chemin. Elle est partie à cheval, avec Ionn.

Ma mère a froncé les sourcils.

— Certainement pas par plaisir.

— Non, ai-je admis sous le poids de son regard. Mais ne t'inquiète pas, elle va bien.

Elen a secoué la tête tristement.

— Je ne te crois pas, Merlin. Aucun d'entre nous ne va bien avec tout ce qui se passe.

J'ai montré les enfants éparpillés le long de la plage.

— Si, regarde, eux, ils vont bien. Et, ce qui est plus important, ils sont en sécurité, en tout cas pour un petit moment. Cet affreux guerrier aux bras en forme d'épées est sans doute en train de me chercher près de l'endroit où nous nous sommes battus, très loin d'ici.

— Mais il finira bien par découvrir où nous sommes. Alors les enfants seront de nouveau en danger, et toi aussi.

— À la fin, oui. Mais j'ai un plan. S'il fonctionne, il devrait les mettre à l'abri pour toujours. Il faut juste que…

Tout à coup, j'ai senti qu'on tirait sur ma sacoche. Je me suis retourné et j'ai vu Lleu en retirer la main avec un sourire coupable.

— Je ne faisais rien de mal, m'sieur, j'étais juste curieux… à propos de votre sac.

— Tu veux dire de ce qu'il y a dedans ?

— Euh, oui, maître Merlin.

Je ne pouvais pas lui en vouloir. Cela m'a même plutôt amusé, car c'était le genre de chose que j'aurais pu faire à son âge. Elen devait penser comme moi, je l'ai vu à son expression.

Alors, d'un ton théâtral, j'ai déclaré :

— Regarde, jeune homme, je vais exaucer ton vœu. Tu vas voir la très célèbre, l'unanimement acclamée, la triplement enchantée... plume magique!

— Une plume magique? a-t-il répété, incrédule.

Délicatement, j'ai soulevé le rabat de cuir de ma sacoche, retenant mon souffle pour ménager mes effets. En silence, j'ai invoqué les pouvoirs dont j'avais besoin pour réussir mon numéro. Quand l'air au-dessus de ma sacoche a commencé à trembler, que la plume de Fléau, très lentement, s'est élevée dans les airs, Lleu, muet de stupeur, s'est serré contre Elen.

Puis il a regardé la plume voler doucement vers lui. Comme un papillon, elle est passée devant sa poitrine, au-dessus de son épaule et le long de son bras en tourbillonnant. Elle est restée en suspens, a fait de petits tours devant son visage et, d'un coup, elle est allée lui chatouiller les narines.

Lleu l'a chassée en riant et, au moment où elle passait derrière ma mère, il a essayé de l'attraper. Mais en tournant, il s'est cogné la tête contre les côtes d'Elen, juste à l'endroit de son oreille coupée.

La main sur sa blessure, il a hurlé de douleur. Elen s'est penchée vers lui et lui a caressé les cheveux en lui parlant doucement. Il gémissait toujours.

— Excuse-moi, Lleu, je suis vraiment désolé. C'était une idée stupide, ai-je dit en rangeant la plume.

Après un petit moment, il s'est tourné vers moi. Un mince filet de sang coulait de son oreille.

— Non, m'sieur, a-t-il dit faiblement. Elle m'a bien plu, votre idée. C'est moi qui suis maladroit.

J'allais parler quand Shim s'est agenouillé près de nous, étêtant une dune et cognant une pile de bois flotté de son genou. Il avait l'air sombre.

— Je sruis désolé, Merlin, mais j'ai des mauvraises nouvelles.

— Quoi encore ? ai-je grogné.

Le visage du géant a fait une grimace qui tordait même son énorme nez.

— Malgré trous mes efforts, je n'ai pas pu persuader les autres géants de vrenir à la bataille. Pas même Jingba, mon plus vieil ami. Quand je lui ai parlé de Rhita Gawr et trout ça, il s'est moqué de moi et m'a traité d'exagérationneur.

J'ai tressailli à ses mots.

— C'est affreux ! Sans au moins quelques-uns d'entre eux, nous n'avons aucune chance.

— Je sruis désolé, vraiment désolé. Peut-être que j'essaierai de nouveau, après le pretit somme dont je rêve, a-t-il dit en bâillant. Et si ça ne marche pas, j'essaierai les nains ! Si je retrouve Urnalda, je pourrai peut-être la convaincre.

— Non, Shim, surtout pas ! ai-je répondu, me rappelant sa menace de mort. Elle a…

— Ah, te voilà enfin, graine d'enchanteur ! a tonné une voix en haut d'une dune.

Je me suis retourné, sachant déjà qui m'interpellait ainsi : Tueur ! Celui que j'avais le moins envie de voir, et contre qui je ne savais pas comment me battre.

∾ XXII ∾
L'attaque

Solidement campé au sommet de la dune, le guerrier m'attendait, prêt au combat. Le soleil se réfléchissait sur son plastron et sur les redoutables lames reliées à ses épaules. De derrière le crâne qui lui servait de masque, son rire cruel a jailli. Puis, avec le bord d'une de ses épées, il a soulevé son masque, pas assez pour montrer son visage, mais suffisamment pour cracher sur le sable à ses pieds.

— Ce n'est pas la première fois que tu t'enfuis, avorton ! Cette fois-ci, tu ne m'échapperas pas.

— C'est toi qui ne m'échapperas pas, ai-je rétorqué, plantant mon bâton dans le sable.

Par quel tour de passe-passe était-il arrivé là ? Il avait dû découvrir mon plan. Plan qui ne valait plus rien, à présent. Pire encore ! Maintenant que les enfants étaient rassemblés en un même lieu, ils étaient bien plus en danger qu'avant. Je lui avais rendu service, à ce fou. Et s'il retournait mes propres pouvoirs contre moi, je n'avais plus aucun moyen de l'arrêter.

— Alors, viens me montrer de quoi tu es capable, a-t-il lancé. Es-tu prêt à lutter jusqu'à la mort ?

À côté de moi, Lleu s'est blotti dans les bras de ma mère. Tremblant de partout, le visage livide, il s'est mis à gémir comme un pauvre animal pris au piège.

Sur la plage, dans les flaques d'eau, les enfants ont cessé de sauter dans l'eau, de créer des sculptures de sable, de ramasser des coquillages colorés ou de se balancer au bord du chapeau de Shim. D'un bloc, ils se sont retournés. À la vue du terrible guerrier, plusieurs sont restés figés sur place, aussi immobiles que des coquillages sur leur rocher. Certains se sont enfuis à toutes jambes, envoyant des gerbes de sable mouillé derrière eux. Quelques-uns ont même plongé dans le mur de brume.

— Eh bien ? a rugi mon ennemi. N'es-tu donc pas plus courageux que ton petit voisin pleurnichard ?

Alors Shim, à son tour, a donné de la voix. Il s'est levé, occultant le soleil de sa silhouette massive.

— C'est toi, le lâche, le poltroneux, a-t-il mugi, dépouillant de ses dernières feuilles le tilleul au pied de la dune. Je vais t'escrabouiller comme un tout petit insecte.

— Non, attends, Shim, ai-je dit en levant mon bâton. Il possède d'étranges pouvoirs. Des pouvoirs inquiétants. Laisse-moi faire. Toi, regroupe les enfants. Tâche de trouver un endroit sûr et emmène-les.

— Non, Merlin, a supplié ma mère. Ne te bats pas avec lui.

— Il le faut. Allez, partez, vous deux ! Emmenez les enfants.

Le géant a froncé les sourcils.

— J'espère que tu sais ce que tu frais, Merlin.

— Moi aussi, a renchéri ma mère en enveloppant Lleu dans les plis de sa robe.

Je leur ai fait signe de s'éloigner et me suis concentré sur mon adversaire. Il fallait que je gagne du temps pour qu'ils puissent rassembler les enfants.

— Tu n'es qu'un lâche ! ai-je crié. Pourquoi ne montres-tu pas ton vrai visage ?

Il a paru hésiter, puis, lentement, il a levé ses bras armés de lames au-dessus de sa tête. Sa haute silhouette se découpait contre le ciel, avec ses deux épées dont le tranchant étincelait dans la lumière.

— Pour toi, avorton, mon vrai visage, le voici : c'est celui de la mort !

Là-dessus, il s'est élancé du sommet de la dune. Fendant l'air de ses lames, maudissant le sable où s'enfonçaient ses bottes, il a foncé sur moi. Il allait m'atteindre dans quelques secondes. Je n'avais plus d'autre choix que de me battre.

Mais comment, puisque toutes mes ruses se retournaient contre moi ? Soudain, une idée m'est venue. Si je n'avais pas recours à la magie, il ne pourrait pas me renvoyer mes pouvoirs ! Seulement, dans ce cas, je devais compter sur ma seule force physique... et, sur ce terrain-là, il aurait toutes les chances de gagner.

Juste avant qu'il m'atteigne, j'ai lâché mon bâton et je me suis jeté sur ses jambes. Déséqui-libré, il est tombé sur moi, et nous avons dégrin-golé dans un nuage de sable jusqu'en bas de la pente.

À peine m'étais-je relevé qu'il s'est relevé aussi. Grognant comme un sanglier furieux, il a foncé sur moi, les armes en avant. Plutôt que de dégainer mon épée, j'ai attendu et, au dernier moment, j'ai fait un écart. Tueur a plongé tout droit dans une flaque, faisant gicler sur nous deux l'eau salée mêlée d'algues et de plumes de mouettes. Il s'est relevé de nouveau en titubant et a posé le pied sur une grosse conque orange qu'il a écrasée sous son poids.

Aussitôt, il est repassé à l'attaque. J'ai évité un coup d'épée en feintant d'un côté, de l'autre, ce qui le fit jurer. Puis, haletant, je lui ai fait face. Tôt ou tard, je le savais, une de ses épées atteindrait son but. En jetant un coup d'œil par-dessus mon épaule, j'ai aperçu Shim au loin, sur la plage, qui emmenait les enfants derrière les dunes. Le bruit de ses pas et de leurs cris s'éloignait rapidement. D'ici peu, eux, au moins, seraient hors de danger.

Agitant ses bras monstrueux, Tueur a chargé une nouvelle fois. Je lui ai échappé par un saut de côté et une culbute sur le sable. Mais quand je me suis relevé pour lui faire face, il n'a pas bougé.

— Tu es encore plus peureux que la dernière fois, a-t-il grondé, haletant. Pourquoi me fuis-tu ? Tu n'as plus de pouvoirs ?

— Si, plein, ai-je rétorqué, tournant autour de lui. Mais je n'en ai pas besoin contre toi.

— Alors, bats-toi, petit morveux !

Il a attaqué derechef. Mais juste au moment où je virevoltais pour esquiver le coup, il s'est arrêté. Voyant cela, j'ai voulu m'arrêter aussi, mais mon pied a heurté un morceau de bois et je suis tombé à plat ventre sur le sable mouillé. Quand je me suis retourné, Tueur se tenait debout au-dessus de moi, ricanant. Derrière lui, une dune se dressait, telle une falaise, jetant sur nous son ombre noire.

— Il n'est plus temps de lutter, maintenant, avorton d'enchanteur. Ta dernière heure est arrivée, a-t-il lancé, ses deux lames en l'air, prêtes à m'embrocher.

Il s'est campé au sol fermement. J'ai vu les muscles sous son plastron se contracter. Ses lames jumelles levées brillaient au soleil.

— Non ! a crié une voix.

Elen ! Elle s'est jetée aux pieds de Tueur, entre nous deux. Les yeux levés vers lui, elle a dit :

— Je te défends de toucher à mon fils.

Tueur s'est esclaffé.

— Je vais d'abord m'occuper de toi, femme !... Voilà qui tomberait bien, a-t-il ajouté dans sa barbe.

Ses épées se détachaient contre la dune sombre, étincelantes. Déjà, il les abaissait. Dans ce bref instant, j'ai compris que je n'avais pas d'autre choix que de solliciter mes pouvoirs magiques. C'était le seul moyen de l'arrêter. Mais je savais aussi que ma magie pouvait se retourner contre moi, ou pire, contre Elen. Je réfléchissais à vive allure. Il devait y avoir un autre moyen !

J'allais faire jaillir une boule de feu dans ma main quand, tout à coup, un homme a sauté du haut de la dune, le visage dissimulé sous un capuchon. Avec un cri féroce, l'homme, vêtu d'une cape, s'est écrasé sur Tueur et l'a projeté à terre. Hurlant de rage, Tueur s'est défendu à coups d'épée. Il l'attaquait à la poitrine, aux bras, aux jambes, avec une frénésie brutale. Le sang a éclaboussé la plage.

Soudain, le ciel s'est assombri. J'ai levé les yeux et j'ai vu Shim enjamber la dune. Son pied nu a claqué sur le sable. Sans laisser le temps à Tueur de bouger, l'énorme main du géant l'a attrapé par la taille. Les lames collées au corps, il ne pouvait plus se débattre. Shim, les yeux flamboyants, l'a levé en l'air, puis, avec un rugissement à faire trembler et reculer le mur de brume, il l'a lancé de toutes ses forces vers le large, si loin qu'on n'a même pas entendu le bruit de sa chute dans l'eau.

Débarrassé du guerrier, il s'est penché vers moi.

— Ça va, Merlin ?

— Merci, mon ami, ai-je dit en me relevant. Toi et...

Je n'ai pas pu achever ma phrase. Je venais d'apercevoir Elen penchée sur celui qui nous avait sauvé la vie. Je ne voyais pas le visage de ce héros, mais j'ai reconnu la cape. C'était celle de Cairpré ! Cairpré, mon maître, mon ami... étendu là, sur le sable, en train de mourir.

D'un pas chancelant, j'ai rejoint ma mère qui lui tenait la main en pleurant. Au même instant, la capuche est tombée, découvrant le visage. Ce n'était pas Cairpré! L'homme avait une épaisse barbe noire, la mâchoire proéminente et des yeux aussi sombres que les miens. C'était Stangmar!

Tout couvert de sang qu'il était, il a levé légèrement la tête.

— Elen, a-t-il dit.

Elle l'a regardé, tenant toujours sa main inerte.

— Je suis là, avec toi.

— Elen, a-t-il répété d'une voix rauque. Il fallait que je te retrouve. Que je te dise…

Elle s'est rapprochée encore.

— Que tu me dises quoi?

Il a plissé les yeux, comme s'il avait de la peine à y voir clair.

— J'ai fait du mal, beaucoup de mal. À ce monde, à tant de gens… mais surtout… à toi.

— Je t'en prie, a-t-elle dit doucement, n'essaie pas de parler.

Un éclair de colère est passé dans le regard de Stangmar, rappelant le roi impitoyable qu'il avait été.

— Je dois parler! Avant…

De nouveau, il a essayé de lever la tête, mais elle est retombée sur le sable mouillé. Il a replié ses doigts sur ceux d'Elen.

— Elen...

— Oui ?

— S'il te plaît... pardonne-moi.

Sans le quitter des yeux, elle a soulevé sa main jusqu'à ses lèvres et y a déposé un baiser.

— Je te pardonne.

Une sorte de douceur a gagné le visage de Stangmar. Sa bouche, son front se sont détendus. Lentement, sa tête a pivoté de mon côté. Je voyais qu'ayant obtenu le pardon de ma mère, il espérait à présent le mien. Mais, par faiblesse ou entêtement, il ne pouvait se résoudre à le demander.

Ni moi à lui répondre.

Nous nous sommes observés un long moment en silence. Soudain, un spasme a parcouru tout son corps. Il a poussé un dernier râle et a tourné la tête vers Elen. Ses yeux se sont fixés sur elle, puis ils se sont refermés à jamais.

∾ XXIII ∾
Le Radeau

Elen a reposé la main de Stangmar sur sa poitrine ensanglantée. Les joues inondées de larmes, elle m'a dit d'un ton à la fois peiné et teinté de reproche :

— Tu aurais pu lui pardonner.

Mal à l'aise, j'enfonçais le bout de ma botte dans le sable.

— Non, ai-je répondu. Pas après tout ce qu'il a fait.

Elle m'a regardé d'un air triste.

Je suis parti marcher sur la plage, traînant les pieds parmi les coquillages colorés, auxquels je ne prêtais même pas attention. Au loin, je regardais le chapeau de Shim au bord de l'eau. Certains enfants étaient déjà revenus. Quelques-uns contemplaient, bouche bée, le cadavre de Stangmar ; d'autres escaladaient les dunes ou barbotaient dans l'eau.

Je suis passé près d'eux et, poursuivant mon chemin le long du rivage, j'ai aperçu mon ombre à côté de moi.

— Où étais-tu, toi, pendant la bataille ? Tu ne m'as pas beaucoup aidé !

Elle s'est arrêtée de marcher et s'est écartée de moi. J'ai senti sa colère.

— Non, ai-je déclaré, je ne vais pas m'excuser. Ah, ça, tu es impeccable pour les tâches les plus faciles, pour trouver un géant par exemple. Mais quand la situation devient vraiment dangereuse, où es-tu, hein ?

L'ombre a secoué la tête d'un air de défi.

— Eh bien, d'accord, ai-je lancé, va-t'en, aussi loin que tu veux. Et j'espère que tu ne reviendras jamais !

Après force gesticulations, elle a fait demi-tour et s'est éloignée d'un air digne.

Je l'ai regardée s'en aller, certain qu'elle serait bientôt de retour, et dans de meilleures dispositions. Mais la crainte m'a saisi. Et si elle ne revenait pas ? Le sable était vide à mes pieds et je me suis senti étrangement seul, tout à coup. J'ai failli la rappeler avant qu'elle ne disparaisse dans les dunes, mais les mots ne sont pas venus.

— Toi, tu es frâché, Merlin. Je le vrois.

J'ai levé les yeux. L'énorme nez de Shim était juste au-dessus de moi.

— Oui, je suis en colère. Contre ce guerrier aux bras en forme d'épées, contre Stangmar, contre mon ombre... Et surtout contre moi-même.

— Mieux vaut être en colère contre ce guerrier et ses éprées, a conseillé le géant. Si ses lames étaient moins tranchantes, a-t-il dit en se léchant la paume de la main, je l'aurais réduit en brouillie. Mais à mon avis, tu es tranquille pour quelque temps, car je l'ai jeté très loin dans l'océan.

— Tu as bien fait, Shim. Même s'il n'est pas mort, tu nous en as bien débarrassés pour l'instant.

— J'aimerais bien que ce soit pour troujours ! Mais il est très beaucoup dangereux. Même avec ses bras en forme d'éprées, je parie qu'il srait nager. Il pourrait revenir dans quelques jours pour vous tuer, toi et les enfrants.

— D'ici là, nous serons partis. J'ai un plan, Shim.

Mon regard s'est posé sur la plus haute des dunes, d'où j'avais observé le vol d'oiseaux de mer au lever du jour. Derrière la dune, le sommet des arbres morts dépassait légèrement. On aurait dit des cheveux blancs poussant sur le sable.

— S'il fonctionne, ai-je poursuivi, ce plan mettra définitivement les enfants hors de portée de Tueur, et peut-être aussi de Rhita Gawr. Mais pour ça, j'ai besoin de ton aide.

Le géant s'est redressé en bâillant.

— J'ai l'impression que je n'aurai pas mon petit sromme avant longtremps.

— Juste un petit moment.

Songeur, je regardais le mur de brume. Le mystère de l'identité de Tueur me tourmentait. Et pourquoi, alors qu'il s'apprêtait à frapper Elen, avait-il dit que sa mort tomberait bien ?

Shim s'est penché encore une fois.

— À quoi penses-tu, Merlin ?

— Oh, je regrettais juste de ne pas lui avoir retiré son masque avant que tu l'expédies dans la mer.

— Moi aussi je le regrette, a-t-il répondu, s'interrompant pour bâiller à nouveau. Alors parle-moi de ce plan avrant que je m'endorme.

C'est ce que j'ai fait. J'ai emmené Shim jusqu'aux arbres et lui ai expliqué que j'avais besoin d'un radeau assez grand pour emmener tous les enfants — ils étaient quatre-vingt-trois, d'après ses calculs — plus Elen et moi. Il a paru sceptique, en particulier quand je lui ai annoncé que j'avais l'intention de le conduire moi-même à travers une redoutable barrière de sortilèges, grâce à mes pouvoirs magiques. Mais il s'est quand même mis tout de suite au travail. Il a attrapé le tronc le plus proche et l'a déraciné d'un seul coup, faisant tomber sur nous une pluie de sable et de brindilles.

Ensuite, nous avons passé plusieurs heures à tirer des arbres, arracher des racines et des branches, ranger les troncs côte à côte sur le plage. J'avais du sable et des débris d'écorce plein la bouche, les yeux et les cheveux; des douleurs dans le dos et les bras; mais, malgré toutes ces difficultés, le radeau prenait forme. Une fois alignés tête-bêche, les troncs s'assemblaient bien. Il suffisait ensuite de remplir les espaces avec les branches les plus grosses pour parfaire l'assemblage. J'étais de plus en plus convaincu que notre radeau nous porterait tous et qu'il serait prêt pour prendre la mer le lendemain matin.

Assis sur les dunes, les enfants, pour la plupart, observaient l'avancée des travaux. Lleu, Medba et quelques-uns parmi les plus grands m'aidaient à tailler les branches en tapant dessus avec des morceaux de bois flotté, et ils emportaient les débris. Une fois les troncs bien nettoyés, je leur ai demandé de réunir d'autres bonnes volontés pour une nouvelle besogne. En peu de temps, j'ai réussi à avoir deux équipes, l'une dirigée par Lleu et l'autre par Medba, qui ramassaient les algues dont j'avais besoin pour attacher les troncs ensemble.

À la fin de l'après-midi, le travail était presque terminé. Quand les dunes ont pris une teinte de bronze et que les ombres se sont allongées, j'ai étiré mon dos raide et observé notre vaisseau. Il paraissait solide et prêt à prendre la mer. Il ne restait plus qu'à le consolider avec des algues... et à le mettre à l'eau.

J'étais tenté de tout finir avant le coucher du soleil, mais je savais qu'une autre tâche, beaucoup moins plaisante, m'attendait : enterrer Stangmar. J'avais promis à ma mère de le faire avant la tombée de la nuit, et la lumière faiblissait à vue d'œil. De plus, à sa façon d'arpenter la plage avec gravité, je voyais qu'elle était prête. Pour finir le radeau, il faudrait attendre le matin.

J'ai appelé Lleu et lui ai demandé de faire un feu avec tous les débris de bois qu'il trouverait. Il est parti en courant, ravi de sa mission. J'ai chargé Medba de ramasser des moules avec son équipe. La perspective de manger des moules grillées lui plaisait bien. Elle m'a parlé aussi des réserves contenues dans le chapeau du géant : des biscuits d'avoine, du pain, des fruits secs et des tonneaux de jus de pomme généreusement offerts par des villageois quand Shim rassemblait les enfants. Je lui ai dit d'apporter un peu de cidre, mais de garder le reste pour plus tard.

Pour l'enterrement, j'ai sollicité une fois de plus l'aide de mon ami Shim. D'une seule main, il a creusé un trou dans le sable, au pied de la dune où Stangmar avait volé à notre secours. Tandis que ma mère et moi mettions en terre le corps ensanglanté, je me débattais secrètement avec un autre genre de poids : celui de la mauvaise conscience. Comment cet homme avait-il pu s'attendre à ce que je lui pardonne ? Ma mère l'avait fait, pourtant, malgré toutes les souffrances qu'elle avait endurées. Alors, pourquoi en avais-je été incapable ?

Comme j'étais penché au-dessus de la tombe de Stangmar, occupé à lisser le sable qui la recouvrait, Shim m'a tapé dans le dos avec son énorme doigt. La force du coup m'a projeté au sol. Je me suis retourné en crachant du sable.

— Je m'en vrais, maintenant, Merlin, a-t-il annoncé en pointant l'est de son bras aussi gros que les arbres qu'il a déraciné pour le radeau. Mais je te reverrai bientôt. Dans trois jours, au cercle de pierres.

J'ai passé ma manche sur ma langue pour en enlever un peu plus de sable.

— Passe la nuit ici, Shim. Tu partiras demain matin, en même temps que nous.

— Non, a-t-il répondu en bâillant. Il y a quelque chose que je veux fraire depuis longtemps. Très longtemps, a-t-il ajouté avec un curieux sourire.

J'ai hoché la tête, pensant qu'il s'agissait de son envie de dormir.

— Alors, bonne chance, mon ami.

— À troi aussi, Merlin, a-t-il répondu. Tu es toujours plein de frolie, a-t-il ajouté en jetant un regard sceptique vers le radeau.

— Et je le serai toujours, ai-je confirmé en souriant. À présent, n'oublie pas ton chapeau.

Shim a fait non de son énorme tête.

— Les enfrants adorent jouer avec. Je le leur laisse avec plaisir, a-t-il dit, tandis qu'une quinzaine de joyeux lurons s'amusaient à sauter du bord du chapeau dans l'eau.

— Tu leur manqueras quand tu seras parti.

— Oh, j'ai déjà dit au revoir à la plupart d'entre eux.

Il m'a fait un clin d'œil et a murmuré dans un souffle, aussi fort qu'une bourrasque :

— Je pars trout doucement. Personne ne s'en apercevra.

Un peu étonné, je l'ai regardé s'en aller. Il a enjambé la dune et ses pas ont de nouveau résonné à travers la plaine. Des dizaines d'enfants le voyant s'éloigner ont couru au sommet des dunes et l'ont appelé à grands cris en agitant les bras. Ils sont restés là à crier joyeusement jusqu'à ce que le bruit de ses pas se soit estompé.

Alors que je me relevais en époussetant le sable de mes genoux, une idée m'a fait tressaillir. Et si au lieu de chercher un endroit tranquille pour dormir, Shim avait décidé de se rendre au royaume des nains pour rencontrer Urnalda ? Quelques heures auparavant, il avait parlé d'aller lui demander de l'aide, et au moment où je voulais l'en dissuader, nous avions été interrompus. Il allait se jeter tout droit dans le piège mortel de l'enchanteresse !

Affolé, j'ai escaladé à toute vitesse la dune la plus proche, espérant pouvoir encore le prévenir, mais, arrivé en haut, je n'ai vu qu'une vaste étendue d'herbes sèches et de marécages que le couchant teintait de violet.

De dépit, j'ai donné un coup de pied dans le sable. C'était maintenant qu'il aurait fallu pouvoir voler ! Non, Sauter plutôt. Ainsi j'aurais pu rattraper Shim, le prévenir et revenir sans que personne ne s'aperçoive de mon absence. Mais ce n'était même pas la peine d'y songer.

J'ai secoué la tête, l'air sombre. Le voyage avec les enfants prévu pour le lendemain semblait presque aussi difficile. Je me suis tourné du côté de la plage que le soleil éclairait de ses rayons pourpres. Les filles et les garçons s'étaient dispersés un peu partout, jetant des pierres dans les flaques, s'enfouissant dans le sable, batifolant sur le chapeau de Shim. Ma mère séparait deux garçons qui se disputaient près du radeau. Plusieurs enfants s'étaient regroupés autour du feu de Lleu, d'où s'élevait une belle flambée orange. Personne sur cette plage n'avait conscience des risques que comportait le voyage du lendemain.

Moi, si. À la veille de cette traversée, j'étais assailli de doutes. Peut-être la meilleure solution était-elle de rester là. Tueur s'était probablement noyé. Dans le cas contraire, il lui faudrait sûrement du temps pour récupérer avant de se lancer dans une nouvelle attaque. Mais était-il raisonnable de prendre ce risque? Et le risque que Rhita Gawr attaque lui-même les enfants, si son invasion réussissait?

Le mur de brume était en train de changer. Il prenait la forme d'un haut monticule aux pentes abruptes. L'île, peut-être? Après tout, il n'était certainement pas plus dangereux d'y aller que de rester là. Même en prévoyant des difficultés pour franchir la barrière de sortilèges, la traversée ne devrait pas prendre plus d'une journée. Une fois les enfants à l'abri, il me resterait deux jours pour me changer en cerf et courir me battre contre Rhita Gawr. Ce serait juste, mais sans doute suffisant.

Je suis descendu de la dune rejoindre ma mère. Elle était assise près du feu, le regard fixé sur l'endroit où nous avions enterré Stangmar. Rendu près d'elle, j'ai suivi son regard. Des tisons virevoltaient et dansaient de tout leur éclat sans jamais vraiment atteindre la tombe.

Je me suis raclé la gorge et elle s'est retournée. Nous nous sommes regardés longuement. Comme moi, elle devait songer à l'homme qui avait marqué nos vies si profondément et qui pourtant, même mort, demeurait un mystère.

La petite fille aux nattes, qui, je le savais maintenant, s'appelait Cuwenna, est arrivée d'un pas joyeux, tout en mangeant une moule grillée, et elle s'est laissé tomber sur le sable tout contre moi.

— Ça ne vous dérange pas, maître Merlin ? J'ai froid.

— Non, Cuwenna, ai-je répondu en souriant. Tu peux rester ici autant que tu veux.

— Merci, maître Merlin.

Alors que je lui tapotais l'épaule, une sorte d'instinct m'a fait tourner la tête vers la longue ligne de dunes. Soudain, j'ai aperçu une vague silhouette sur la plus éloignée, celle qui se trouvait la plus proche de l'eau. Cette silhouette semblait venir vers nous, mais si lentement qu'on aurait pu croire qu'il s'agissait seulement d'une volute de brume. Quelque chose me disait cependant que ce n'était pas de la brume, mais un homme.

Un homme qui avançait subrepticement, comme un chat suivant sa proie. La lumière du feu se reflétait vaguement sur un objet métallique à son côté.

Mon cœur s'est mis à tambouriner dans ma poitrine. Tueur ! Il était revenu ! Comment était-ce possible ? J'avais dû sous-estimer sa force et sa soif de vengeance.

J'ai parcouru la plage du regard, cherchant désespérément un abri où les enfants pourraient se cacher. Je n'en voyais pas d'autre que la mer elle-même. Si seulement nous avions fini les travaux sur le radeau, nous pourrions embarquer avant qu'il n'arrive…

Mais… oui, il y avait une solution, un vaisseau que nous pourrions utiliser. Peut-être que cela marcherait…

À toute allure, j'ai pris Cuwenna dans mes bras et appelé tout le monde.

— Venez tous, vite ! Suivez-moi.

Ma mère m'a regardé, interloquée.

— Il revient, ai-je lancé.

Et à Lleu :

— Viens ! Amène tout le monde. Nous allons au chapeau !

Nous sommes tous partis dans la précipitation en direction du grand chapeau. Les eaux de la marée montante léchaient les branches de saule, à sa base. J'ignorais s'il tiendrait sur la mer, et même s'il flotterait, mais c'était notre dernière chance. Tueur, certainement, nous avait vus quitter le feu ; il devait déjà contourner les dunes et il n'allait pas tarder à nous rattraper.

— Poussez, tout le monde ! ai-je crié.

L'épaule contre le chapeau, j'ai appuyé de toute mon énergie. Les enfants, petits et grands, ont fait de même, ainsi qu'Elen. Nos pieds s'enfonçaient dans le sable, on entendait gémir et grogner, mais l'énorme masse ne bougeait pas d'un pouce.

— Allez, encore ! ai-je crié. Tous ensemble !

Dos et jambes poussaient de toutes leurs forces. Un petit s'est mis à pleurer. Enfin, le chapeau s'est ébranlé. Raclant le sable, il a commencé à descendre, puis a glissé sur des rochers à fleur d'eau avant de se mettre à flotter. À mon grand soulagement.

Comme une armée de fourmis grimpant dans leur fourmilière, les enfants ont escaladé les côtés, se sont faufilés à travers les trous du rebord et ont sauté dans le grand bol. Les plus âgés aidaient les plus jeunes : Medba a pris un petit garçon sur son dos et l'a hissé en haut avant de sauter dans l'eau pour aller en chercher un autre. Pendant ce temps, j'ai vu que Lleu se chargeait de Cuwenna.

Tandis que d'autres enfants finissaient de grimper dedans, j'ai poussé notre embarcation dans des eaux plus profondes. Une fois tout le monde à bord, j'ai poussé une dernière fois et, m'accrochant aux branches, j'ai escaladé la paroi à mon tour, alors que des lambeaux de brume s'enroulaient déjà autour de mes bras.

Soudain, j'ai entendu des pas sur le sable. Je ne m'étais pas trompé, c'était Tueur ! Il est entré dans l'eau, le masque de travers, les jambières déchirées, l'armure couverte de sable. Il avançait vers nous à grandes enjambées en brandissant ses redoutables lames.

— Reviens, espèce de lâche ! a-t-il hurlé. Viens donc te battre !

Accroché au bord du chapeau, j'ai invoqué les pouvoirs de la mer. *Délivrez-nous, je vous en supplie. Emmenez-nous loin de ce rivage !*

Les vagues fouettaient notre vaisseau, mais pas plus fort qu'avant. Tueur s'approchait. Je voyais son menton pointer sous son masque, et j'entendais siffler les lames. Brusquement, un brouillard dense a enveloppé le chapeau, nous isolant du rivage et de Tueur. Je ne le voyais plus à travers les nuages opaques, même si je l'entendais jurer. Tandis que la brume s'épaississait, ce bruit a fait place à un grondement lent et continu dans les grandes profondeurs.

La mer nous avait acceptés.

 TROISIÈME PARTIE

DANS LES PROFONDEURS
DE LA MER

 obscurité de la nuit s'étendait sur l'océan et sur notre vaisseau.

Le grand chapeau dansait sur l'eau, tandis que les enfants, ma mère et moi étions perchés sur son large rebord, tels des goélands sur un rocher. Certains, comme moi, laissaient leurs jambes se balancer dans le vide. Certains autres s'étendaient sur le tissage de branches tandis que d'autres préféraient se protéger du vent en restant à l'intérieur. Derrière les visages stupéfaits, j'examinais la brume qui nous entourait. J'avais beau en sonder les profondeurs avec ma seconde vue, je ne voyais que des vapeurs mouvantes, impénétrables, aussi mystérieuses que la mer elle-même.

Les vagues qui se brisaient contre les flancs du chapeau faisaient craquer le tissu de branches enchevêtrées. J'ai examiné un trou où quelques branches rebelles s'étaient détachées, laissant voir les couches de saule, de frêne et d'aubépine emboîtées les unes dans les autres. Un savant entrelacement de lianes consolidait joints et angles, tandis que les nœuds étaient renforcés par quelque chose comme des fils d'araignée. De la résine appliquée avec soin donnait aux branches extérieures un lustre étrange, en les rendant plus résistantes. Je me suis demandé comment des gros doigts de géants avaient pu réaliser un travail d'une telle finesse.

J'ai contemplé longtemps les sombres vagues qui montaient et descendaient, montaient et descendaient, et dont je ressentais le rythme aussi clairement que celui de mon cœur. Il me semblait les entendre parler, sans pouvoir percer la signification de leurs paroles.

Puis, quelque part au fond de moi, j'ai senti une sorte de frémissement, le même désir indéfinissable que j'avais toujours éprouvé en présence de l'océan. Était-ce un héritage de mes ancêtres de la mer ou une bribe de rêve de mon enfance ? Je l'ignorais. Mais il me disait que, pour l'instant, du moins, bercés par le murmure des vagues, nous étions en sécurité. Et je savais, sans pouvoir dire comment, que les courants nous emmenaient vers l'ouest, le long de la côte, en direction de l'Île oubliée.

Quelqu'un m'a effleuré l'épaule. J'ai levé la tête et rencontré des yeux du même bleu que le ciel après une pluie estivale. Elen m'a souri doucement.

Tout en essuyant une gerbe d'eau salée de sur sa joue, elle s'est assise à côté de moi. Nous sommes restés ainsi un moment, les cheveux au vent, tandis que le chapeau poursuivait son chemin. Nous ne parlions pas, écoutant seulement le bruit des flots et les craquements des branches.

Enfin, le regard perdu dans la brume, elle a rompu le silence.

— Où nous emmènes-tu, mon fils ?

— C'est la mer, pas moi, qui nous emmène. Avec la bénédiction de Dagda, nous devrions arriver demain dans la matinée.

— Où donc ?

J'ai écouté le clapotis incessant des vagues.

— Sur l'Île oubliée.

Je l'ai sentie inquiète, puis elle s'est détendue et m'a regardé.

— J'ai confiance en toi, mon fils.

— Moi aussi, maître Merlin, a dit une petite voix.

J'ai tourné la tête et vu Lleu, accroupi près de moi, ses boucles flottant au vent. Je me suis rapproché d'Elen pour lui faire une place.

— Viens t'asseoir, mon garçon.

En faisant bien attention de ne pas me cogner de sa tête, il s'est assis. La brume a enveloppé ses pieds nus, et il m'a souri d'un air amusé.

— J'avais jamais voyagé dans un chapeau.

— Moi non plus, ai-je répondu en riant.

— Ça me donne envie de tout voir, le monde entier et toutes les mers aussi.

— Un jour, tu le feras, je parie. Tu es déjà un vrai aventurier, ai-je dit en tapotant sa cuisse.

— Pas comme vous, maître Merlin.

— Oh, je suis sûr que tu as déjà fait des choses que je n'ai jamais faites.

J'ai failli ajouter, regardant son oreille : *Et survécu à des blessures que je n'ai jamais endurées.*

— Avant la fin de ta vie, tu iras partout où tu voudras, ai-je poursuivi.

— Peut-être... Mais je ne saurai pas commander à une plume d'aller vous chatouiller le nez, a-t-il fait remarquer d'un air malicieux.

— Oh, tu en seras peut-être bien capable aussi, ai-je répondu sur le même ton.

Mon estomac criant famine, j'ai jeté un coup d'œil vers l'intérieur du chapeau et demandé à Lleu :

— Crois-tu que je pourrai trouver là-dedans de quoi me préparer un petit dîner ?

— Oh, bien sûr. Et même vingt, si vous voulez.

Il est descendu à quatre pattes en essayant de ne pas se heurter à d'autres enfants, ce qui n'était pas facile avec le roulis.

— Je vous apporte du pain et peut-être…

— Hé, tu peux pas faire attention, espèce de balourd à l'oreille cassée! a crié un grand costaud en l'attrapant brutalement par le bras. Tu m'as écrasé les doigts avec ton genou. J'ai bien envie de te mettre mon poing dans la figure, moi! a-t-il braillé, menaçant de le frapper.

Lleu a essayé de se libérer en vain.

— Excuse-moi, Hervydd, a-t-il dit. J't'avais pas vu.

— Ah oui? a rétorqué l'autre en le secouant brutalement. Et ça, tu le vois? a-t-il ajouté en levant le poing. Tu veux que je t'aplatisse un peu plus ton oreille?

— Non, non! a hurlé Lleu, essayant de protéger l'endroit sensible comme il pouvait.

Hervydd a souri d'un air satisfait, visiblement conscient de son pouvoir. Il s'apprêtait à le frapper quand je lui ai saisi le poignet. Il s'est débattu brièvement, puis, voyant qui le tenait, il n'a plus bougé. Mais il était furieux que je lui aie gâché son plaisir.

Le sang battait à mes tempes.

— Lâche-le, ai-je ordonné.

— Oh, mais j'voulais pas vraiment lui faire mal.

— Lâche-le, je te dis, ai-je repris les dents serrées.

Le garçon a obéi et poussé Lleu contre les branches pleines de piquants. En entendant le petit gémir, j'ai lancé un regard noir à Hervydd, qui s'est contenté de m'observer avec un sourire insolent.

Cela n'a fait qu'exciter ma colère, d'abord à cause de Lleu, et aussi pour d'autres raisons. Ce garçon dur et sans scrupules me rappelait Dinatius, le fléau de mon enfance. Dinatius m'avait traité de la même manière quand j'avais l'âge de Lleu. Et quand Elen était intervenue, il avait montré la même insolence que cet Hervydd.

— Personne à bord de ce vaisseau ne traite quiconque de cette façon, ai-je déclaré d'un ton sévère.

— Qu'est-ce que vous allez faire ? Me jeter par-dessus bord ?

Mes doigts se sont resserrés autour de son poignet. L'idée était tentante ! Bien sûr, je ne serais pas allé jusque-là, mais je voulais quand même le punir d'une manière ou d'une autre. Peut-être pourrais-je utiliser cette idée pour lui faire peur.

— Alors, vous allez le faire ?

— C'est ce que tu mérites.

— Attendez, maître Merlin, a dit Lleu en me retenant le bras. Ne le jetez pas à la mer.

Je l'ai regardé de haut, les sourcils froncés.

— Pourquoi pas ?

— Parce que... en fait, il n'est pas si méchant que ça.

— Ah, tu trouves ?

Devant le visage si sérieux de Lleu, je me suis radouci, sans pour autant desserrer mon étreinte. Hervydd, pendant ce temps, observait Lleu avec un mélange de surprise et de méfiance.

— C'est vrai, je lui ai marché sur la main, a expliqué Lleu. Et je pense... ben... qu'on est ici tous ensemble, en tout cas pour un certain temps, alors vaut mieux tâcher de s'entendre.

J'ai haussé les sourcils, surpris.

— Eh bien, mon garçon, il n'y en a pas beaucoup comme toi.

Finalement, j'ai lâché Hervydd.

— Et toi, tu as de la chance. Si Lleu n'avait pas pris ta défense, j'aurais bien pu te jeter par-dessus bord, mais auparavant, je t'aurais changé en oursin... ou peut-être en méduse, ai-je ajouté en me penchant vers lui.

Comme, visiblement, il ne me prenait pas au sérieux, j'ai cru bon d'insister sur ce point. J'ai pris un de mes cheveux, j'ai tiré dessus d'un coup sec et je l'ai mis dans la paume de ma main. Puis j'ai

prononcé une incantation simple. Le cheveu a gré-
sillé, s'est recourbé et, d'un seul coup, s'est volatilisé. À sa place s'étalait le corps gélatineux d'une
méduse. J'ai tripoté la bestiole un moment avant
de la jeter à la mer, et j'ai regardé Hervydd. Pour
la première fois, la peur se lisait sur son visage.
Les yeux écarquillés, il a reculé.

— Ou alors, ai-je repris en me caressant le
menton d'un air songeur, je pourrais te transformer en morceau de bois flotté. Non, non, ça
manque de caractère. Pourquoi pas en une poignée
d'écume de mer, flottant sur l'eau comme un
poisson pourri ? Oui, ce serait parfait.

Hervydd a reculé encore plus vite et s'est
sauvé vers l'autre côté du chapeau.

Lleu m'a tapoté le bras et demandé tout bas :

— Vous l'auriez vraiment fait ?

— Non, ai-je répondu avec un clin d'œil. Mais
il n'a pas besoin de le savoir, hein ?

Je lui passais mon bras autour des épaules
quand le chapeau s'est penché brusquement. Nous
avons tous deux été propulsés contre la paroi. Les
enfants, tombant les uns sur les autres, se sont
mis à crier. Un garçon a plongé au fond, tête la
première. Ma mère a été projetée en arrière et s'est
rattrapée à une branche, évitant de justesse la
chute par-dessus bord. D'autres n'ont pas eu cette
chance. J'ai entendu des cris et des plongeons.

Le chapeau qui continuait à être ballotté par les vagues semblait ne plus avancer. Des vents violents s'étaient mis à souffler, déchirant la brume. Le vaisseau a commencé à gîter d'un côté, comme s'il coulait.

— Nous nous sommes échoués ! a crié Medba, s'emparant adroitement de mon bâton qui allait rouler par-dessus bord.

— Tout le monde dans le chapeau ! ai-je hurlé. Vite !

J'ai repris mon bâton à Medba en la remerciant.

— Va voir si tu peux aider ceux qui sont tombés à l'eau. Mais sois prudente ! Je vais essayer de nous sortir de là.

J'avais à peine achevé ma phrase que déjà elle se faufilait à travers un trou entre les branches et descendait la paroi avec l'agilité d'une araignée. J'ai rampé jusqu'au bord et sondé l'obscurité. Penché au-dessus du vide, j'ai cherché à distinguer dans les vagues ce que nous avions heurté.

Mais je ne voyais que de l'eau.

Le chapeau s'inclinait de plus en plus avec des craquements sinistres. J'ai enfoncé mon bâton à la verticale dans un espace entre des branches. Accroché par les jambes à ce piquet, je me suis encore penché à l'extérieur. Malgré les vagues qui m'éclaboussaient et me piquaient les yeux, j'ai continué à scruter les profondeurs avec ma seconde vue.

Quelque chose a bougé sous la surface. Une forme longue et mince, comme une algue, mais qui semblait se déplacer avec un but précis. Puis, sur les bords, j'ai aperçu des ventouses vertes et phosphorescentes. Un tentacule ! Je voyais par sa longueur et son épaisseur qu'il appartenait à quelque chose de grand, bien plus grand que notre chapeau.

J'ai allongé le bras et envoyé sur le tentacule un jet d'eau concentré et puissant comme un coup de lance. L'eau a giclé dans toutes les directions, mais l'appendice s'est aussitôt rétracté. En même temps, de nouveaux tentacules sont sortis des vagues et se sont enroulés autour des branches, tirant sur notre vaisseau qui s'est mis à gîter dangereusement.

Alors que des cris de frayeur montaient de l'intérieur, j'ai sollicité tous les pouvoirs que j'avais en moi et fait appel au grand chapeau. *Élève-toi, maintenant. Élève-toi, ô vaisseau de saule et de liane.* Un pélican errant m'a frôlé le dos du bout de l'aile. J'ai supplié encore une fois le chapeau de toutes mes forces. *Élève-toi, maintenant, au-dessus de la mer.* Trempé jusqu'aux os par les embruns, je tremblais de froid. Soudain, j'ai senti le vaisseau vibrer. Le vibrations se sont rapidement amplifiées. En luttant de toutes mes forces pour garder les jambes serrées autour du bâton, j'ai réussi à me hisser sur le bord.

Au même instant, le chapeau a commencé à tourner sur lui-même. Les rotations se sont accélérées. Fouetté par des paquets d'embruns, je m'accrochais au bâton, essayant de garder l'équilibre. Puis, brusquement, le tourbillon s'est arrêté.

Un long et puissant bruit de succion est monté de l'eau en dessous de nous. Ce bruit a enflé, puis, tout à coup, on a entendu un *pop*. Au même instant, le chapeau s'est soulevé avec des craquements et des bruits de branches cassées, semblables à ceux d'un bois secoué par la tempête.

En me penchant par-dessus bord, je voyais l'eau couler en cascades des parois du chapeau et retomber dans la mer. Notre vaisseau était en suspens dans l'air, juste au-dessus des flots aux reflets verts, tandis qu'une dizaine de tentacules aux reflets verts le tiraient. Mais le chapeau ne bougeait pas. Bien qu'affaibli par mes appels à la magie, j'ai consacré tous mes efforts à essayer de maintenir notre position, en marmonnant une nouvelle série d'incantations.

De la mer a alors jailli un cri étrange, rauque, plein de furie, une sorte de mugissement. Lentement, les tentacules se sont détachés des branches, nous libérant enfin, et ont disparu sous l'eau. Leur inquiétante lumière a subsisté un moment sous la surface, avant de s'évanouir tout à fait.

Épuisé, j'ai roulé sur le dos. Quand ma respiration a repris son rythme normal, j'ai écouté le bruit des vagues. La mer, elle aussi, avait retrouvé son calme. À l'intérieur du chapeau, les enfants s'étaient tus. J'en entendais quelques-uns grimper à nouveau sur le rebord quand, tout à coup, un nouveau bruit m'a fait dresser l'oreille.

— Aidez-moi, gémissait une petite voix plaintive quelque part, près de la surface de l'eau. S'il vous plaît… aidez-moi.

Mon sang n'a fait qu'un tour. Rassemblant mes forces, j'ai rampé jusqu'au bord et fouillé du regard les flots sombres en dessous de moi. Je ne voyais personne. Mais en jetant un coup d'œil sur la paroi du chapeau, j'ai aperçu, accrochée aux branches trempées, la frêle silhouette d'une petite fille.

Cuwenna !

Je me suis glissé en hâte dans une ouverture entre les branches, je suis descendu jusqu'à elle et, d'un bras, j'ai décroché son corps tremblant de la paroi. La tenant serrée contre moi, je l'ai remontée avec beaucoup de précautions et poussée à travers l'ouverture du rebord. Après m'être hissé à mon tour, j'ai retiré mon gilet pour y envelopper la fillette.

Elle a levé vers moi ses yeux rougis mais radieux.

— Merci, maître Merlin, a-t-elle murmuré.

— Il n'y a pas de quoi, petite. Mais la prochaine fois que tu auras envie d'aller nager, préviens-moi, ai-je dit en lui caressant le bout du nez.

Malgré ses tremblements, elle a presque souri.

Je l'ai emmenée au fond du chapeau. Je lui ai fait boire du jus de pomme, puis je l'ai installée dans un coin où elle pourrait dormir.

Il fallait à présent libérer le chapeau de mon sortilège. Cela m'a pris plus de temps que prévu, non à cause de mes incantations, mais à cause de Medba. Elle avait insisté pour descendre tout en bas de la paroi extérieure du chapeau — soi-disant pour s'assurer qu'il n'y avait pas de dégâts, mais plutôt, selon moi, parce qu'elle voulait voir l'effet que cela faisait d'être suspendue au-dessus de l'eau, la tête en bas. J'ai donc dû attendre qu'elle soit remontée. Le grand chapeau est retombé dans la mer avec un *splash* retentissant. Après quoi, porté par les vagues, il a repris son voyage vers l'ouest.

J'ai passé le reste de la soirée assis sur le rebord, les genoux repliés contre ma poitrine pour me tenir chaud. La brume épaisse cachait la lune qui se levait, mais je voyais des traces de lumière argentée se diffuser à travers les vapeurs. Et je me suis promis de rester vigilant toute la nuit pour le cas où de nouveaux problèmes surviendraient — qu'il s'agisse d'une autre créature issue des profondeurs, ou de la barrière de sortilèges qui se dressait entre nous et notre destination.

J'entendais ma mère raconter aux enfants qui ne dormaient pas encore l'histoire de Pégase, le cheval ailé, l'une de ses préférées. Je la connaissais bien, car elle me l'avait souvent racontée quand j'étais enfant. J'imaginais alors de grands sabots trottant à travers le ciel, des ailes étoilées et une forme gracieuse sautant de constellation en constellation.

Cette légende venait de cet autre monde de l'autre côté de la mer, l'endroit où mon destin semblait décidé à m'appeler. Pourtant, ce soir-là, en écoutant Elen sous la couverture de brume qui nous enveloppait, il me semblait que ce mythe appartenait à Fincayra, tout comme moi, je lui appartenais.

Peu à peu, le bercement des vagues a fait son effet et l'auditoire de ma mère a succombé au sommeil. Elle est remontée s'asseoir près de moi, son épaule réchauffant la mienne, et a sorti de sa poche un petit pain aux graines.

— Si mes souvenirs sont bons, a-t-elle dit, tu n'as jamais eu le dîner que tu espérais.

— Merci, ai-je répondu en mordant dans la croûte avec délice.

J'ai savouré le goût de l'avoine grillée et de la mélasse à chaque bouchée.

— Je te suis presque aussi reconnaissant pour ça que pour l'histoire de Pégase. Tu es une formidable conteuse.

Elen a secoué la tête, faisant reluire ses cheveux de la lumière du clair de lune.

— Non, c'est toi qui es formidable, mon fils. Ce que tu as fait pour nous débarrasser de cette bête était extraordinaire.

— Pas vraiment, ai-je dit en soupirant. Il suffisait de quelques connaissances élémentaires dans l'art de Sauter. Ce n'est rien comparé à ce que faisait Tuatha. Lui, c'était un véritable enchanteur ! Il connaissait si bien cet art qu'il pouvait se transporter où il voulait en un instant.

Comme d'habitude, elle a lu dans mes pensées.

— Et c'est comme ça que tu aimerais nous transporter sur l'Île oubliée.

J'ai fait oui de la tête. Je regardais la brume en me demandant de quel genre de sortilèges Dagda avait bien pu entourer cette île. Serait-il possible de les démêler sans savoir pourquoi il les avait mis là?

— En vérité, je sais bien peu de choses, ai-je soupiré.

— Tu as de grands pouvoirs, Merlin. Je l'ai vu en toi dès le début. Et Stangmar aussi.

Je me suis hérissé en entendant prononcer son nom.

Posant sa main sur ma joue, elle a tourné mon visage vers le sien.

— Tu ne sais pas tout, mais inutile de te tourmenter à ce sujet. Tuatha non plus ne savait pas tout. Ni même le guérisseur de Galilée dont je t'ai souvent parlé.

— Mais est-ce que j'en sais assez? C'est ça la vraie question.

L'angoisse me prenait à la gorge.

— Assez pour faire tout ce que j'ai à faire? Pour ces enfants, et pour tout le monde?

Elle a inspiré lentement avant de me dire:

— Sais-tu ce que Tuatha m'a dit une fois à propos de toi?

— Que plus tard je serais un enchanteur, ai-je répondu sans enthousiasme.

Doucement, elle a descendu sa main pour la placer contre mon dos, juste derrière mon cœur.

— Pas juste un enchanteur. Un enchanteur dont les pouvoirs jailliraient de sources si profondes que tu pourrais changer à jamais le cours du monde.

J'ai acquiescé de la tête avec réticence.

— Peut-être bien, mais de quel monde parlait-il ? De la Terre mortelle, où je suis censé aller un jour pour libérer cette épée ? ai-je dit, la main sur mon fourreau. Ou de Fincayra, notre terre que je voudrais sauver, ici et maintenant ?

Elle m'a fixé de ce regard pénétrant qui semblait voir sous ma peau.

— Cela, je l'ignore. En tout cas, ton grand-père a dit qu'un jour, tes pouvoirs seront devenus si puissants que tu remueras jusqu'aux profondeurs de la mer.

Nous sommes restés un moment assis côte à côte, sentant le souffle froid qui montait des vagues. Quand elle a repris la parole, c'était pour me souhaiter bonne nuit.

— Je vais jeter un coup d'œil sur les enfants. Après quoi j'irai dormir un peu moi-même. J'espère que tu en feras autant, Merlin, a-t-elle ajouté avec un petit sourire.

J'ai simplement hoché la tête.

Je l'ai regardée partir, puis à l'aide de ma seconde vue, j'ai fouillé les replis de la brume, qui en de rares moments laissait entrevoir le vague profil d'une côte ou un morceau de lune. De temps à autre, je contemplais l'assemblage de branches aux reflets argentés en dessous de moi. Semblables aux vagues qui clapotaient contre les parois de notre vaisseau, mes pensées butaient contre les souvenirs de mes plus chers amis. Rhia... Comment s'en était-elle sortie avec les arbres et avec les autres ? Et Shim... Se dirigeait-il vers le piège d'Urnalda ? Je songeais à Cairpré qui cherchait sans doute un moyen de rejoindre Elen. Rien ne l'arrêterait, je le savais, pas même un mur de sortilèges. Je comprenais d'autant mieux ses sentiments que j'éprouvais les mêmes pour Hallia. Si seulement je pouvais la retrouver bientôt...

Malgré le serment que je m'étais fait de ne pas m'endormir, ma tête est retombée sur ma poitrine. Et quand je me suis éveillé, il était trop tard.

∽ XXV ∽

Le nouveau jour

J'ai été réveillé par une énorme vague qui s'est écrasée contre notre vaisseau. L'eau a éclaboussé le bord du chapeau avec une telle force que j'ai été retourné et trempé jusqu'à la moelle. Une grande partie de la vague s'est répandue à l'intérieur du chapeau, créant beaucoup d'émoi parmi ses occupants. Avec l'aide de mon bâton, j'ai réussi à me mettre debout.

Une pâle lumière dorée filtrait à travers les lambeaux de brume. La lumière de l'aube. Dans ce premier instant, j'ai aperçu deux choses en même temps : une ligne de vagues extraordinairement hautes, juste devant nous, et, derrière, une petite île rocailleuse aux falaises abruptes. Elle était surmontée d'une colline déchiquetée qui brillait comme une couronne aux rayons du soleil.

En me retournant, je voyais se profiler dans la brume la côte ouest de Fincayra. Nous nous approchions donc bel et bien de l'Île oubliée !

Mais, d'abord, les vagues… Moins comme un mur que comme une rangée de dents, la barrière de vagues se dressait à la verticale au-dessus de la mer. Entre les hautes flèches d'eau, des rayons de lumière parallèles s'élevaient dans le ciel en s'incurvant au-dessus de l'île, la protégeant ainsi de tous les côtés. Ces barres lumineuses au chatoiement étrange vibraient dans l'air et émettaient une sorte de bourdonnement. De leurs points de rencontre avec l'océan naissaient ces lames gigantesques dont certaines, comme celle qui nous avait frappés, se ruaient vers l'extérieur, heurtant de front tout ce qui se trouvait sur leur chemin.

Une autre de ces vagues, encore plus grosse que la première, s'est écrasée sur notre vaisseau, telle une main géante. Les enfants, projetés les uns contre les autres, ont poussé des hurlements, tandis que je tombais à la renverse sur le bord et lâchais mon bâton, qui a plongé dans la mer.

Le chapeau s'est penché de façon inquiétante, me précipitant vers la bordure. Je me suis rattrapé de justesse à un nœud de lianes. Pendant que j'essayais à grand peine de remonter, j'ai entendu un craquement non loin de moi. En rampant, je suis allé voir ce qui se passait : plusieurs couches de branches s'étaient cassées, d'autres étaient en train de lâcher. Tout à coup, la partie du bord sur laquelle je me trouvais a vibré violemment. Horreur ! Elle se brisait ! Avant que j'aie pu faire le moindre geste, toute cette partie s'est détachée.

Je suis tombé dans les flots déchaînés. Quelques secondes après, j'ai refait surface, manquant d'étouffer à cause de toute l'eau que j'avais avalée. Juste devant moi se dressait une des barres de lumière, qui bourdonnait comme un gigantesque essaim d'abeilles. À sa base, l'eau bouillonnait violemment.

Le grand chapeau avait viré dans cette direction et plongeait déjà dans l'écume du tourbillon. *Fais demi-tour !* ai-je ordonné au vaisseau dans ma tête. *Fais demi-tour avant...*

C'est alors que deux énormes lames l'ont frappé de deux côtés opposés. Un grincement déchirant est monté du chapeau. Un trou béant s'est ouvert juste au-dessus de sa base, vomissant des branches tordues. L'eau s'y est engouffrée aussitôt. Au milieu du vacarme, j'ai entendu les cris des enfants.

Je tentais désespérément de regagner à la nage l'embarcation qui se disloquait, quand une nouvelle vague m'a submergé. L'eau glacée a envahi mes poumons. Haletant, j'ai refait surface, juste à temps pour assister à la destruction finale de notre vaisseau : les lianes craquaient, ondulaient dans l'air comme des serpents furieux ; les branches se brisaient, d'innombrables éclats volaient de tous côtés.

Une partie du chapeau est entrée en collision avec une colonne de lumière et a pris feu aussitôt, déclenchant une pluie d'étincelles et de braises enflammées. De la résine en feu sortait à gros bouillons des jointures et coulait dans la mer. De grandes colonnes de vapeur s'élevaient vers le ciel en sifflant, partout où le feu et l'eau se rencontraient.

Tout autour de moi, je voyais flotter des petites têtes et s'agiter des bras qui essayaient de se raccrocher à des morceaux de bois.

— Elen, ai-je appelé. Lleu! Cuwenna!

Mais je ne les trouvais pas. Au-delà du grondement, du rugissement des vagues et du bourdonnement inquiétant par-derrière, les sons les plus durs à supporter étaient les cris de terreur dont j'étais moi-même la cause.

Apercevant un garçon en train de couler, j'ai tendu le bras pour l'attraper. Ses boucles blondes surnageaient comme des algues. Je l'ai saisi par les cheveux et lui ai sorti la tête de l'eau. C'était Lleu! Haletant, crachotant, il s'est accroché à mon cou, affolé. J'ai cru qu'il allait m'étrangler tellement il serrait fort.

J'ai essayé de me dégager, mais nous nous sommes tous les deux enfoncés sous l'eau. À ce moment-là, Lleu m'a lâché et s'est mis à agiter les bras comme un fou. J'ai attrapé sa tunique par l'épaule et, en battant des pieds de toutes mes forces, j'ai essayé de le remonter. Mais la surface semblait loin, très loin, et mes bras bien plus lourds qu'avant. J'étouffais... J'avais beau me démener, je me sentais descendre plutôt que monter.

Mon esprit a commencé à s'obscurcir. Il m'a semblé entendre, venues de je ne sais où, les paroles de ma mère : *Tu remueras jusqu'aux profondeurs de la mer.* Quelle ironie amère !

Les profondeurs de la mer... Un autre souvenir a ressurgi de quelque part ailleurs, d'une mémoire plus profonde, pas celle de l'esprit, mais plutôt de celle du sang.

— Mer ! me suis-je entendu crier à haute voix, vidant mes derniers restes de souffle dans l'océan.

Quelque chose m'a effleuré le menton, puis les mains, la poitrine et les cuisses. Des bulles ! Tout autour de moi, par milliers, si petites que je ne les voyais pas. Je les sentais seulement. Elles m'entouraient comme un filet, me collaient au corps, me soutenaient, douces et caressantes. Puis elles m'ont poussé vers le haut et, enfin, j'ai refait surface.

La mer avait répondu à mon appel.

À côté de moi, Lleu flottait, lui aussi, dans un filet de bulles. Il haletait, toussait, mais je n'avais plus peur. J'éprouvais seulement une sensation de bien-être. J'ai attrapé le bras qu'il me tendait et l'ai attiré contre moi. Cette fois, je le tenais solidement. En dépit des courants, nous surnagions en même temps que tous les autres passagers de notre vaisseau.

Soudain, j'ai vu surgir au-dessus de l'eau une silhouette lisse et brillante. Un peu plus loin, une énorme queue de poisson a crevé la surface dans un jaillissement d'embruns. Une autre queue est apparue et, à côté, un torse recouvert d'écailles argentées, puis d'autres silhouettes roses, vertes, violettes et jaunes ont surgi.

Tout à coup, une nouvelle vague s'est élevée, de plus en plus haut. Tandis que l'eau ruisselait de sa crête colorée, je me suis aperçu que ce n'était pas une vague, mais un pont. Un pont lumineux et vivant.

Les gens de la mer, par dizaines, avaient entremêlé leurs queues, leurs nageoires, leurs bras et leurs têtes pour former une immense arche rayonnante. Ce gigantesque pont composé de leurs corps a enjambé le mur de vagues pour rejoindre le rivage de l'Île oubliée. Tel un arc-en-ciel issu de l'océan, il resplendissait dans la lumière du soleil levant.

Alors toutes ces créatures ont entonné un chant où se mêlaient leurs voix fluides et graves. Certaines avaient la profondeur de l'antique océan, d'autres, la fraîcheur et la légèreté d'une goutte d'eau. C'était un chant complexe, dont les sons me rappelaient le chant des baleines, les cris des oiseaux de mer, le choc des vagues et bien d'autres choses encore ; le tout sur un rythme ample et ondulant qui résonnait comme la voix du temps.

J'ai pris Lleu dans mes bras et j'ai commencé à grimper. Mes pieds se sont posés successivement sur une nageoire, sur un long dos musclé, sur deux bras liés. À chaque pas, je prononçais des paroles de remerciement leur témoignant ma reconnaissance infinie. Les enfants m'ont suivi, un à un. Ils étaient trempés, mais émerveillés et soulagés d'être vivants. Quant à ma mère, éblouie elle aussi, elle fermait la marche, avec mon bâton à la main.

Et c'est ainsi, enfin, que nous sommes sortis des flots pour entrer dans un jour nouveau.

∾ XXVI ∾

UNE COURONNE DORÉE

Les gens de la mer continuaient à chanter lorsque nous avons quitté le pont et fait nos premiers pas dans une crique de sable noir, au pied des falaises déchiquetées. J'ai déposé Lleu, qui a levé vers moi un visage radieux et, ensemble, nous nous sommes retournés pour contempler l'éblouissant spectacle.

Le pont, illuminé par la lumière matinale, enjambait la redoutable barrière de vagues à une hauteur impressionnante. Nos compagnons, plus de quatre-vingts garçons et filles suivis de ma mère, l'ont franchi en file indienne et nous ont rejoints sur la plage l'un après l'autre, chacun se retournant pour regarder les grosses vagues entremêlées de brumes et d'embruns. Cuwenna, vêtue de mon gilet comme d'un grand manteau jaune, s'est affalée à mes pieds, ébahie.

Le bras de mer qui séparait l'Île oubliée de la côte ouest de Fincayra était coupé par le mur de vagues et les barreaux de lumière qui, depuis des siècles et des siècles, rendaient l'île inaccessible.

D'un seul coup, la barrière s'est écroulée. En retombant dans la mer, elle a projeté vers le ciel d'immenses colonnes d'embruns, tandis que les barreaux lumineux se fondaient dans les flots. Sans doute ressurgirait-elle le jour où un autre voyageur oserait tenter cette traversée. Quelques instants plus tard, en tout cas, la mer, dont les ondulations scintillaient au soleil, semblait tout à fait calme.

Au moment où Elen posait le pied sur le sable, le pont s'est effondré à son tour dans un jaillissement d'écume dont le bruit a retenti à travers le bras de mer, en même temps que les battements de queues et de bras qui fouettaient l'eau par centaines. En quelques secondes, toutes ces créatures colorées ont disparu sous les flots, mais les échos de leur chant ont résonné longtemps dans l'air après leur départ.

Nous sommes restés là, trempés, à regarder vers le large en silence, dans la douce chaleur du soleil levant. Les plus petits enfants eux-mêmes semblaient cloués sur place. Nous étions conscients d'avoir été sauvés par un miracle. Un miracle venu des profondeurs de l'océan.

J'ai baissé les yeux sur Lleu. Il m'a regardé à son tour, puis lentement m'a souri.

— Vous m'avez sauvé la vie, a-t-il dit en essuyant une goutte d'eau sur sa joue.

— Non, ai-je répondu doucement. C'est la mer qui nous a sauvés, toi, comme moi.

Il a penché la tête, pensif.

— Alors, la magie de la mer est plus forte que la vôtre ?

— Beaucoup plus forte, mon garçon.

Ma mère s'est approchée, sereine. Elle a posé les yeux sur l'océan, secoué la tête, puis s'est tournée vers moi.

— Ils sont partis, a-t-elle murmuré.

J'ai acquiescé de la tête, envoyant des mèches de cheveux mouillés se plaquer contre mon front.

— Mais pas complètement.

Elle a soupiré.

— Oui, nous entendrons toujours leurs voix... J'ai compté tous les enfants, a-t-elle ajouté après un silence. Ils sont tous là. Y compris toi, a-t-elle dit avec un clin œil à Lleu.

— Et aussi toi, Maman Elen...

Relevant la tête vers elle, il l'a regardée, incertain.

— Je peux t'appeler comme ça ?

— Oui, Lleu, avec plaisir, lui a-t-elle répondu avec un sourire.

Rassuré, il a ramassé un coquillage moucheté de brun. Ma mère l'a observé un moment, puis elle m'a tendu mon bâton.

— Tiens, regarde ce que j'ai trouvé. Enfin, c'est peut-être lui qui m'a trouvée… Il m'a permis de flotter jusqu'à l'apparition du pont.

J'étais heureux de serrer mon bâton dans ma main et de sentir à nouveau son odeur de sapin mouillé. Il s'y mêlait une nouvelle odeur que j'avais de la peine à identifier, une odeur de magie, puissante et différente de tout ce que j'avais connu auparavant. Peut-être venait-elle des gens de la mer, ou bien de l'île elle-même.

J'ai parcouru du regard la falaise qui dominait la crique derrière moi. Elle se dressait toute droite, comme un aileron de requin au-dessus de la mer. Sa face rocheuse, dépourvue du moindre buisson, de la plus petite herbe, ne montrait aucune trace d'érosion, comme si elle venait de se séparer d'une autre paroi rocheuse. Au-dessus de la falaise, à quelque distance en arrière, je voyais le haut de la colline en forme de couronne aperçue un peu plus tôt. Ce sommet avait quelque chose de bizarre, d'anormal. Mais je n'arrivais pas à savoir pourquoi.

Pas de plantes, pas de verdure où que ce soit. Et aucune trace du rameau d'or qui, d'après mon amie Gwri, devait pousser sur cette île.

Pris d'une angoisse soudaine, je me suis demandé comment les enfants se débrouilleraient quand je serais parti. Certes, ils n'avaient rien à craindre de Tueur, mais s'il n'y avait ni eau ni bois pour le feu, ils ne survivraient pas longtemps. Ils pourraient toujours se nourrir de moules, de palourdes et d'algues, mais cela ne suffirait pas. Même si ma mère décidait de rester et de les aider quelque temps, comme elle le ferait sans doute, la plage ne pouvait pourvoir à tous leurs besoins.

Sur l'étroite bande de sable noir, la plupart d'entre eux avaient déjà commencé à inventer des jeux. Grâce au soleil et à l'absence de vent, seuls quelques-uns semblaient avoir froid. Certains, comme Lleu, construisaient des tours avec des coquillages colorés. Une petite fille rousse faisait avancer une étoile de mer sur un pont de sable mouillé.

Pendant ce temps, d'autres enfants pataugeaient et s'ébattaient dans l'eau ou essayaient d'attraper des petits poissons ; des garçons se donnaient des claques amicales tout en haletant, car ils venaient de faire une course à travers la crique ; des filles, menées par Medba, s'entraînaient aux culbutes et au poirier sur le sable, tandis que Cuwenna marchait main dans la main avec ma mère, s'arrêtant à tout moment pour observer un coquillage, une pince de crabe ou un concombre de mer apportés par la marée.

Je me suis tourné vers la falaise au-dessus de nous. Il fallait que je monte là-haut. C'était la seule façon de juger s'il était possible de vivre sur cette île. En arpentant la plage, j'ai examiné la paroi sous plusieurs angles. Elle paraissait impossible à escalader.

Enfin, j'ai aperçu une fente en diagonale qui arrivait presque jusqu'en haut : peut-être y avait-il moyen de grimper par là. Avec prudence, j'ai tapoté la roche avec mon bâton. Plusieurs morceaux se sont détachés. C'était plutôt mauvais signe, mais je devais quand même tenter l'expérience. J'ai enfilé mon bâton dans ma ceinture et averti ma mère que je reviendrais bientôt. Elle n'a pas cherché à me dissuader — elle savait que cela ne servirait à rien —, mais son regard inquiet ne m'a pas échappé.

J'ai commencé à grimper. La roche était glissante à cause de l'humidité et il était difficile de trouver de bonnes prises, sans compter que la pierre s'effritait parfois sous mes mains. J'ai néanmoins réussi à grimper petit à petit, me calant dans la fente à mesure que je montais. Parvenu à mi-chemin, je me suis arrêté un moment pour reposer mes doigts et secouer mes cheveux pleins d'éclats de pierre. J'ai fait comme si je ne voyais pas Elen marcher de long en large au pied de la falaise.

Peu après, j'ai repris mon ascension. Non sans peine, car à tout moment mon genou ou mon pied glissait sur la roche mouillée, ou bien une prise lâchait. Soudain, ma tête a heurté une pierre plate qui dépassait de la paroi. Il semblait n'y avoir aucun moyen de la contourner. Vu la distance que j'avais déjà parcourue, j'étais certain d'être près du sommet. Attrapant le rebord d'une main puis de l'autre, j'ai appuyé de tout mon poids sur le rocher. Quelques éclats se sont détachés mais la pierre a tenu bon. Avec précaution, j'ai jeté une jambe par-dessus et j'ai commencé à me hisser.

Mon cœur battait la chamade, à cause de l'effort, sans doute, mais surtout de mon impatience. J'allais enfin savoir s'il y avait de quoi se nourrir sur cette île et, peut-être — mais c'était moins sûr —, apprendre la vérité sur les vieux mythes concernant les ailes.

Arrivé sur la pierre plate, je me suis retourné. Quelle déception ! Devant moi s'étalait un paysage de ruines. La colline en forme de couronne était, en réalité, les restes d'une montagne éventrée, dont le contenu était éparpillé partout ; une sorte de tombe immense qui aurait été violée.

Sur les pentes arides, dans un mélange de terre, de poutres brisées et d'énormes blocs de granit, s'étendait à l'infini un inextricable fatras de chaudrons, de masques peints de couleurs vives, de coupes à poignées d'argent, de cors, de tessons de poterie. J'ai vu des épées incrustées de pierreries, certaines cassées en deux, un joug en pièces, des bols brisés, des colliers de perles, des ornements de chaussures, des anneaux, des boucles de ceintures dorées, des quantités de boucliers écrasés, des morceaux d'armures, des poignards rouillés. Des statues fracassées gisaient parmi les débris, à côté de chariots renversés; et, au milieu de tout cela, des squelettes, certains encore vêtus de leur armure.

Je me suis approché, évitant un fragment de crâne, et j'ai posé la main sur un bloc de pierre deux fois plus haut que moi. Une profonde incision dans le granit indiquait qu'il s'agissait du linteau d'une porte. La porte d'une forteresse souterraine, peut-être. Ou d'une communauté quelconque où vivaient des gens avec tous leurs biens.

Une communauté qui avait été entièrement détruite.

Tandis que j'examinais le bloc de granit, un détail m'a frappé : sa forme ressemblait à celle des pierres de sarsen, ces blocs de grès que les Anciens posaient à l'entrée des tombes. Imprégnées de magie, ces pierres servaient de sentinelles pour garder les esprits de ceux qui étaient enterrés à l'intérieur des tumulus. Était-il possible que toute cette colline ait été une tombe ? Non, c'était absurde. Le plus grand tumulus dont j'avais connaissance était cent fois moins grand.

En passant la main sur la pierre, j'ai senti de légers creux. Curieux, j'ai soufflé sur les poussières qui recouvraient la surface et découvert des rangées de runes gravées, aussi complexes que des toiles d'araignée. Je me suis penché pour lire.

> *Entre et recueille-toi pour prier :*
> *Ici reposent des seigneurs divins.*
> *Toujours plus vénérés*
> *Et jamais affligés d'un mortel destin.*

Il s'agissait donc bien d'un tombeau ! Et pourtant, vu sa taille, ce tumulus aurait pu servir à d'autres choses. Peut-être était-ce aussi une sorte de monument sacré. Un lieu de culte. Mais pour qui ? *Des seigneurs divins…* Apparemment pour des dieux. Un monument dédié à Dagda et ses chefs, alors ? Non, tout grand esprit qu'il fût, Dagda n'était pas du genre à encourager ni même autoriser ce genre de culte. Il était bien trop humble. En outre, si les vieilles légendes étaient vraies, c'était lui qui avait détruit cet endroit et l'avait isolé ainsi. Il n'aurait certainement pas fait cela pour un monument en son honneur.

Je me suis approché du fragment de crâne que j'avais remarqué juste avant et je l'ai poussé de la pointe du pied. Ainsi exposé au soleil, l'os avait des reflets sinistres.

C'est alors qu'une nouvelle énigme m'est apparue : si les êtres glorifiés par ce monument étaient vraiment des dieux, donc immortels, pourquoi avaient-ils été enterrés ? *Jamais affligés d'un mortel destin*, disait l'inscription. Je ne voyais que deux réponses possibles : soit ils étaient vraiment divins et seules leurs formes mortelles avaient été enterrées là, soit ce n'étaient pas des dieux.

Reprenant mon bâton à la main, j'ai commencé à grimper sur le tumulus. En montant, j'essayais de trouver d'autres indices qui pourraient expliquer les origines de ce lieu. La solution se cachait sûrement par là, quelque part ! À un moment, je me suis arrêté pour regarder derrière moi et j'ai suivi la ligne de mes empreintes, seules traces sur cette pente. En dessous de moi, je voyais le bord de la falaise que j'avais escaladée et, au-delà, la mer couverte de moutons d'écume jusqu'à la côte ouest de Fincayra.

J'ai continué à monter au milieu des débris, enjambant une poterie cassée, un chaudron plein de saletés et un fémur. J'ai imaginé la réaction de mon ombre si elle avait été avec moi : elle se serait faite toute petite pour éviter les squelettes. Le courage n'était pas sa principale vertu, ni la fiabilité. Malgré tout, je me sentais étrangement seul sans sa compagnie.

Enfin j'ai atteint le sommet. Il y avait deux grands tas de terre, de roche et d'éclats de bois séparés par un trou. Alors que je m'en approchais, le sol a bougé sous mes pieds. J'ai avancé encore un peu et je me suis retrouvé devant une fosse dont je ne voyais pas le fond. Elle était parfaitement rectangulaire, avec juste un passage long et étroit qui la coupait en deux suivant un axe nord-sud. De nombreuses poutres et pierres dépassaient des parois, tout ce qui restait des anciennes pièces qui, jadis, devaient occuper cette fosse sur plusieurs étages. Sur le pourtour couvert de débris, se dressaient quelques pierres de sarsen et d'autres types de pierres qui devaient border les entrées. Mais je ne comprenais toujours pas la signification de tout cela.

Puis, près du bord de la fosse, j'ai aperçu le première plante vivante. Ses feuilles, qui frémissaient dans la brise de mer, n'étaient pas vertes mais dorées. Du gui ! Avec précaution, tâtant la terre à chaque pas pour m'assurer qu'elle supportait mon poids, je m'en suis approché. C'était bien le rameau d'or, emblème du monde des esprits. Étrangement, il n'était pas sur le sol mais enroulé autour d'une pierre noire et brillante.

Quelque chose a craqué sous ma botte. J'ai fait un bond en arrière et provoqué la chute d'un bouclier bleu dans la fosse. Il n'a touché le fond qu'après un long silence.

Je me suis baissé, cherchant ce que mon pied avait écrasé. C'étaient des os, les os d'une main blanchie par le temps, avec une bague d'émeraude à un doigt. Que faisaient ces os à cet endroit ?

J'ai fait encore quelques pas pour atteindre le gui et j'ai découvert avec stupéfaction que la pierre noire autour de laquelle il s'enroulait était la tête d'une statue ! Une tête d'homme, face contre terre, sculptée dans de l'obsidienne. On voyait qu'il s'agissait d'un personnage puissant et riche. Il portait des vêtements royaux, dont un manteau parsemé de rubis et de mouchetures de cuivre, et une ceinture de fils d'or tressés. Il avait une grande barbe épaisse, le genre de barbe que je rêvais d'avoir plus tard.

Quelque chose chez cet homme m'attirait. Un je ne sais quoi de presque familier. Avec sa couronne de gui, il paraissait à la fois fort et faible, digne et humilié. Puis j'ai remarqué une curieuse pointe qui sortait de son dos, comme un morceau de lance planté entre ses omoplates.

En voulant la toucher, je me suis piqué le doigt et, au même moment, j'ai senti un léger élancement entre les épaules. C'étaient des ailes ! En effet, quand j'ai gratté le sol à côté de la statue, j'ai trouvé plusieurs fragments sculptés avec des plumes. Après les avoir rassemblés, j'ai eu la certitude que c'étaient bien des restes d'ailes.

Les ailes perdues.

Sans hésiter, j'ai attrapé la statue par les épaules et je l'ai soulevée. Elle a roulé sur le dos, écrasant par le fait même ce qui restait des ailes, et là, j'ai vu son visage. J'ai eu le souffle coupé non pas parce que le visage me regardait avec les sourcils froncés, un visage sévère et des yeux dangereux, mais bien parce que je le connaissais : c'était celui de Stangmar. Le visage de mon père.

Horrifié, je l'ai examiné dans le détail. Était-ce simplement quelqu'un qui lui ressemblait, mais sans lien avec lui ? Ou était-ce un de ses ancêtres ?

De *mes* ancêtres.

Je suis tombé à genoux. D'une main tremblante, j'ai touché sa mâchoire, d'une forme identique à la mienne. Mes doigts ont remonté le long du nez crochu, du large front entouré de gui. Le doute n'était plus possible : c'était bien le visage de mon ancêtre. De mon père. C'était mon visage.

La position de la statue, sa posture même faisaient penser à Stangmar. Que de contrastes chez cet homme ! Il n'avait eu aucune pitié pour ceux qui s'opposaient à lui, mais il avait sacrifié sa vie pour sauver Elen. Il avait régné par la colère et la violence, et pourtant, à sa dernière heure, il avait montré une étonnante tendresse. Il avait essayé de me tuer, moi, son fils, et néanmoins cherché à obtenir mon pardon avant de mourir.

J'ai serré les dents. Non, je ne pouvais pas lui accorder cela. Pas après tout ce qu'il avait fait à Elen, à tous les habitants de Fincayra et à moi.

De rage, j'ai donné un coup de poing sur l'épaule de la statue. Elle s'est balancée d'un côté à l'autre. La couronne dorée est tombée par terre. L'homme que je voyais dans cette statue ne m'avait rien donné d'autre dans ma vie que de la tristesse.

Il avait gouverné ce pays sans pitié, s'était laissé manœuvrer par Rhita Gawr dont il était devenu l'instrument, et il avait fait du mal à tous ceux qui l'approchaient de trop près — peut-être parce qu'il souffrait trop lui-même pour supporter seul sa propre douleur.

Il en voulait mortellement à son père — un sentiment que je connaissais trop bien, hélas. Et il avait, comme moi, cette douleur lancinante entre les omoplates.

Malgré tous ses défauts, il n'avait jamais cessé d'aimer Elen.

Il aurait pu m'aimer aussi, si seulement…

J'ai regardé la statue. L'homme dont l'effigie gisait là, face contre terre, portait quand même une couronne d'or.

J'ai pensé aux dernières paroles qu'il avait adressées à sa femme ; à son regard plein d'espoir quand il s'était tourné vers moi pour la dernière fois ; et à l'attitude si généreuse de Lleu envers Hevydd. *On est ici tous ensemble*, avait dit le jeune garçon.

Alors, avec tendresse, j'ai caressé le front de la statue.

— Je te pardonne... mon père, ai-je murmuré tout bas.

Rien n'a changé sur le moment. Rien de visible, en tout cas, ni de mesurable. Pourtant, j'ai senti quelque chose de nouveau en moi, une sorte de légèreté qui s'est répandue dans mes veines. C'était un sentiment délicat, éthéré même, mais je savais qu'il durerait.

∽ XXVII ∾
LE VOL ET LA CHUTE

Assis au sommet du champ de ruines, j'écoutais les vagues s'écraser au pied des falaises. Au loin, la mer et le ciel se fondaient en une large bande bleue s'étirant à l'infini.

Tout à coup, quelque chose a bougé dans la couronne de gui à côté de moi. En y regardant de plus près, je me suis aperçu que ce mouvement ne venait pas de la couronne elle-même mais du cercle qu'elle formait. Là, en effet, à même le sol, une image était en train d'apparaître, une image colorée avec des rouges, des violets, des jaunes vifs qui tournoyaient à toute vitesse.

Brusquement, cet éblouissant tourbillon de couleurs a cessé et une scène s'est dessinée. J'ai vu des espèces d'oiseaux avec de grandes ailes blanches, volant au-dessus d'un endroit où des falaises tombaient à pic dans la mer. Aucun son n'accompagnait cette vision, mais j'imaginais sans peine le bruit des vagues.

L'endroit ressemblait au rivage de l'île sur laquelle je me trouvais. Ce n'était pas le même, bien sûr. Je m'en suis vite rendu compte, car la terre y était verte et luxuriante, et aucun tumulus ne dominait les falaises. D'ailleurs, ce n'était pas une île, mais une partie de la côte de Fincayra.

Je n'étais pas encore revenu de ma surprise quand, tout à coup, je me suis aperçu que ces oiseaux aux ailes blanches n'étaient pas du tout des oiseaux… mais des hommes et des femmes ! Ils s'élançaient, plongeaient parmi les falaises, avec une joie et un plaisir évidents. Certains volaient main dans la main, d'autres jaillissaient des nuages, piquaient droit vers la mer et remontaient soudain, juste avant de toucher la surface. Tous volaient, libres et joyeux, grâce aux magnifiques ailes blanches qu'ils avaient dans le dos.

J'ai pensé à Rhia. Comme elle aurait aimé les voir ! Et pas seulement les voir, mais se joindre à eux !

Tout d'un coup l'image s'est fondue dans un autre tourbillon, de plus en plus rapide, avant de donner naissance à une nouvelle scène. Le lieu était le même, mais une ville très animée était apparue au-dessus des falaises. Ces gens ailés vivaient là, avec une quantité d'autres habitants : des nains, des elfes, des nymphes et des géants. J'ai même aperçu de tout petits points brillants qui auraient pu être des lumilules. C'était fascinant. Cette scène, en vérité, avait dû se dérouler des siècles plus tôt !

Quelque chose d'autre m'a frappé. Tous ces gens ailés s'affairaient à de multiples tâches : porter de l'eau, construire des meubles, réparer des toits, planter des arbres fruitiers, des légumes, et plus encore. Le plus étonnant, c'est qu'ils semblaient faire toutes ces choses non pour eux-mêmes, mais pour les autres espèces. Partout, ils se rendaient utiles, comme s'ils étaient des sortes de gardiens chargés de veiller sur tout le monde. Même s'ils avaient le corps et les oreilles pointues des hommes et des femmes de Fincayra, ils me faisaient plutôt penser à des anges.

Après un nouveau tourbillon de couleurs, la scène a encore changé. Je voyais toujours la même ville au-dessus des falaises, mais avec des différences importantes. Les gens ailés semblaient plus lointains. Ils volaient dans le ciel d'azur au-dessus des autres, au lieu de travailler à leurs côtés. D'en haut, ils lançaient des ordres, et ceux d'en bas courbaient le dos ; je sentais qu'ils n'aimaient pas cela. Des nains leur répondaient en criant ; une géante les menaçait du poing.

Au centre de la ville s'élevait une énorme structure. J'ai d'abord cru que c'était un château, une forteresse face à la mer. Puis je me suis aperçu qu'elle était faite essentiellement de terre. En fait, il s'agissait d'un tumulus ! Un gigantesque tumulus. Était-il possible que ce soit le même ?

Pendant que j'observais la scène, un homme ailé, vêtu d'une robe pourpre, est descendu vers un groupe de nains. Il est resté au-dessus d'eux, le visage crispé. Soudain, il a sorti un grand fouet et l'a fait claquer derrière lui avant de frapper.

Nouveau tourbillon, nouvelle scène : la ville avait disparu, repoussée par le tumulus, qui avait doublé de taille. Sous son ombre gigantesque, une foule de gens ailés était rassemblée pour une céré-monie. Un nain, les bras liés dans le dos, s'est avancé en trébuchant. Il est tombé à genoux devant un homme ailé, debout sur une plate-forme de pierres de sarsen. L'homme ailé, qui por-tait une longue ceinture d'argent, a levé les bras comme pour une invocation. Tout à coup, deux hommes ailés ont sorti leurs épées incrustées de pierreries et l'ont tué. Son sang a éclaboussé les pierres.

J'en ai frémi d'horreur. Qu'est-ce qui avait valu à ce nain un tel châtiment ? Avait-il commis quelque crime affreux ? Mais non, mon instinct me disait qu'il n'en était rien. Je venais d'assister à un sacrifice ! Pas à des dieux, mais à des gens qui se croyaient des dieux. Oui, des *seigneurs divins*.

J'étais incapable de détacher mon regard de cette couronne de gui. Tout à coup, la scène s'est assombrie. De gros nuages se sont amassés, traversés par des éclairs. Puis le tumulus et toute la zone autour ont commencé à trembler si violemment que des crevasses se sont ouvertes dans le sol en crachant de la terre dans l'air. Pris de panique, les gens ailés se sont enfuis vers le ciel alors qu'une gigantesque forme émergeait des nuages, prête à fondre sur eux. Au milieu du chaos, je ne pouvais pas dire ce que c'était, mais à la faveur d'un éclair, j'ai vu une ombre s'abattre sur le tumulus. On aurait dit une main.

Soudain, j'ai entendu une voix, pas avec mes oreilles, mais dans ma tête. C'était une voix que je connaissais bien : sonore, sage et empreinte de tristesse. La voix de Dagda.

Écoute mes paroles, toi qui volais et qui es tombé ! Toi qui as trahi ma confiance, ignoré mes avertissements. Oui, tu as taché de sang tes propres ailes ! Aussi tes dons te seront repris, ton précieux tumulus, détruit, et la terre en dessous, oubliée.

Tandis que la voix marquait une pause, ses mots résonnaient dans ma tête comme ils avaient résonné dans l'air ce jour-là.

À présent, avec cette main qui t'a donné des ailes il y a longtemps, je vais séparer cette terre de toute autre terre, de la même manière que tu as séparé ton peuple de tout autre peuple. Elle demeurera ainsi pour toujours, comme la douleur dans tes os. Car cette terre est maudite et condamnée.

La scène a brusquement pris fin, balayée par un tourbillon de couleurs, plus sombres et plus rouges qu'auparavant. Peu à peu, ces couleurs ont pâli, puis se sont complètement effacées. Dans la couronne de feuilles dorées, on ne voyait plus que la terre sèche et nue.

Abasourdi, j'ai regardé la couronne, puis la pente battue par les vents, jonchée des restes de ce jour fatal. Armes, bijoux et pierres enchantées s'étalaient partout. Pourtant aucun de ces objets n'avait suffi à sauver ce peuple — mon peuple — de son sort. Quelle arrogance inouïe il lui avait fallu pour créer un lieu de culte en son propre honneur ! Et que de pertes il avait engendrées à la fois pour lui-même et pour Fincayra !

J'ai pris une poignée de terre, je l'ai pressée entre mes doigts. Aucune plante verte n'avait poussé depuis ce jour, et il n'en pousserait pas davantage dans l'avenir. *Maudite et condamnée.* La vie ne s'épanouirait plus jamais sur cette terre.

À moins que...

Lentement, j'ai enfoncé la main dans ma sacoche toujours humide. J'en ai sorti ma graine, dont la surface brune palpitait encore à son propre rythme. En la voyant briller au soleil, je songeais au temps qu'elle avait passé dans mon sac, et que j'avais passé, moi, à me demander où je devais la planter. Et j'ai compris que si je ne pouvais rien faire pour changer le passé misérable de ce lieu, je pouvais quand même contribuer à changer son avenir.

— Écoute-moi, graine magique, ai-je déclaré. Je t'offre au sol de cette terre désolée. Donne-lui la vie ! Rends-la aussi florissante qu'elle a pu l'être dans un lointain passé.

Avec soin, j'ai placé la graine sur le sol nu au centre de la couronne de gui. À l'instant où j'ai retiré ma main, la graine a frémi, puis, avec des tremblements fébriles, elle a commencé à s'enfoncer dans le sol. La terre s'est refermée sur elle comme pour l'étreindre et, quelques secondes plus tard, elle avait disparu.

J'ai attendu, espérant qu'il allait se produire quelque chose. Mais rien n'a bougé ; aucune pousse verte n'est apparue à l'intérieur du cercle doré. Je n'en étais pas moins certain d'avoir fait ce qu'il fallait.

Puis, à ma grande surprise, j'ai entendu de nouveau la voix sonore de Dagda. C'étaient les mots qu'il avait prononcés en ce jour sombre, j'en avais la conviction.

Et je dirai encore une chose : cette terre ne sera libérée de sa malédiction que si, dans les temps à venir, ton peuple vient ici et comprend bien ce que tu as fait.

Il s'est interrompu, et mon cœur s'est gonflé d'espoir.

Alors il a conclu :

Mais ces voyageurs du futur ne quitteront plus jamais cette île oubliée.

Plus jamais ?

Était-ce à dire que moi, Elen et les enfants étions condamnés à rester ici pour toujours ? Ou jusqu'à ce que nous périssions de faim ou de soif ? Non ! Je devais trouver un moyen de repartir, à la fois pour chercher de quoi nourrir les autres et pour aller au cercle de pierres.

J'ai vérifié la position du soleil. C'était déjà le milieu de l'après-midi. Dans à peine plus de deux jours, le passage entre les mondes s'ouvrirait, et l'invasion de Rhita Gawr commencerait.

Ma décision était prise. Je retournerais là-bas. Aucune malédiction, aucune barrière ne pourrait m'arrêter.

C'est alors qu'une ombre a surgi, recouvrant la statue et la couronne de gui. Mon ombre ! Enfin, elle était revenue. Sur le moment, j'ai été soulagé.

Mais, très vite, je lui ai trouvé une forme bizarre. Elle semblait plus grande et plus large qu'elle n'aurait dû l'être à cette heure de la journée. Et là, je me suis aperçu que cette ombre avait deux épées à la place des bras…

∾ XXVIII ∾
TERRE LONGTEMPS OUBLIÉE

— **P**lus moyen de t'échapper, morveux !

J'ai sursauté, mon cœur battant la chamade. Tueur ! Il était là, devant moi, bien planté sur ses jambes au milieu des ruines. Il a donné un coup de pied dans la roue d'un chariot qui a roulé dans la pente jusqu'au bord de la falaise avant de disparaître dans le vide. Puis il s'est avancé. Son gros rire résonnait sous le crâne qui masquait sa figure. L'eau dégoulinait de son armure, de ses bottes et de ses redoutables lames à double tranchant.

Je suis resté sans voix. Comment était-il arrivé là ? Le simple fait de le voir ici, sur la même île que ma mère et les enfants, me laissait abasourdi. Après tout ce que j'avais fait pour le fuir !

De derrière son masque, il a grogné :

— Tu n'as pas encore compris, avorton ? Je suis toujours plus près que tu ne l'imagines.

Bien plus près que tu ne l'imagines. Les mêmes mots qu'avait utilisés Urnalda pour le décrire.

— J'ai trop nagé, à cause de toi, a-t-il grommelé. Aucun de tes hommes-poissons n'a voulu m'aider, mais j'ai rencontré d'autres bonnes volontés dans la mer.

Voilà donc comment il était venu ! J'avais demandé de l'aide à la mer pour la traversée, et lui aussi. Comme il avait fait avec tous les pouvoirs que j'avais essayé d'utiliser contre lui, il me renvoyait celui-là au visage ! Alors même que mon sang bouillonnait de rage, je continuais à lui trouver un je ne sais quoi de familier. Mais impossible de définir ce que c'était.

Il m'a lancé un regard noir. Ses lames étincelaient au soleil. J'ai saisi mon bâton d'une main, dégainé mon épée de l'autre. La grande lame a tinté dans l'air un moment, comme un carillon lointain. À peine l'avais-je levée que Tueur est passé à l'attaque, ses deux bras prêts à me tailler en pièces.

J'ai fait un bond de côté et frappé à toute volée avec mon bâton au moment où il fonçait sur l'endroit que je venais de quitter. L'extrémité noueuse l'a atteint dans le dos et projeté contre un bloc de granit. La pierre a basculé sur le côté et glissé dans la fosse, projetant de la terre dans toutes les directions. Le guerrier a toutefois réussi à garder l'équilibre. Après avoir pataugé dans la terre molle, il s'est précipité sur moi en rugissant.

Pour parer le coup, j'ai levé ensemble mon épée et mon bâton. Nos armes se sont heurtées en l'air dans un fracas métallique, provoquant une pluie d'étincelles. Il a reculé et repris l'attaque avec une lame que j'ai bloquée avec la mienne. Il a tournoyé sur un pied et m'a attaqué de nouveau ; j'ai dévié l'épée avec mon bâton. Nous nous sommes affrontés ainsi au milieu du champ de ruines, rendant coup pour coup.

À un moment, il me poursuivait avec un tel acharnement que j'ai commencé à battre en retraite, quand, soudain, j'ai trébuché sur un chaudron à bordure dorée et me suis étalé sur un tas de vaisselle cassée. Tueur arrivait et je n'avais pas le temps de me relever. Alors que les lames allaient s'abattre sur moi, j'ai attrapé un bol avec la pointe de ma botte et, d'un puissant coup de pied, je lui ai envoyé la poterie au visage. Tandis qu'elle éclatait sur son masque, j'ai roulé sur le côté et je me suis relevé.

Aussitôt, j'ai contre-attaqué, jouant de l'épée à tour de bras et l'obligeant à reculer jusqu'au sommet de la pente. La fosse se trouvait juste derrière lui. En cherchant à éviter un de mes coups, il a fait un pas de trop en arrière et s'est retrouvé en équilibre instable sur le bord, une jambe au-dessus du trou, avec les pierres qui dégringolaient en dessous.

Je me suis rué sur lui.

Malheureusement, il a réussi à se rétablir en prenant appui sur ses deux lames. Au moment où j'arrivais, il s'est baissé et, l'épaule en avant, m'a foncé dessus. Nous avons roulé ensemble dans les débris, heurtant au passage une statue figurant trois femmes ailées qui a volé en éclats.

Une des lames du guerrier a pénétré dans ma chair juste avant que nous nous séparions. Je me suis relevé avec peine, écrasant sous mon pied le fémur d'un squelette. En face de moi, Tueur s'est relevé, tout aussi essoufflé.

— Première blessure, a-t-il raillé. Et ça va encore saigner !

Ne voulant pas lâcher mes armes, même un instant, je ne pouvais pas toucher mon épaule. Mais je sentais des élancements et le sang qui coulait le long de mon bras gauche. Mon bâton me semblait de plus en plus lourd.

Une lueur à l'horizon a attiré mon attention. C'était la lune qui se levait déjà ! Je me suis rendu compte alors, en voyant le ciel, que nous nous étions battus tout l'après-midi et même après le coucher du soleil. Le crépuscule étendait son manteau d'ombres sur les ruines de l'île. Trempé de sueur, j'ai frissonné de froid.

J'ai pensé à Elen qui attendait, en bas, au pied d'une des falaises. Sans nouvelles de moi, elle devait être folle d'inquiétude. Heureusement qu'elle ne savait pas ce qui se passait. Si elle avait vu Tueur, elle se serait jetée sur lui. Pour l'instant, mieux valait qu'elle et les enfants restent en dehors de tout cela.

Mon adversaire est repassé à l'attaque. J'ai bloqué un coup, paré un autre et esquivé un troisième. Des étincelles jaillissaient dans l'air, éclairant le sombre tumulus. Tueur a essayé de me pousser vers le bord de la fosse, mais en me glissant derrière une table d'améthyste renversée, j'ai pu m'éloigner du bord et retrouver de la place pour manœuvrer.

Cet avantage n'a pas duré longtemps. Mon épaule me faisait très mal et, à chaque coup que prenait mon bâton, mon bras s'affaiblissait. D'ici peu, je ne pourrais plus lever mon bâton, ni même le serrer dans ma main. Tueur savait qu'il m'épuisait, et il visait toujours mon côté le plus faible.

Alors que la lune presque pleine s'élevait au-dessus de l'île, jetant une lumière spectrale sur le chariot en ruine, Tueur et moi poursuivions notre combat. Maintenant, j'appuyais la tête de mon bâton contre ma hanche en essayant de le tenir comme une lance, mais mon épaule s'affaiblissait encore. Finalement, avec une plainte déchirante, j'ai laissé tomber mon bâton. Je n'avais plus qu'une arme, à présent, et un seul bras valide.

Nous nous sommes battus toute la nuit, fourbus et transis. Les coups d'épée de mon adversaire, aussi fatigué que moi, devenaient moins vigoureux. Il trébuchait souvent et ses pantalons déchirés claquaient l'air à chacun de ses mouvements. Mais sa volonté de me tuer ne se relâchait pas. Il continuait à attaquer, heure après heure.

Ma vision de nuit, meilleure que la sienne, me donnait un léger avantage. Je voyais mieux les armes et anticipais les coups un peu plus vite. Cela ne compensait pas cependant le fait d'avoir une épée au lieu de deux. Je passais mon temps à repousser ses attaques, et prenais rarement l'initiative. Comme j'aurais aimé utiliser mes pouvoirs magiques contre lui !

Quand la lune s'est cachée derrière l'horizon, je tenais à peine debout. Lentement, le ciel s'est éclairci à l'est. De larges bandes rouges se sont élevées dans le ciel, repoussant l'obscurité et rougissant les flots écumeux.

Le guerrier a réussi à m'acculer au bord d'une falaise. Ce n'était pas celle que j'avais escaladée, mais elle était tout aussi abrupte. Derrière moi, loin en bas, j'entendais les vagues s'écraser contre la paroi rocheuse. La chute serait mortelle, et Tueur le savait.

Une lame a sifflé au-dessus de ma tête. En me baissant pour l'éviter, j'ai buté sur une harpe brisée. Je suis tombé sur le côté, mon épée m'a échappé et j'ai glissé vers le bord. Les doigts agrippés au sol, je tentais désespérément de me retenir quand, à la dernière fraction de seconde, j'ai réussi à m'arrêter.

Au moment où j'allais m'asseoir, une pointe d'épée m'a piqué la poitrine. Tueur était debout au-dessus de moi, chancelant d'épuisement, son masque strié des rayons rouges du soleil levant.

— Cette fois, a-t-il lancé d'une voix rauque et haletante, l'heure est venue de te tuer... avorton d'enchanteur. J'attendais ça depuis... si longtemps.

Malgré l'épée qui me piquait les côtes, j'ai essayé de m'asseoir.

— Qui es-tu ? Que t'ai-je donc fait ?

— Plus de mal que tu ne l'imagines, a-t-il répondu d'une voix bourrue.

Mais quelle était donc cette voix ? J'étais sûr de l'avoir déjà entendue...

— Je ne te crois pas, ai-je lancé.

De la gorge du guerrier est sorti un long grognement.

— Eh bien, petit morveux, tu croiras peut-être ça.

Une épée toujours dirigée sur ma poitrine, il a levé l'autre et rejeté son masque en arrière. Alors j'ai reconnu ses yeux gris au regard plein de colère.

Dinatius.

Sous le choc, je suis retombé en arrière. Ce même Dinatius qui avait tenté de nous tuer, ma mère et moi, autrefois. Celui qui avait péri — du moins le croyais-je — dans l'incendie que j'avais provoqué. Ce souvenir me donnait encore des frissons : Dinatius au sol, les deux bras écrasés sous un arbre, hurlant de douleur alors que les flammes le brûlaient vif. Dans cet incendie, j'avais perdu mes yeux, et Dinatius, ses bras — je le voyais maintenant. Grands dieux !

— Alors, tu me reconnais ? J'en suis heureux. Il fallait que tu saches qui t'a enfin vaincu. C'est Dinatius, ton vainqueur ! Moi, et mon puissant ami.

Il a frotté ses deux lames ensemble, comme s'il s'apprêtait à festoyer.

Le vent de la mer s'est mis à siffler, soufflant de l'air froid dans mon dos.

— Ton ami ? ai-je bredouillé. Qui est-ce ?

Il s'est mis à aller et venir devant moi comme un loup affamé ayant enfin acculé sa proie. Le regard triomphant, il continuait à me donner des petits coups dans les côtes avec la pointe de sa lame.

— Tu ne devines pas, morveux ? Faut-il qu'il apparaisse sous la forme d'un sanglier ?

J'ai blêmi. Rhita Gawr! C'était bien ce que je craignais. Rhita Gawr voulait me détourner de ma mission, m'empêcher de soulever le peuple de Fincayra. Et pour cela, il avait recruté Dinatius en lui donnant des bras d'acier et la capacité de retourner mes propres pouvoirs contre moi. C'était lui aussi qui avait eu l'idée d'attaquer les enfants. Il m'avait piégé et, pire encore, je lui avais moi-même fourni sans le vouloir l'instrument de ma perte! Si je n'avais pas blessé Dinatius, il ne se serait pas allié à Rhita Gawr. Maintenant, d'autres vies seraient sacrifiées, tout comme mon pays.

— Dinatius, ai-je supplié, tu ne vois donc pas que Rhita Gawr se sert de toi, que tu n'es qu'un pion pour lui? S'il t'a donné des épées, et pas de vrais bras comme ceux que tu avais aupara-vant, c'est pour que tu le serves. Tout ce qu'il t'a offert, c'est...

— ... la vengeance! a rugi mon adversaire d'une voix tonitruante, propre à ébranler la côte d'en face. Voilà ce qu'il m'a offert, morveux, et j'ai sauté sur l'occasion. Et puis arrête tes discours. Avec moi, ça ne prend pas, vermine.

Ses joues s'empourpraient, ses coups d'épée s'enchaînaient de plus en plus rapidement, me poussant dangereusement vers le bord de la falaise.

— Je veux juste que tu comprennes ! ai-je repris. Ce que je t'ai fait était terrible. Vraiment terrible, et je le regrette depuis longtemps. Mais maintenant nous devons...

— Maintenant, il est temps de régler nos comptes ! a-t-il beuglé, de plus en plus nerveux. Tu vas mourir pour ce que tu as fait, avorton d'enchanteur. Et tout de suite.

Avec un hurlement de rage, il s'est jeté sur moi, l'épée en avant. Au même instant, le rocher juste en dessous de lui, en bordure de la falaise, a cédé sous son poids. La lame m'a éraflé et, brusquement, s'est relevée, emportée dans la chute de mon agresseur, au milieu d'un nuage de poussière et d'une avalanche de pierres.

Quand le nuage de poussière est retombé, j'ai constaté que l'éboulement avait laissé un couloir, raide mais praticable, jusqu'au rivage : une bande de sable beaucoup plus mince que la crique où j'avais laissé Elen et les autres. En dessous de moi, à demi enseveli sous les débris, gisait Dinatius. J'ai attrapé mon épée et je me suis laissé glisser sur le derrière en me freinant avec les talons, sans me soucier des projections de débris que je recevais en pleine figure. Arrivé en bas, je me suis frayé un chemin jusqu'à lui.

Je l'ai regardé d'un regard mauvais, tout comme il l'avait fait. D'après la position de ses jambes, elles étaient toutes les deux brisées. Un gros bloc de pierre lui écrasait les côtes, et son front était marqué d'une entaille qui saignait. Mais il n'avait rien perdu de sa rage. Quand je me suis approché, il a craché de la terre à mes pieds. Il a levé un bras pour me frapper et la lame a failli toucher mon épaule blessée.

À mon tour, j'ai brandi mon épée. Malgré le bruit des vagues autour de nous, j'entendais mon cœur tambouriner dans mes oreilles. Il était là, mon grand persécuteur! Un serviteur de Rhita Gawr! Quelques instants plus tôt, il avait essayé de me tuer, comme il avait tué la pauvre Ellyrianna, et comme il le ferait pour beaucoup d'autres, s'il en avait l'occasion.

Une vague s'est brisée sur le rivage, nous aspergeant d'écume et d'algues. J'ai cligné des paupières pour chasser le sel de mes yeux avant de frapper. Puis, alors qu'une goutte d'eau salée coulait sur ma joue et mes cicatrices, j'ai hésité, me rappelant l'incendie qui nous avait brûlés et mutilés l'un et l'autre.

J'ai serré la poignée de mon épée dans ma main. Cette fois, la chance m'était donnée d'en finir avec lui. Mais tout ne serait pas réglé pour autant.

— Eh bien, vas-y, morveux, a-t-il lancé d'une voix rageuse. Tue-moi!

J'observais son corps tordu.

— Oh oui, ce serait facile, ai-je déclaré. Mais je ne le ferai pas.

Lentement, j'ai abaissé mon épée et je l'ai glissée dans son fourreau. Dinatius a cru que je me moquais de lui.

— Allez, arrête de jouer au malin, avorton.

— Je ne joue pas, ai-je répondu avec calme, rafraîchi par le vent marin.

J'ai jeté un coup d'œil vers la falaise derrière moi et le tumulus au-dessus, songeant à toutes les souffrances que représentait ce lieu, des souffrances encouragées par mes propres ancêtres.

Je me suis tourné de nouveau vers Dinatius. M'adressant à lui, à l'île et à la mer qui grondait autour de nous, j'ai annoncé solennellement :

— Non, je ne te tuerai pas. Trop de sang a déjà souillé cette terre.

Tout à coup, le sable sous mes pieds s'est mis à trembler. J'ai entendu un lointain bruit de tonnerre qui s'est rapidement changé en grondement assourdissant. Toute l'île a tremblé, et je suis tombé à genoux sur le sable. En même temps, les vagues se sont calmées, comme si elles attendaient quelque chose. Tout le bras de mer jusqu'à la côte opposée est devenu aussi immobile qu'une vaste plaque de glace.

Mais l'île continuait de trembler si violemment que je ne pouvais même plus me tenir à genoux. Plusieurs rochers se sont détachés de la falaise, ont rebondi sur le sable et atterri dans la mer près de moi, faisant gicler l'eau de tous les côtés. Je pouvais à peine relever la tête. Dinatius, quant à lui, a donné de grands coups sur le sol avec son bras libre en gémissant douloureusement, avant de retomber, inerte.

Un peu plus tard, le tremblement a ralenti de façon spectaculaire, tandis que le grondement s'atténuait fortement. Un vent vif s'est levé, soulevant ma tunique déchirée. En chancelant, j'ai réussi à me mettre debout, même si le sol était toujours instable. Intrigué par ce qui se passait, j'ai regardé la mer. J'ai cru que j'allais tomber à la renverse.

L'île bougeait! Elle glissait sur les flots comme une feuille sur un lac. Le vent sifflait dans mes oreilles. Un mince courant le long du rivage indiquait que nous avancions, mais à part cela, l'océan était calme. Pendant ce temps, la côte ouest de Fincayra, bordée de sombres falaises identiques à celle qui se dressait au-dessus de nous à présent, se rapprochait rapidement.

Je suis resté un long moment bouche bée devant ce qui nous arrivait. L'Île oubliée regagnait la grande île! La côte d'en face allait entrer en collision avec l'endroit précis où nous étions, Dinatius et moi. Et, à cette vitesse, le choc allait se produire dans quelques minutes.

J'ai couru vers Dinatius, toujours inconscient, et, avec mon épaule valide, j'ai poussé de toutes mes forces la pierre qu'il avait sur la poitrine et réussi à le dégager. Le bras de mer se rétrécissait rapidement.

Je me suis agenouillé près de lui. D'où m'est venue cette force, je l'ignore, mais j'ai réussi à le hisser sur mon dos. Titubant sous son poids et à cause de la vibration du sol, je l'ai transporté jusqu'au couloir qui s'était ouvert après sa chute. Raide comme il était, j'ai grimpé lentement, essayant à tout moment de tenir le corps inerte en équilibre. Mes genoux et mes cuisses souffraient ; mon bras blessé était comme une branche morte. Mais j'ai persévéré et tenu bon pendant toute la montée.

Arrivé en haut, j'étais épuisé. J'ai roulé sur le côté et me suis débarrassé de ma charge. Pendant plusieurs secondes, je suis resté couché sur le sol, trop faible pour bouger. Soudain, un craquement énorme a retenti. J'ai été projeté vers le couloir que je venais d'escalader. J'ai mis les bras devant mon visage, certain que j'allais plonger par-dessus la falaise.

Mais il n'y avait pas de falaise. Dans l'étrange silence qui s'était soudain installé, j'ai baissé les bras et découvert ce qui s'était passé : le rivage sur lequel nous étions quelques instants plus tôt avait disparu, ainsi que le bras de mer séparant les deux îles.

Je me suis levé, abasourdi. Les côtes s'étaient soudées ! Non sans laisser des traces, bien sûr. La jointure, marquée par des tas de rochers et des failles étroites, était visible. Mais le résultat était clair : cet endroit était maintenant un promontoire qui s'avançait dans la mer. L'île bannie avait enfin rejoint Fincayra.

Si une terre oubliée/ Revient à ses rives. Les vers de la ballade de Finn, qui avaient paru si curieux à Cairpré quand il les avait récités, prenaient à présent tout leur sens.

Mais comment était-ce arrivé ? J'ai levé les yeux vers le tumulus jonché des restes de ses trésors. D'un pas mal assuré, j'ai escaladé la pente. Mes bottes s'enfonçaient dans le sol. Des feuilles dorées ont attiré mon regard et je me suis dirigé vers la couronne de gui. J'ai regardé à l'intérieur du cercle où j'avais planté la graine, espérant voir quelque signe de changement. Rien que de la terre.

J'ai jeté un coup d'œil vers la statue aux ailes brisées, et je me suis rappelé les dernières paroles de Dagda : *Et je dirai encore une chose : cette terre ne sera libérée de sa malédiction que si, dans les temps à venir, ton peuple vient ici et comprend bien ce que tu as fait. Mais ces voyageurs du futur ne quitteront plus jamais cette île oubliée.*

Tandis que ces mots résonnaient dans ma tête, je suis retourné voir Dinatius. Il avait le corps brisé, mais il était vivant. Avais-je montré, en lui laissant la vie sauve, que j'avais découvert la vérité sur les fautes du peuple ailé ? Mon geste avait-il suffi à mettre fin à la malédiction de l'île ? Seul Dagda connaissait la réponse. En tout cas, ses paroles se révélaient justes, car lorsque viendrait le moment de quitter cet endroit, ce n'était pas une île que je quitterais, mais un promontoire rattaché enfin à sa terre d'origine.

XXIX

UNE ÉTOILE DANS UN CERCLE

e soleil, plus haut dans le ciel, faisait briller les débris de pierres, d'armes et de bijoux jonchant le sol. À l'ouest, les vagues aux crêtes dorées formaient des lignes vagabondes qui se fondaient au loin dans le mur de brume, lequel se fondait à son tour dans le ciel d'azur. Les vagues grondaient au pied des sombres falaises, striées d'affleurements rocheux semblables à des couches de crème. À présent, ces falaises n'entouraient le tumulus que sur trois côtés. Je ne voyais plus la mer à l'est, seulement des terres brunes s'élevant vers des montagnes aux sommets neigeux.

À mes pieds était étendu le corps de Dinatius. Même brisé et inconscient, il n'en restait pas moins un danger pour nous tous. Je lui avais laissé la vie sauve, oui. Mais je ne lui laisserais plus aucune chance de faire du mal.

J'ai aperçu, sur une pierre de sarsen, une corde rouge avec des glands d'argent aux deux extrémités. Juste ce qu'il me fallait ! Vite, je l'ai enroulée autour du corps du guerrier, en prenant soin de ficeler solidement ses lames à plat sur les côtés. Dans l'état de faiblesse où j'étais, j'ai dû fournir un gros effort rien que pour le retourner et serrer les nœuds. L'opération terminée, je n'avais plus qu'à veiller à ce qu'il ne coupe pas la corde.

Une crainte subite m'a saisi. Elen et les autres étaient-ils sains et saufs ? Même si leur crique n'était pas entrée en collision avec la côte, l'impact aurait pu provoquer un éboulement. Des enfants auraient pu être blessés ou pire encore. J'ai scruté avec inquiétude le rebord de la falaise, cherchant le rocher qui s'avançait au-dessus de la plage.

Et, soudain, j'ai vu l'endroit où il aurait dû être : toute cette partie-là s'était effondrée. Sans même prendre le temps de ramasser mon bâton, je me suis précipité vers la falaise, mais mon pied a buté contre une dague et je me suis étalé de tout mon long. Mon épaule, noire de terre, me faisait horriblement souffrir.

Tandis que je me relevais, haletant, une petite tête bouclée a surgi au-dessus du rebord. Lleu ! Il a grimpé le reste de la pente, suivi aussitôt par ma mère dont la robe bleue était couverte de sable, et nous nous sommes jetés dans les bras les uns des autres.

Puis Lleu a relâché son étreinte. Tout en jouant avec la cicatrice à son oreille, il a vu les trésors éparpillés autour de nous et le corps immobile de son agresseur. Visiblement impressionné, il est resté un moment à les contempler. Elen, elle, examinait mon visage. Ses yeux se sont posés sur mon épaule blessée.

— Ta blessure est profonde, Merlin, a-t-elle dit. Baisse-toi, je vais te soigner. Si seulement j'avais un brin de citronnelle !

Elle commençait déjà à nettoyer la plaie avec sa manche mouillée.

— Non, mère. Nettoie juste la plaie, ça suffira. Je dois... aïe... aller...

— Tu n'iras nulle part, mon fils, tant que je n'aurai pas pansé cette blessure. Tiens, regarde, elle saigne de nouveau. Ensuite tu auras besoin de repos.

Elle s'est mordillé la lèvre tout en travaillant.

— Impossible, ai-je protesté faiblement. Il ne reste que deux jours avant la bataille ! J'ai tout juste le temps, même en courant comme un cerf.

— Comment peux-tu parler de courir ?

Avec le toucher ferme d'une guérisseuse expérimentée, elle a appuyé sur mon épaule valide. Mes jambes se sont dérobées sous moi et je suis tombé à genoux sur le sol. À contrecœur, j'ai cédé, en me disant que je partirais dès qu'elle aurait fini. Pendant que je m'allongeais sur le dos, elle m'a bombardé de questions sur les ruines, l'île et, bien sûr, Dinatius. J'ai fait de mon mieux pour y répondre, mais pas avant qu'elle m'ait assuré que le glissement de terrain qui leur avait ouvert le passage n'avait blessé personne.

Je me souviens de l'avoir entendue demander à Lleu d'aller chercher du goémon humide et un flacon d'eau de mer. Je me souviens aussi d'avoir écouté l'incessant battement des vagues contre les falaises, et même d'avoir aperçu la silhouette d'une risse volant dans la lumière du matin. Ensuite, je me suis évanoui.

Quand j'ai repris connaissance, j'ai eu un moment de panique. Quelle heure était-il ? À mon grand soulagement, la position du soleil indiquait que c'était seulement le milieu de la matinée. Je n'avais pas perdu plus d'une heure.

Je me suis assis, faisant bruisser le gilet jaune et chaud que je portais. Le gilet de fleurs astrales ! Ma mère avait dû me l'enfiler. Puis j'ai remué mon épaule. Elle était encore raide mais beaucoup plus forte qu'avant. Et j'avais faim, une faim que je n'avais pas ressentie depuis longtemps.

— Alors, mon fils, te voilà réveillé !

En voyant Elen s'approcher, j'ai fait l'effort de me lever. Lleu est arrivé derrière elle, portant quelque chose sur un morceau de bois plat en guise de plateau.

— Je me sens beaucoup mieux, ai-je annoncé. Grâce à toi.

Elle a hoché la tête avec satisfaction, mais son front plissé trahissait son inquiétude.

— Tiens, nous t'avons apporté de quoi manger.

Elle a pris sur le morceau de bois une feuille d'algue roulée, généreusement farcie de quelque chose de juteux.

— Des moules et de l'herbe de mer, a-t-elle expliqué. Les enfants se sont nourris de ça.

— Ça r'ssemble à d'la morve, hein ? a grogné Lleu. Mais c'est mangeable.

Sans hésiter, j'ai pris une grosse bouchée de ce rouleau. De bonnes saveurs de la mer ont rempli ma bouche, mais il fallait mâcher long-temps. Heureusement, Lleu m'a offert une autre algue contenant, cette fois, un morceau de glace que j'ai sucé pour avaler ma bouchée. J'ai mangé ainsi goulûment durant plusieurs minutes et, tout ce temps-là, ma mère m'a observé d'un air préoc-cupé. Ma dernière bouchée avalée, j'ai posé quelques questions.

— Comment vont les enfants ?

— Eh bien, comme des enfants, a-t-elle répondu, retrouvant sa gaieté. Ils sont tous en bonne santé, sauf quelques-uns qui toussent un peu trop.

— Et toi, Lleu?

— Moi? Ça va, a-t-il dit en touchant sa cicatrice avec précaution. Je dors mieux.

— Oui, c'est incroyable, a renchéri Elen en lui ébouriffant les cheveux. Il est robuste, ce garçon.

— Très robuste, ai-je acquiescé.

Lleu m'a regardé, le visage rayonnant.

— Comme vous, maître Merlin.

— Et lui, là-bas? ai-je demandé, désignant de la tête le haut de la pente où j'avais laissé Dinatius.

— Toujours inconscient, a répondu ma mère d'un air sombre. J'ai dû me forcer pour lui remettre les jambes en état. Et je t'avoue qu'il m'a fallu de la volonté pour ne pas les lui briser de nouveau.

— Je te comprends sans peine. Et je te remercie pour tes soins. Tes mains font vraiment des merveilles, ai-je dit en tâtant la compresse d'herbe de mer qu'elle avait mise sur ma blessure.

— Oh, elles n'ont pas fait grand-chose. Une fois nettoyés, tes tendons se sont pratiquement rattachés d'eux-mêmes. Oui, et sous mes yeux! Je n'avais jamais rien vu de pareil.

Ses yeux brillaient de fierté autant qu'ils étaient perplexes.

— C'est simplement l'effet de tes talents.

— Non, Merlin, de la magie que tu portes en toi. Elle est vraiment très puissante.

J'ai remué encore une fois mon épaule raide.

— Rien ne se serait passé si tu ne m'avais pas obligé à rester un peu. Et c'est formidable d'avoir si bien réussi à me soigner en seulement une heure.

Elle a tressailli un peu.

— Ce n'est pas seulement une heure qu'il a fallu, mais un jour.

— Un jour ?

Elle a hoché la tête.

— Tu as perdu connaissance dès que j'ai commencé à m'occuper de toi. C'était hier matin.

— Un jour entier !

Je me suis tourné vers les montagnes enneigées à l'est. Il ne restait donc que quelques heures. Comment pourrais-je me rendre à l'autre bout de Fincayra avant le coucher du soleil ? Rhia serait sûrement là-bas à m'attendre, avec tous ceux qu'elle aurait réussi à convaincre. Je ne pouvais pas la laisser tomber. Non, c'était impossible ! Mais... que faire, à présent ? C'était désespérant !

— Je suis navrée, mon fils, s'est excusée Elen, une main posée sur mon avant-bras.

Je n'ai rien dit, mais je ne quittais pas l'horizon des yeux. Le passage entre les mondes... la bataille pour sauver notre pays... l'affrontement final avec Rhita Gawr.

Lleu a tiré sur ma jambière et levé vers moi sa face ronde.

— Pourquoi vous êtes si triste ?

Elen a répondu à ma place tout en tapotant son épaule :

— Parce qu'il ne peut pas faire ce qu'il croit devoir faire.

Lleu a plissé le nez, sceptique.

— Mais quand vous nous avez raconté l'histoire des douze travaux d'Her... ah, peu importe son nom, vous avez dit qu'il y avait toujours un moyen.

— Cette fois-ci, il n'y en a pas, a-t-elle répondu sombrement.

Il y a toujours un moyen, ai-je grogné intérieurement. Mais lequel ? Un vent glacial m'a fouetté le visage et même traversé le tissage des tiges de mon gilet. J'ai serré mes bras contre ma poitrine pour essayer de me garder au chaud. Soudain, une idée m'est venue. Peut-être...

J'ai levé les bras haut au-dessus de ma tête et scruté le ciel sans nuages.

— Aylah ! ai-je crié. Ayylahhhh !

Je n'ai senti aucune présence nouvelle, ni la moindre odeur de cannelle.

— Aylah ! Viens, sœur du vent sauvage. Où que tu sois, viens ! J'ai besoin de ton aide.

Toujours rien.

Étirant mes bras plus haut et chacun de mes doigts, j'ai essayé de nouveau.

— Aylah, je t'en prie! Emmène-moi au cercle de pierres avant la fin de ce jour.

Aucun coup de vent n'a répondu à mon appel. Découragé, j'ai baissé les bras. Mon regard a croisé celui d'Elen.

— Cela ne sert à rien, ai-je soupiré.

Elle a acquiescé lentement.

— Si seulement tu pouvais voler comme les gens autrefois. Ou te servir du pouvoir de Sauter, comme l'enchanteur que tu vas sûrement devenir.

— Ou peut-être..., ai-je repris, ma confiance me revenant avec une nouvelle idée, comme l'enchanteur que je suis déjà.

Elle m'a regardé, d'un air d'abord surpris puis convaincu.

— Mais oui, bien sûr! Si tu peux ramener une île vers son rivage...

J'ai frappé mon poing dans ma paume.

— Oui! Il y a au moins une chance.

— Emmenez-moi avec vous, a supplié Lleu.

J'ai tiré affectueusement sur son écharpe.

— Non, mon ami. C'est trop dangereux. Si mes pouvoirs ne fonctionnent pas, je risque de tomber au fond de l'océan ou sous un tas de rochers quelque part. Et s'ils fonctionnent... les dangers seront tout aussi grands.

— Ça m'est égal, maître Merlin. Emmenez-moi..., a-t-il insisté en plissant les yeux.

— Désolé, Lleu. Il faut que tu restes ici pour veiller sur elle, ai-je dit en regardant Elen.

— Ce sera difficile, car je t'accompagne, m'a-t-elle annoncé. Maintenant que nous sommes à Fincayra, et qu'il n'y a plus rien à craindre du côté de Tueur, je ne me fais plus de souci pour les enfants. Ils se débrouillent très bien tout seuls. En ce qui concerne les petits, je demanderai à Medba de...

— Non ! l'ai-je coupée en enfonçant mes talons dans le sol. Je ne vous emmène ni l'un ni l'autre. S'il te plaît, tu dois me faire confiance.

— Je te fais confiance, mon fils, a-t-elle soupiré. Et en même temps, j'ai peur pour toi.

— Moi aussi, j'ai peur pour toi, et pour tout le monde dans ce pays. C'est justement pour ça que je dois y aller. Le seul que j'emmènerai, c'est Dinatius. Ainsi, quoi qu'il arrive, il sera avec moi, pas avec vous.

Elle a hoché la tête, résignée, et Lleu de même.

— Nous nous reverrons, soyez tranquilles, ai-je déclaré.

Mais je n'étais pas tout à fait certain de ce que j'affirmais.

Là-dessus, je les ai quittés et j'ai commencé à grimper. Quand je suis arrivé près de Dinatius, il a gémi et légèrement bougé. Je suis resté un moment à l'observer. Puis j'ai ramassé mon bâton. Le vent me poussait dans le dos, sifflait dans mes oreilles, mais, arc-bouté sur mon bâton, je tenais bon, comme j'étais décidé à le faire devant Rhita Gawr.

J'ai réfléchi longuement au plus grand des arts magiques : le pouvoir de Sauter appliqué à soi-même. Je n'étais pas sûr d'être vraiment prêt. L'envie m'est venue de monter jusqu'à la couronne de gui, au sommet du tumulus, pour voir si ma graine magique donnait quelque signe de vie. Mais j'ai résisté. Je devais me concentrer sur la seule tâche importante : le Saut jusqu'au cercle de pierres.

Alors que je serrais mon bâton face aux rafales de plus en plus fortes, je me suis aperçu que ma main recouvrait la marque représentant le Saut — l'étoile dans un cercle. Beaucoup de temps s'était écoulé depuis que Gwri aux cheveux d'or m'avait donné cette marque, et prédit qu'un rameau de gui m'attendrait ici. Le souvenir de notre rencontre, pourtant, était aussi clair dans ma mémoire que le cercle chatoyant dans lequel Gwri m'était apparue. Ce jour-là, elle m'avait expliqué que le vrai pouvoir de Sauter rési-dait dans les liens secrets qui relient toutes les choses entre elles : l'air, la mer, la brume, la terre, la main de chacun de nous. Car tout joue un rôle dans ce qu'elle appelait le *grand et glorieux Chant des Étoiles.*

J'ai pensé au cercle de pierres où je devais me rendre, si loin d'ici. Ces grands piliers qui, jadis, avaient été témoins de la Danse des géants, assisteraient, dans quelques heures, à la rencontre de deux mondes. L'avertissement de Dagda résonnait encore dans ma tête : pour sauver Fincayra, il fallait y rassembler le plus de gens possible, et beaucoup d'espèces différentes. Jusqu'à ce jour, je n'avais rien pu faire pour favoriser un tel rassemblement. Rhita Gawr, en se servant de Dinatius, avait réussi à m'en empêcher.

Mais avec Rhia, il restait encore une chance. Je l'imaginais marchant vers les collines. Elle serait au rendez-vous, j'en étais certain, même si elle n'avait pas trouvé un seul allié.

Sur qui d'autre pouvais-je compter ? Pas sur Shim, qui était peut-être déjà victime des machinations d'Urnalda ; ni sur Cairpré qui, comme ma mère, serait ailleurs. Pas non plus sur mon ombre, que je regrettais amèrement d'avoir renvoyée, car en dépit de son impertinence, elle était quand même une partie de moi. Quant à Hallia, elle devait être encore dans le nord à la recherche des dragons.

Hallia… Avant, elle et moi étions *comme le miel sur la feuille.* Mais ces mots, à présent, ne correspondaient plus à grand-chose, alors qu'ils sonnaient si juste dans les bois de la Druma. Nous nous aimions toujours autant, et nous avions toujours la même envie de courir ensemble comme des cerfs. Mais tout notre monde, tout notre avenir étaient devenus incertains. Et pourtant, jamais nous ne pourrions vivre l'un sans l'autre, comme jamais nous ne pourrions vivre séparés de notre pays.

De notre Fincayra.

Les pieds solidement plantés sur le sol, dont au moins un touchait Dinatius, j'ai regardé le ciel cristallin. Il était temps de partir. Lentement, j'ai ouvert mon cœur, mon âme, mon esprit à la magie, invoquant le pouvoir de Sauter, où qu'il se cache — dans l'air environnant, la mer sans fond, la brume qui toujours roule, le sol merveilleux, et dans mes mains pleines de vie.

D'abord, je n'ai rien senti d'autre que le vent froid qui ébouriffait mes cheveux et s'engouffrait dans mon gilet. Puis, peu à peu, j'ai senti de la chaleur. Elle n'était pas dans l'air, ni en dehors de moi, mais elle s'infiltrait partout en moi : dans mes veines, dans les pores de ma peau, dans mes os. Bientôt, telle une vague, elle a envahi tout mon corps.

Envoie-nous là-bas, ai-je supplié en silence. *Envoie-nous au cercle de pierres.*

Dans un crépitement de lumière, un nuage flamboyant nous a enveloppés. Puis, d'un seul coup, il s'est volatilisé... et nous avec lui.

XXX

PREMIERS TREMBLEMENTS

uand le nuage s'est dissipé, Dinatius était étendu à mes pieds, encore inconscient, mais il continuait à gémir et à se tordre sous ses liens. Nous étions sur un sol nu, plus plat et plus dur que le précédent. Les ruines de l'ancien tumulus, jonché d'armes brisées et de trésors oubliés, avaient disparu.

Nous étions entourés d'un anneau de pierres colossales qui bordaient le sommet d'une colline arrondie. Certaines étaient droites, d'autres, penchées de côté, et d'autres encore soutenaient d'énormes traverses. Le cercle de pierres !

Triomphant, j'ai frappé un grand coup sur le sol avec mon bâton. J'avais réussi. Je m'étais transporté par le pouvoir de Sauter !

À travers les espaces entre les pierres, j'apercevais les collines environnantes parsemées de plaques de neige et de bois dénudés. Sur celle où je me trouvais, il n'y avait pas d'arbres. Seulement les pierres dressées et un rocher isolé, tapissé de mousse, à l'intérieur du cercle.

Puis j'ai remarqué quelque chose de bizarre. Alors que la neige recouvrait une grande partie du sol à l'extérieur du cercle, et même les pierres, on ne voyait pas un flocon de neige à l'intérieur. Par ailleurs, la couleur du sol était inhabituelle. Un peu trop claire, me semblait-il ; oui, c'est cela, la terre et les rares brins d'herbe sèche étaient blanchâtres, comme remplis de brume. J'ai posé la main à plat sur le sol. Il était étrangement chaud.

Je me suis gratté le nez, pensif. D'où cela venait-il ? Était-ce lié à mon Saut et à la grande concentration d'énergie qu'il avait exigée ? J'avais pourtant le sentiment qu'il existait une autre raison. Une raison plus inquiétante.

J'ai regardé le soleil au-dessus de nous. Sous ses rayons, l'air était froid, mais pas d'une manière insupportable. Dans quelques heures seulement, il se coucherait. Le dernier coucher de soleil sur Fincayra, peut-être bien — en tout cas la Fincayra que je connaissais.

Puis mon regard s'est posé sur les pierres qui nous entouraient. Immenses, grossièrement taillées, elles semblaient ne faire qu'un avec la terre. Il s'en dégageait une impression de calme intense, comme si elles étaient en attente, en état d'observation.

Où était Rhia ? J'avais beau scruter les collines à l'horizon, je ne la voyais nulle part. Ni elle ni personne d'autre. Pas un seul grand aigle perché sur les pierres dressées, pas un homme dans le cercle, à part moi. Aucune créature vivante. Mon cœur s'est serré. Était-il possible que personne ne vienne nous aider au moment où Fincayra en avait le plus besoin ?

Mon épaule gauche était encore raide et trop faible pour être d'un grand secours au combat. Alors que je faisais tournoyer mon bâton pour éprouver ma force, une lance a fendu l'air juste au-dessus de ma tête. De derrière les pierres ont surgi une vingtaine de guerriers gobelins hurlants. Armés de poignards, de cimeterres et de massues à pointes, les yeux brillants sous leurs casques pointus, ils ont foncé droit sur moi.

Leurs mains à trois doigts étaient crispées sur leurs armes et leurs bras gris-vert, couverts de cicatrices. Je savais que ces cicatrices étaient pour la plupart des coupures rituelles qu'ils s'infligeaient avec leurs propres lames pour chaque ennemi tué.

Instinctivement, j'ai tendu le bras vers eux. De mes doigts ont jailli des vents hurlants, assez forts pour les empêcher d'avancer. Plusieurs sont tombés, d'autres sont sortis du cercle. L'un d'eux, en reculant, s'est effondré sur celui qui le suivait. Avant que le premier se relève, le gobelin qu'il avait renversé lui a flanqué un violent coup de massue, le laissant inconscient.

Mais il fallait plus que du vent pour retenir des guerriers gobelins. Rapidement, ils se sont dispersés pour m'attaquer de plusieurs côtés. Beaucoup me visaient avec des lances à pointe empoisonnée. Alors j'ai pris mon épée et foncé dans le cercle, repoussant violemment ceux qui m'approchaient de trop près. J'en ai attaqué un à la poitrine avec mon bâton. Le coup, bien que frappé avec mon bras affaibli, lui a arraché son plastron et l'a envoyé rouler par terre.

— À mooort ! a crié un autre en m'attaquant par-derrière.

Son cimeterre a fendu ma jambière et éraflé ma cuisse, mais j'ai riposté aussitôt et ma lame l'a atteint au bras. Il a lâché son arme avec un rugissement de douleur. J'en ai profité pour lui décocher un coup de pied dans le ventre, qui l'a fait tomber en arrière au moment où deux autres derrière lui s'apprêtaient à m'attaquer. Tous les trois ont dégringolé, bras et jambes emmêlés.

Mon épaule gauche a commencé à me faire mal. Je tenais bon, mais je savais que cela ne durerait pas longtemps. Les gobelins étaient trop nombreux, et je me fatiguais vite.

Deux d'entre eux se sont jetés sur moi de deux côtés opposés. J'ai reculé et ils se sont heurtés de front. Le choc a été violent. Là-dessus, je les ai frappés plusieurs fois à bras raccourcis avec mon bâton. Au même instant, j'ai senti venir quelque chose dans mon dos et j'ai fait volte-face.

Six guerriers se tenant par les bras chargeaient en groupe. J'ai frappé le sol de mon talon; une boule de feu en a jailli et je l'ai envoyée d'un coup de pied sur mes assaillants. Mais la boule a seulement frôlé les épaules de deux d'entre eux avant d'exploser contre une pierre dressée.

Alors toute la rangée s'est ruée vers moi. Le choc était inévitable. Derrière, il en venait d'autres, brandissant lances et cimeterres. J'étais à bout de souffle; je savais que je ne pourrais jamais les battre tous à la fois. J'ai aperçu une forme violette du coin de l'œil : un gobelin particulièrement musclé s'apprêtait à me transpercer. Sa lance pointée sur mes côtes, il a poussé un beuglement féroce.

Juste à ce moment-là, un violent tremblement a ébranlé le cercle de pierres. La secousse m'a projeté au sol; le gobelin en violet a perdu l'équilibre et glissé sur le côté, m'effleurant à peine avec sa lance, tandis que les six autres s'effondraient en tas les uns sur les autres. C'était une dégringolade générale dans tout le cercle.

Avant que quiconque ait pu se relever, un autre tremblement s'est produit, suivi d'un deuxième, plus fort, et d'un troisième, encore plus impressionnant. Les secousses se sont accélérées. Les guerriers gobelins avaient du mal à tenir debout. Ils enrageaient, juraient, se frappaient les uns les autres, de plus en plus nerveux. Car ils connaissaient, comme moi, la seule force à Fincayra capable d'ébranler le sol de cette façon.

— Shim! ai-je crié entre le bruit de ses pas. Nous sommes là, dans le cercle!

Grâce à mon bâton, j'ai quand même fini par me remettre debout, mais pas pour longtemps. Une pierre dressée est tombée à seulement quelques pas de moi et, cette fois, je me suis effondré sur Dinatius. La pointe d'une de ses lames m'a entaillé le bras. Mais j'ai eu de la chance par rapport aux gobelins : à en juger par leurs cris affreux, au moins trois venaient d'être écrasés par la pierre.

C'est alors que la silhouette échevelée de Shim est apparue au sommet de la colline. Il s'est penché au-dessus du cercle et, posant la main sur le sol, a déplié les doigts. À ma stupéfaction, une armée de petits êtres trapus munis de haches à deux tranchants ont sauté de sa paume.

Des nains! Certains portaient des piques et des lances à pointe de pierre, quelques-uns avaient aussi un poignard entre les dents. Ils étaient équipés de cottes de mailles et de larges ceintures au-dessus de leurs jambières de cuir. Leurs barbes, noires, rousses ou grises, étaient taillées en pointe, prêtes pour la bataille.

À peine arrivés, les nains se sont jetés sur les guerriers gobelins désorientés, tandis que d'autres descendaient des bras de Shim ou de son ample gilet. Les plus grands étaient deux fois plus petits que leurs adversaires, mais c'étaient des combattants féroces, agiles comme le vent et d'un courage à toute épreuve. Ils ont attaqué les gobelins sans pitié, lesquels se sont défendus avec une égale furie, d'autant plus que la situation avait tourné en leur défaveur. Shim, pour sa part, en a pris plusieurs entre le pouce et l'index et les a jetés au loin comme des fruits pourris.

Alors que je me réjouissais de l'arrivée des nains, j'ai été frappé de ne pas voir leur reine. Où était donc Urnalda?

Des hurlements, des cris de guerre, mêlés au bruit des armes, résonnaient à l'intérieur du cercle. Il y avait du sang partout. En quelques minutes, les derniers guerriers gobelins s'étaient enfuis ou étaient tombés, ce qui a mis fin à l'escarmouche.

Les nains triomphants ont poussé une grande clameur en agitant leurs haches et leurs piques. Mais les acclamations ont bientôt cessé quand ils ont découvert leurs pertes. Plusieurs d'entre eux étaient gravement blessés et une demi-douzaine, morts. Immédiatement, les survivants ont commencé à soigner ceux qui en avaient besoin.

Shim s'est agenouillé au pied de la colline, le menton appuyé sur une traverse. Avec un grand sourire exposant toutes ses dents, il m'a fait un clin d'œil. C'est seulement à ce moment-là que j'ai remarqué la petite silhouette à cheveux roux qui était perchée sur son gros nez. Urnalda! Elle m'observait, les bras croisés sur sa robe noire ornée de broderies dorées, son bâton à la main. Elle avait l'air à la fois royale, effrayante et comique.

Pour m'approcher d'elle, j'ai grimpé sur le rocher moussu.

— Alors, me suis-je écrié, vous avez fait la paix tous les deux! J'en suis heureux et je vous en remercie.

— Oui, Merlin, a répondu Urnalda, Shim et moi, nous sommes amis, maintenant. Tu te souviens de la petite, euh, *surprise* que je lui réservais? C'était une fosse, une fosse géante.

— C'est comme ça que vous vous faites des amis? ai-je demandé, stupéfait.

Shim a hoché la tête.

— Mais la frosse n'était pas assez géante, ha ha ! Je suis trombé dedans, je me suis enfroncé dans des tunnels, plein de tunnels. Puis j'ai essrayé de sortir et j'ai brisé plein de pierres partrout. Quand je suis sorti, il y avait un énôôôrme trou dans la terre.

— Oui, mon amphithéâtre ! s'est écriée l'enchanteresse, très fière, en agitant les bras. D'ici peu, Urnalda pourra faire des discours à son peuple et assister à des spectacles en son honneur. C'est pourquoi la bonne Urnalda pardonne à Shim pour son espionnage… sauf si j'apprends qu'il dit ou fait des choses qui ne me plaisent pas, a-t-elle précisé en grognant.

— Je lui en sruis très reconnaissant, a répondu le géant avec un petit sourire.

Tout à coup, le rocher sous mes pieds a bougé. J'ai basculé et, en tombant, je me suis éraflé le dos sur sa surface rugueuse. Au même instant, une lance a traversé l'endroit où je me tenais un instant auparavant. J'ai tout de suite vu de qui elle venait : du gobelin aux vêtements violets. Il était en sang, à l'autre extrémité du cercle. Maudissant sa maladresse, il a filé entre deux pierres dressées et dégringolé la colline avec plusieurs nains à ses trousses.

Je me suis relevé et, en posant la main sur le rocher, j'ai perçu, sous l'épais tapis de mousse, un subtil frémissement, plus léger qu'un battement d'aile de papillon.

— Merci de m'avoir sauvé la vie, pierre vivante.

Du cœur du rocher, j'ai senti monter une voix que j'avais déjà entendue et que je n'avais jamais oubliée. Venue de la nuit des temps, elle parlait avec la force et l'expérience d'une pierre, s'exprimant lentement, avec des mots tout simples.

Je t'en prie, jeune homme. Tu n'as jamais été loin de mes pensées depuis le jour où tu es entré en moi avec tes idées de bipède.

— Oui, je sais, ai-je soupiré. Je t'ai résisté ce jour-là. Tu voulais me transformer en pierre. Mais j'avais trop envie de vivre ma vie d'homme et de changer.

Changer! a protesté la voix à travers ma main. *C'est moi qui connais la vérité sur le changement... moi qui ai bouillonné dans le ventre d'une étoile, qui me suis élevée en flammes, qui ai fait le tour de l'univers dans une particule de poussière, et passé des éternités à construire un monde nouveau. Plusieurs vies d'enchanteur ne suffiraient pas pour comprendre tout ce que j'ai appris ni voir tout ce que j'ai vu.*

— Je sais, grande pierre. Mais si nous survivons à cette journée, j'espère que je pourrai venir apprendre à ton contact.

Le rocher s'est balancé légèrement.

Pour cela, il te faudra de la patience, jeune homme, et ce n'est pas ton fort. Cependant, tu as été le premier et le dernier de ton espèce à parler avec moi, et la seule créature vivante qui ait résisté à mes pouvoirs. Il est donc possible que tu apprennes, avec le temps.

Je l'ai remerciée d'un hochement de tête.

— Qui t'a mise au courant de notre situation pour que tu sois ici aujourd'hui ?

Juste au-dessus de ma main, la surface de la pierre a frémi et, de sous la mousse, est sorti un petit point lumineux. La lumilule a voleté vers moi, s'est arrêtée devant mon visage et s'est posée sur le bout de mon nez, comme elle l'avait fait près du vieux chêne que Rhia avait essayé de réveiller.

— Merci, ai-je murmuré.

La délicate créature a fait bruire ses ailes avant de s'envoler, brillant de tous ses feux. Elle a fait le tour d'une pierre dressée, puis a tourné vers l'ouest et disparu dans la lumière du couchant.

— Il reste moins d'une heure avant la Veille de Dundealgal, a déclaré Urnalda.

Trônant sur le nez de Shim, face au soleil dont elle se protégeait avec sa main en visière, elle parcourait du regard les collines environnantes.

— Mais personne ne nous rejoint, a-t-elle ajouté.

— Ils viendront, ai-je affirmé d'un ton mal assuré qui trahissait mes pensées.

Elle-même était sceptique.

— Ces gobelins ne sont que des alliés mortels de Rhita Gawr. Pour repousser la véritable invasion, il nous faudra beaucoup de renforts.

Elle a craché nerveusement dans ses paumes et s'est frotté les mains.

— Je n'ai toujours pas de visions au-delà de ce soir, Merlin. C'est très préoccupant ! Absolument aucune, à part ces horribles serpents fantômes qui se dressent devant moi en sifflant, dans mes rêves.

Son front pâle s'est plissé.

— Je crains que cette nuit ne soit pour nous la dernière, a-t-elle conclu.

∾ XXXI ∾
Le passage

Alors qu'Urnalda prononçait ces paroles fati-
diques, j'ai regardé ce qui se passait autour
de moi. Les nains avaient presque terminé de soigner tous les blessés. À présent, ils retiraient leurs
morts de l'enceinte pour les enterrer face contre
terre avec leurs armes à leurs côtés, comme le voulait la coutume. Les cadavres des guerriers gobelins
avaient déjà été enlevés, mais je doutais qu'ils aient
été traités avec la même dignité. Personne n'avait
touché à Dinatius qui, bien que toujours inconscient, semblait remuer davantage.

De nouveau j'ai senti le sol trembler sous mes
pieds. Mais, cette fois, les géants n'y étaient pour
rien. C'était plutôt une vibration, lente et lointaine, qui s'accélérait rapidement.

Les nains à l'intérieur du cercle titubaient en
appelant leur chef, alors que ceux qui se tenaient
en dehors semblaient ne sentir aucune secousse.
Shim, lui, sentait les vibrations. Perplexe, il a
froncé son gros nez et manqué de faire tomber
Urnalda. Elle a juré, l'a giflé, puis est descendue

se mettre au milieu de la traverse où le géant avait posé le menton. Aussitôt, elle a lancé des ordres à ses troupes pour les faire sortir du cercle.

Les vibrations sont devenues plus intenses. Shim a grogné, puis s'est levé à nouveau, aggravant encore le tremblement du sol. Après le retrait des nains, seuls restaient dans le cercle Dinatius, la pierre vivante et moi.

L'accélération des vibrations s'est accompagnée d'un bourdonnement sourd, qui ne venait pas du sol lui-même, mais de beaucoup plus loin en profondeur et de quelque part au-dessus. À l'intérieur du cercle de pierres, l'air est devenu dense, électrique. J'ai compris, tout à coup, ce que nous ressentions : le choc imminent de deux mondes qui se rapprochaient dangereusement l'un de l'autre. N'était-ce pas ce qu'avait annoncé Dagda ? *Le monde de Fincayra et l'Autre Monde se rapprocheront dangereusement l'un de l'autre, au point qu'ils se toucheront presque.*

J'ai senti un autre changement. La blancheur brumeuse du sol que j'avais remarquée en arrivant s'est accentuée, et de plus en plus vite. J'ai vu la terre s'éclaircir encore, passer du brun au gris avec des plaques d'un blanc laiteux. Soudain, dans les parties les plus claires, j'ai remarqué du mouvement, des ombres qui filaient, des silhouettes qui se rassemblaient : les troupes de Rhita Gawr étaient sur le point de franchir le passage.

Le soleil plongeait déjà vers l'horizon. Il ne nous restait que quelques minutes ! Je suis vite remonté sur la pierre vivante pour avoir une meilleure vue sur les collines autour. Malgré tous mes efforts pour voir le plus loin possible, je n'ai aperçu aucun de ceux sur qui je comptais, ni Rhia ni d'autres alliés, seulement quelques arbres squelettiques dont les contours s'assombrissaient rapidement.

Pas d'autres défenseurs de Fincayra... Pas même Rhia... J'ai frémi, sachant que seules la mort ou une grave blessure avaient pu retenir ma sœur loin d'ici. J'ai frémi aussi en pensant à ce qui nous attendait tous quand les troupes de Rhita Gawr envahiraient notre monde.

À cet instant, j'ai entendu un cri au loin, à peine audible au milieu du bourdonnement du sol. J'ai levé les yeux et j'ai aperçu un tout petit point noir dans le ciel rose. Il descendait en spirale et grossissait rapidement. Un autre cri a déchiré l'air, se répercutant plusieurs fois à travers les collines comme si elles se renvoyaient l'écho. Bientôt, dans la lumière rougissante, j'ai vu briller des ailes immenses, une large queue, un bec crochu et des serres puissantes. Un grand aigle des Gorges !

Non loin derrière, d'autres suivaient, seuls ou en couples. En peu de temps, le ciel s'est rempli de petits points ailés qui volaient en parallèle et se rapprochaient à toute vitesse. Quand le premier s'est posé sur un des piliers, l'agrippant de ses serres, il m'a fait face et m'a salué d'un majestueux battement d'ailes.

Je me suis incliné à mon tour, tandis que les cris des aigles résonnaient dans mes oreilles.

La pierre vivante a frémi sous moi.

Ils se souviennent de toi, jeune homme. Ils se souviennent que tu t'es battu pour eux alors que personne d'autre n'osait le faire.

J'ai hoché la tête, mais il n'y avait pas de quoi se réjouir, car si ces guerriers ailés étaient de puissants alliés, ils n'étaient pas assez nombreux. Non, loin de là.

Alors que les autres aigles se posaient sur les piliers, j'ai remarqué quelque chose d'autre dans le ciel : des oiseaux encore, une multitude d'oiseaux de formes et de tailles variées qui arrivaient de partout. Ils me rappelaient ceux que j'avais vus se rassembler sur le Rivage des Coquillages parlants et je me suis demandé s'ils s'étaient rassemblés pour aujourd'hui. Quand l'immense vol s'est approché, j'ai reconnu des grues, des hiboux, des pélicans, des sternes, des hirondelles, des cormorans, des faucons... Je savais que, malheureusement, le faucon que j'aurais aimé voir, celui dont la plume était dans ma sacoche, n'était pas parmi eux.

Une autre silhouette ailée, plus grosse qu'un oiseau, arrivait du nord. Ses ailes aux bords en dents de scie, son long cou et son énorme tête dessinaient une forme immédiatement reconnaissable. Gwynnia ! Le dernier dragon de Fincayra se joignait à notre cause. Une mince traînée de fumée s'échappait de ses naseaux, mais je ne pouvais pas encore affirmer qu'elle avait appris à cracher du feu. Je ne savais pas non plus où était Hallia, car elle n'était pas sur son dos.

Au-dessus des collines, baignées dans une lumière bleue et rose, les silhouettes de Gwynnia et des oiseaux de toutes sortes avançaient vite. Je regardais leurs ombres monter et descendre sur les pentes des collines quand, tout à coup, je me suis aperçu qu'il n'y avait pas que des ombres...

De derrière la colline voisine de la nôtre, un fier étalon noir arrivait au galop. Ionn ! Et sur son dos... Rhia ! Les derniers rayons du soleil, posé sur l'horizon tel un grand bouclier rouge, faisaient scintiller son costume de feuillage comme une robe de rubis.

Elle s'est élancée au galop dans la côte, les sabots de sa monture martelant le sol. La poussière qu'ils soulevaient lui cachait souvent le visage, mais j'ai lu sur ses traits cette détermination sans réserve que je lui avais toujours connue.

— Rhia ! ai-je crié en lui faisant de grands signes du haut de ma pierre.

Elle a agité la main en retour et, de l'autre, elle a fait signe à ceux qui la suivaient — encore cachés par la colline. En même temps, Scullyrumpus, les oreilles au vent, s'est dressé sur son épaule.

— *Yaaa-hi* ! Scullyrumpus Eiber y Findalair est enfin arrivééé !

— Regarde, Merlin, a tonné la grosse voix de Shim au-dessus de moi. En voilà d'autres !

De derrière le colline, une foule de créatures affluait, des bêtes de toutes sortes, de toutes couleurs et de toutes tailles, avançant chacune à sa manière : à grandes enjambées ou d'un pas lourd, en rampant ou en volant, en ondulant sur le sol ou en trottant. Il y avait des ours, des loups, des chats sauvages, des centaures, des naïades, des lézards, des cerfs et des biches, des écureuils, des renards, des hérissons, des nuées de papillons, des souris, des serpents, des musaraignes, un essaim d'abeilles, des glyn-maters — ces bêtes qui ne mangent qu'une fois tous les six cents ans —, des chevaux, des faunes, des elfes des bois et au moins une licorne blanche.

J'ai vu un couple de wydyrrs — des serpents transparents à part la langue et le bout de la queue —, un gélatineux, qui se traînait mollement sur le sol en laissant une trace verte et gluante, et les légendaires habitants à pattes de grenouille de la côte nord des Terres perdues. J'ai aperçu un groupe d'hommes et de femmes-cerfs, mais Hallia n'était pas parmi eux. Puis, à ma grande joie, j'ai vu l'araignée géante appelée Grande Élusa. Affamée, comme toujours, elle broyait quelque chose entre ses énormes mâchoires, peut-être les restes d'un guerrier gobelin rescapé de l'attaque des nains.

Il y avait aussi des centaines d'hommes et de femmes. À l'avant, un homme à la longue chevelure grise et à la tunique blanche marchait à la tête d'un contingent qui chantait une ballade rythmée. C'était Cairpré! Ainsi, il n'avait pas pu rester loin finalement!

J'ai reconnu encore beaucoup d'autres gens. Il y avait Honn, l'ouvrier qui m'avait abrité quand je me rendais au château des Ténèbres; Pluton, le maître boulanger qui m'avait aidé à trouver le nom véritable de mon épée magique; et même Bumbelwy, le bouffon qui avait réussi à faire rire un dragon.

Derrière les marcheurs venaient les arbres, des dizaines et des dizaines. C'était un spectacle extraordinaire. Ils faisaient claquer leurs racines sur le sol, soulevant des nuages de poussière tandis que leurs branches craquaient et gémissaient en chœur au rythme de leur marche. Des chênes, des frênes, des aubépines, des pins, des cèdres et des sorbiers avançaient avec détermination à travers les collines.

Comme une montagne en mouvement, / Comme une marée sur la terre. Rhia avait donc fini par trouver le moyen de réveiller les arbres. J'ai souri intérieurement.

Plusieurs géants suivaient la forêt en marche. Leurs hautes silhouettes se détachaient dans la lumière du soleil couchant. On aurait dit des bergers accompagnant un troupeau de moutons. L'un d'eux portait un anneau dans le nez fait avec une roue de moulin ; un autre, une couronne de pierres sur ses cheveux jaunes ; un autre encore a agité sa grosse main pour saluer Shim qui lui a répondu de la même manière. J'ai remarqué qu'ils marchaient avec plus de légèreté que Shim, peut-être pour ne pas trop ébranler le sol et éviter ainsi que les branches et les racines des arbres ne s'emmêlent.

Le sol à l'intérieur du cercle était à présent presque entièrement blanc ! D'étranges formes se mouvaient et se fondaient sous sa surface. Pendant ce temps, l'air est devenu plus chaud et plus lourd, étouffant, même. Au milieu du vacarme des Fincayriens en marche, j'entendais le bourdonnement vibrant de deux mondes sur le point d'entrer en collision.

En levant les yeux, j'ai aperçu la lune qui montait au-dessus des collines, au loin. Soudain, une masse de formes sombres a terni sa lumière argentée. D'abord, j'ai cru que c'étaient des nuages. Mais lorsque ces silhouettes se sont rapprochées, volant à travers le ciel de plus en plus obscur, j'ai vu des yeux qui clignaient. Et j'ai compris que nous étions rejoints par les goules des marais.

J'étais stupéfait de les voir là. Seule la gravité de nos ennuis — et peut-être le souvenir de ce que j'avais fait pour les libérer de leur esclavage — avait pu les inciter à sortir de leur isolement. Mais qui avait pu les mettre au courant de nos malheurs ? Rhia avait-elle trouvé le temps de plonger dans les lointains marais pour les convaincre de venir ?

J'ai sursauté en apercevant une silhouette tirée par des goules. Si sa forme ressemblait aux autres, elle était plus sombre et plus nette. Non, ce n'était pas une des leurs. C'était une ombre, *la mienne* ! Ainsi, elle était revenue et elle amenait les goules avec elle. Incroyable !

Rhia, sur son cheval, est entrée au galop dans le cercle de pierres. Au même instant, un nouveau bruit s'est fait entendre dans le sol : des voix, des milliers de voix hurlant toutes ensemble. L'étalon s'est cabré, battant l'air de ses sabots, sa toison reflétant les derniers rayons du soleil.

Rhia lui a caressé l'encolure jusqu'à ce qu'il se calme et a réussi à l'amener vers le rocher sur lequel je me tenais. Nos regards se sont croisés juste au moment où le soleil disparaissait sous la ligne d'horizon.

La nuit la plus longue avait commencé.

La nuit la plus longue de l'hiver

À l'intérieur du cercle de pierres, l'air était maintenant presque irrespirable. Du haut de mon rocher, j'ai vu des étincelles jaillir au pied des pierres et monter vers le ciel en crépitant. J'ai cru que le sol lui-même allait s'enflammer.

Des clameurs de plus en plus fortes s'échappaient des ombres mouvantes, juste sous la surface du sol. Déjà complètement blanc, celui-ci paraissait plus mince qu'une couche de glace à peine formée. La pleine lune, à présent au-dessus de nous, ressemblait ainsi à un pâle reflet du cercle de pierres.

Pendant ce temps, de nouveaux Fincayriens nous rejoignaient. Bientôt le cercle tout entier et la plus grande partie de la colline ont été envahis d'une foule innombrable et bigarrée. Mais toujours pas d'Hallia.

— Merlin! a crié Rhia, essayant de dominer le vacarme, il faut quitter le cercle, tu ne crois pas?

— Non, ici c'est notre monde, et nous reste-rons pour le protéger.

Elle a acquiescé, le visage sombre. Au-dessus de nous, Shim a hoché la tête. De leurs perchoirs, les grand aigles des Gorges ont confirmé par des cris leur soutien sans réserve. Ionn, lui aussi, a henni de défi. Et en dessous de moi, j'ai senti la pierre vivante bouger et écraser le sol de tout son poids, comme pour mieux s'y enfoncer.

Je me demandais avec inquiétude à quoi res-sembleraient nos ennemis, comment ils vien-draient, et si le sol disparaîtrait quand ils entreraient dans notre monde.

— Attention! Des serpents! a crié Urnalda en agitant les bras du haut de sa pierre.

Elle pointait le doigt vers le centre du cercle. Non loin de Dinatius, dont le corps vibrait en même temps que le sol en dessous de lui, deux filets de brume s'élevaient en spirale. Petit à petit, les deux spirales se sont allongées, jusqu'à atteindre la hauteur des piliers. En même temps, elles se sont épaissies. Des têtes triangulaires se sont formées au sommet, avec des yeux argentés surmontés d'une arcade oblique et d'un capuchon qui renforçait encore leur aspect menaçant. Tout en se tortillant, ces formes spectrales se sont cou-vertes d'écailles aux reflets lunaires.

Les deux serpents se sont fait face et, ouvrant grand leurs mâchoires, se sont mis à siffler méchamment. Ionn s'est ébroué en hennissant, tandis que Rhia le retenait pour l'empêcher de s'enfuir. Scullyrumpus, les yeux ronds comme des lunes et tremblant de toutes ses oreilles, a couru s'accrocher au cou de sa maîtresse.

Les sifflements des serpents se sont amplifiés en même temps que les clameurs souterraines. Puis, dans l'espace ouvert entre leurs larges bouches, une forme vague est apparue. Au début, on aurait dit un fil d'argent qui s'étirait entre leurs têtes, puis ce fil s'est fendu dans le sens de la longueur, une partie se courbant vers le haut, l'autre vers le bas. L'ovale ainsi formé s'est arrondi pour prendre l'aspect d'un cercle : un cercle de brume dans le cercle de pierres.

Tandis que les serpents poursuivaient leur face-à-face agressif, le cercle au-dessus du sol s'est mis à tourner, d'abord lentement, puis de plus en plus vite. En quelques secondes, il s'est transformé en une sphère et, plus le tumulte des voix augmentait, plus la sphère brillait.

Tout d'un coup, je me suis rendu compte que ce n'était pas une sphère, en réalité, mais un trou qui s'enfonçait vers le monde en dessous. Après l'apparition de ce trou, les serpents sont redevenus brume et ont disparu avec elle.

Le trou, lui, est resté en suspens dans l'air juste au-dessus du sol. Et soudain a surgi de son centre une créature monstrueuse qui, à peine sortie, a déployé des ailes aux bords en dents de scie. Son corps écailleux aux reflets argentés brillait dans le ciel nocturne. C'était un dragon, avec une redoutable queue barbelée et une tête de grenouille géante au front hérissé de pointes. Ses pattes de devant étaient armées de griffes incurvées, assez longues et acérées pour embrocher plusieurs hommes et femmes d'un seul coup.

Les Fincayriens ont regardé, horrifiés, ce monstre du monde des esprits battre des ailes et s'élever dans le ciel. Mais les créatures argentées qui le suivaient étaient encore pires. Il y avait des ogres aux yeux glauques et globuleux, aux bras descendant jusqu'aux pieds, des spectres ondulants qui enflammaient le sol sur lequel ils glissaient; et d'énormes lézards au cou palpitant qui marchaient dressés sur leurs pattes arrière en faisant claquer leurs mâchoires garnies de crocs acérés comme des poignards. Comme le monstre ailé, leurs corps aux teintes argentées étaient assez robustes pour infliger des coups douloureux, mais semblaient pourtant partiellement faits de brume.

Du tunnel de l'Autre Monde sont ensuite venues des silhouettes fantomatiques d'un autre genre, que je connaissais trop bien sous leur forme mortelle : des guerriers gobelins ! Ils sont sortis par dizaines, par centaines, par milliers, m'a-t-il semblé, en brandissant leurs épées meurtrières.

La furieuse bataille a commencé. Les gobelins se sont jetés sur les défenseurs de Fincayra à coups de cimeterre, de griffes et de dents. Ceux qui étaient des combattants expérimentés, tels que les nains, les loups, les ours, les hommes et les femmes, rendaient coup pour coup. La bataille faisait rage, à la fois dans le cercle et sur toute la colline.

Rhia, cheveux aux vents sur sa monture, passait d'un combat à l'autre, volant au secours de ceux qui étaient en difficulté, en décochant des coups à l'ennemi avec une lance qu'elle avait trouvée. Shim et les autres géants attrapaient les assaillants par poignées et les lançaient au loin dans les collines. Les aigles et les goules attaquaient depuis les airs, en poussant des hurlements vengeurs. Gwynnia fondait sur les énormes lézards en soufflant sur eux ses premières flammes, puis déchargeait sa colère sur le monstre ailé, qu'elle poursuivait à travers le ciel.

Personne n'était plus ardent au combat que les arbres. Ils se ruaient sur les groupes de guerriers gobelins, balançant leurs grands bras comme des haches. L'ennemi avait beau casser leurs branches et taillader leurs troncs, les arbres continuaient à se battre à coups de racines, certains se laissant carrément tomber sur les envahisseurs. Feuilles et débris d'écorce pleuvaient sur le champ de bataille.

De mon côté, je maniais l'épée à tour de bras, repoussant les attaquants qui tentaient de me déloger de la pierre. Soudain j'ai aperçu deux hommes-cerfs menacés par un guerrier gobelin. J'ai lâché une boule de feu et le cimeterre du gobelin a disparu dans les flammes. Au même instant, alors qu'un ogre juché sur une pierre dressée s'apprêtait à sauter sur Rhia, j'ai lancé une autre boule de feu qui a explosé contre la pierre et fait tomber l'ogre à la renverse.

Mais les Fincayriens avaient affaire à forte partie, et j'ai vu mourir beaucoup de combattants courageux. Un ours énorme, une demi-douzaine d'épées plantées dans le dos et dans les pattes, continuait à flanquer des coups de pattes aux envahisseurs. Finalement il est tombé, écrasant sous sa masse trois guerriers gobelins.

Je bouillonnais de rage. Le pire, c'est que les gobelins se sont relevés. L'ours, lui, est resté au sol.

Quelle folie ! Comment avais-je pu croire — et Dagda également — que des êtres mortels pouvaient l'emporter sur des esprits immortels ? Tout au plus pouvions-nous nous défendre. Et pas indéfiniment. Surtout contre une telle multitude. Même avec l'aide de la magie, il m'était impossible de repousser une invasion d'une telle ampleur. Mes boules de feu nous permettaient juste de gagner du temps, pas de remporter la victoire.

Il fallait admettre la dure réalité : j'avais engagé mes amis dans un combat que nous n'avions aucune chance de gagner ! Mais je savais aussi que, de toute façon, nous l'aurions livrée, cette bataille, car c'était une bataille pour sauver notre monde.

C'est alors que j'ai aperçu mon ami Cairpré de l'autre côté du cercle. Debout près d'un blessé, il essayait vaillamment de tenir en respect deux guerriers gobelins, et il y parvenait par la seule force de sa rage, n'ayant qu'une branche cassée pour se défendre. Mais il faiblissait. Il avait du sang sur la poitrine et commençait à chanceler. Un gobelin s'apprêtait à le transpercer avec sa lance depuis le haut d'une pierre dressée.

Avec un cri vengeur, j'ai sauté de la pierre vivante et je me suis rué sur les agresseurs de Cairpré en leur lançant des boules de feu. L'une d'elles a touché celui qui le visait, mais sa lance était déjà partie. En quelques secondes, j'ai chassé les autres et couru rejoindre mon ami.

Trop tard. Cairpré s'est effondré, sa tunique blanche maculée de sang. La lance s'était plantée en bas des côtes. Nous n'avions pas le choix, il fallait l'extraire, même si Cairpré se tordait de douleur. J'en suis venu à bout, non sans peine.

Alors que je lui soulevais la tête pour la poser sur mes genoux, j'ai vu le visage de celle qu'il avait défendue avec tant de courage. Hallia! Elle avait une entaille à la cuisse et le front contusionné, mais elle était vivante. Le cœur battant à la fois de soulagement et de crainte, je lui ai tendu la main. Elle l'a prise et s'est glissée plus près de moi. En silence, nous nous sommes tournés vers le barde blessé.

Dès que j'ai senti la faiblesse de son pouls, j'ai compris que sa vie s'en allait. En m'efforçant d'oublier les combats qui faisaient rage autour de nous, j'ai concentré toutes mes pensées sur sa poitrine, sondant doucement la blessure. Les organes, les muscles et les chairs avaient tous besoin de soins, mais je manquais de temps. Même pour les commencer. Je pouvais toutefois arrêter ou atténuer les saignements. De toute ma volonté, j'ai essayé d'endiguer l'écoulement.

— Merlin, a-t-il dit d'une voix rauque. Il est trop tard pour moi. Mais Hallia…

— Ne vous inquiétez pas pour moi, a protesté Hallia. Tout ira bien. Grâce à vous, a-t-elle ajouté en lui prenant la main et en l'appuyant contre sa joue.

Le poète a souri péniblement. Il a commencé à parler, mais, pris d'une quinte de toux, il a dû s'arrêter. Puis sa tête est retombée lourdement sur mes genoux.

— Vous n'auriez pas dû venir, ai-je déclaré en écartant une mèche de cheveux qui lui tombait sur les yeux.

Je cherchais désespérément dans ma tête des idées pour le soulager.

— Je pourrais essayer de prendre votre esprit en moi, comme je l'ai fait, une fois, pour Rhia, vous vous en souvenez? Ensuite j'aurai le temps de travailler sur votre corps. Cela marcherait peut-être! Laissez-moi essayer.

Il a plissé les yeux et m'a regardé pensivement. C'était un regard que je connaissais bien après toutes les années que nous avions passées ensemble : le regard d'un maître, et plus encore.

— Non, a-t-il répondu d'une voix rauque. Mon heure… est arrivée.

Il a fermé les yeux, puis les a rouverts.

— Te souviens-tu de ce vieux couplet? *La feuille, encore verte, doit tomber à son heure. / Même avec ses chagrins…*

Un nouvel accès de toux l'a interrompu. Quand la toux s'est calmée, j'ai terminé le vers :

— *… la vie est un bonheur.*

Il a réussi à sourire.

— Alors, finalement, tu as appris… quelques vers de poésie, hein ?

— Pas assez, en tout cas… Cairpré, vous êtes sûr ? Ça pourrait marcher, pourtant.

— Je suis sûr, Merlin.

Il a froncé les sourcils, le visage contracté par un autre genre de souffrance.

— J'aurais tant voulu dire adieu… à Elen.

— Elle vous répondrait que vous êtes incapable de dire adieu.

— Oui… je suis trop têtu pour cela.

Il a tourné la tête et regardé la lune, brillante dans le ciel nocturne. Pendant un long moment, personne n'a parlé. Le bruit des combats résonnait autour de nous.

— À quoi pensez-vous ? ai-je demandé. À un nouveau vers ?

— Tu me connais bien, a-t-il répondu en posant les yeux sur moi. Je cherche une rime… pour aller avec *ami*.

Tandis que sa main venait se mettre dans la mienne, j'ai senti un sanglot monter dans ma gorge, et je n'ai pas pu le retenir.

— Tu es un véritable enchanteur, mon garçon… tu en as toute le grandeur.

Il a cligné des yeux, comme s'il tentait de se concentrer sur mon visage.

— Et cette grandeur vient, non de ton pouvoir, qui est immense..., mais de ton cœur compatissant.

J'ai frappé du poing la pierre dressée derrière nous.

— Quelle sorte d'enchanteur suis-je si je ne peux rien faire pour sauver ni mon ami ni mon pays ?

— Fincayra n'est pas perdue... pas encore.

Le spectacle du champ de bataille suffisait à me persuader du contraire. On voyait partout des défenseurs de Fincayra gisant sur le sol, blessés ou morts ; les cris de douleur m'écorchaient les oreilles. Nos ennemis, en particulier les gobelins, continuaient à frapper sans pitié, sans donner aucun signe de fatigue. Mais malgré leur héroïsme, les Fincayriens faiblissaient. À part les goules des marais qui étaient elles-mêmes immortelles, la plupart de ceux qui nous avaient rejoints sur cette colline au coucher du soleil seraient morts avant l'aube. Ou si, par miracle, ils survivaient au massacre, les armées de Rhita Gawr auraient vite fait de les tuer ou de les réduire en esclavage.

Soudain, j'ai senti la tête et le cou de Cairpré se raidir sur mes genoux. Je me suis penché sur lui. Ses yeux m'ont paru ternes, sa respiration, difficile.

— Merlin... a-t-il commencé d'une voix faible.

Il avait de la peine à articuler.

— ... J'espère... oh, peu importe. Je n'ai jamais été très bon... pour les finales.

Ses yeux se sont fermés et sont restés ainsi. La bataille continuait à faire rage autour de nous, mais je n'entendais rien, sauf l'écho du dernier couplet du poète. *La feuille, encore verte, doit tomber à son heure.*

Puis, de derrière un pilier près de nous, m'est parvenue une autre voix. Une voix qui a ravivé les brûlures sur mes joues couvertes de cicatrices. Celle de Rhita Gawr.

∽ XXXIII ∽

un cor Lointain

— C'est vraiment dommage de perdre un ami, a déclaré Rhita Gawr, avec une fausse sollicitude. Enfin, cela fait partie de la vie, je suppose.

La rage au cœur, je me suis levé d'un bond pour l'affronter. Il était là, calme, posé, au milieu du tumulte de la bataille. Grand, large d'épaules, il portait une tunique bleu clair, sans la moindre trace de poussière, qui ondulait élégamment au clair de lune. Ses cheveux, aussi noirs que les miens, étaient parfaitement coiffés, partagés au milieu par une raie impeccable, et ses sourcils, soigneusement brossés. Seuls ses yeux, vides et sans expression, et le pli courroucé de sa bouche révélaient sa véritable nature.

— Vous ne savez rien de la vie, ai-je rétorqué.

Avec désinvolture, il s'est léché le bout des doigts avant de se lisser un sourcil.

— De la vie mortelle, en effet, a-t-il dit avec une jubilation malveillante. Mais qu'est-ce que cela, au regard de la vie d'un esprit immortel ?

— Tout, ai-je lancé, tandis qu'il caressait son sourcil.

— Il est bien triste, mon cher enchanteur, que tu n'aies pas encore appris la différence. Triste pour toi, et aussi pour tes amis, dont tu as causé la mort ce soir.

En parlant, il désignait Cairpré à mes pieds et le massacre qui se poursuivait autour de nous. De tous côtés, des corps mutilés gisaient sur les pierres ou sur le sol ensanglanté.

Mes cicatrices me faisaient mal.

— C'est faux. Tous ces gens sont venus ici pour Fincayra, pas pour moi !

— Ah, mais bien sûr, suis-je bête ! J'oubliais ! Fincayra… n'était-ce pas le nom d'un endroit ? D'un monde qui existait autrefois ?

La réponse est restée coincée dans ma gorge. Car je ne pouvais contester la vérité de ces paroles. Juste à côté de moi, un pin, renversé contre un pilier, était attaqué par une nuée de lézards, deux nains venaient de se faire embrocher par la lance d'un gobelin, et mon vieil ami et maître gisait mort sur le sol. Chaque seconde, le nombre de tués et de blessés augmentait et les chances de survie pour notre monde diminuaient.

Rhita Gawr a ricané.

— Votre misérable petite armée a déjà perdu. Et toi aussi, a-t-il ajouté, pointant sur moi un doigt vengeur. En un éclair, ce sera réglé. Oui, un éclair assez puissant pour anéantir jusqu'à tes cendres.

— Non ! a protesté Hallia, lâchant la main inerte de Cairpré. Ne le tuez pas, je vous en supplie.

Elle s'est levée et s'est approchée de moi en boitant. Elle tremblait de tout son corps. Pour la protéger, j'ai essayé de la repousser derrière moi, mais elle a refusé de bouger.

Feignant la tristesse, le seigneur de la guerre de l'Autre Monde a appuyé la tête contre une pierre dressée.

— Ah, femme-cerf, tu compliques trop les choses. Il y a bien longtemps que j'attends l'occasion de tuer ton ami, tu vois. Et puisque mon soldat aux bras en forme d'épées n'a pas réussi à le faire, je dois m'en charger moi-même.

Calmement, il a commencé à polir ses ongles contre sa tunique.

— Toutefois, si tu insistes, comme une bonne petite jeune fille que tu es, je te tuerai d'abord. Ainsi, il aura le plaisir de causer ta mort également.

— Vous êtes un lâche, ai-je déclaré.

Son visage s'est assombri.

— Et toi, un imbécile ! Et qui ne va pas tarder à mourir.

419

L'extrémité de son index a commencé à rougeoyer. L'éclair se préparait. L'explosion était imminente. Pendant un bref moment, oubliant les combats, je n'ai plus vu que Rhita Gawr : son doigt incandescent, l'affreux vide de ses yeux. Son doigt a frémi, prêt à lâcher l'éclair.

Tout à coup, une forme argentée a surgi du ciel nocturne. Elle a plongé vers nous et, avec un sifflement strident, a foncé sur le bras de Rhita Gawr. L'éclair a jailli, accompagné d'une explosion retentissante, mais il est parti de travers et a pulvérisé les lézards autour de l'arbre. Le seigneur de la guerre a rugi en agrippant son bras à travers sa tunique déchirée.

Aussi vite qu'elle était arrivée, la forme a disparu dans les rayons argentés de la lune. J'ai juste eu le temps de l'apercevoir et j'ai reconnu son cri, sa hardiesse. Mon ami Fléau était revenu ! Il avait dû suivre Rhita Gawr depuis l'Autre Monde, puis avait tourné en silence au-dessus de nous, en attendant qu'on ait — ou plutôt que j'aie — besoin de lui. Voilà qui ressemblait tout à fait à ce faucon que je connaissais si bien !

Rhita Gawr bouillonnait de rage, les yeux levés à la recherche du faucon. Alors que je scrutais le ciel avec Hallia pour retrouver sa trace, nous avons aperçu quelque chose de très étrange. Tellement étrange et inexplicable que, de stupéfaction, j'ai fait un pas en arrière et me suis cogné à la pierre qui se trouvait derrière moi.

Éclairées par la lune, soixante-dix ou quatre-vingts silhouettes volaient vers nous. Elles se rapprochaient rapidement, ballottées par les courants comme un vol d'oiseaux maladroits. Mais ce n'étaient pas des oiseaux ni des créatures ailées. C'étaient des enfants.

Les enfants. Bras et jambes écartés, leurs vêtements en loques claquant au vent, ils descendaient vers notre colline. Ils volaient, et sans ailes! Comment était-ce possible?

Devant, j'ai reconnu Lleu, avec l'écharpe de Cairpré qui flottait derrière lui, puis Medba, la tête en bas, et la petite Cuwenna, tenant la main d'Elen.

J'ai frémi à l'idée de la mauvaise nouvelle que je devais annoncer à ma mère. Et aussi en songeant au sort de ces enfants. Ils allaient tomber dans une horrible bataille et se dirigeaient tout droit vers la mort! Quel que soit le pouvoir qui leur permettait de voler, rien ne pourrait leur éviter d'être tués une fois au sol.

Tandis que les enfants volants se rapprochaient du cercle de pierres, les combattants ont levé les yeux, les uns après les autres. La bataille a ralenti, puis finalement s'est arrêtée. Les guerriers médusés, mortels autant qu'immortels, s'interrompaient pour contempler l'incroyable spectacle. Un grand silence est retombé sur la colline. Même Rhita Gawr fixait le ciel, interloqué.

Soudain, une odeur de cannelle m'a chatouillé les narines tandis qu'un souffle de vent chaud me caressait la joue. J'ai compris alors comment les enfants pouvaient voler.

— Aylah, ai-je murmuré, inquiet. Pourquoi les as-tu amenés ? Ils seront tous tués !

La sœur du vent tournait autour de moi, agitant les manches de ma tunique.

— C'est toi, Merlin, qui m'as appelée de la terre oubliée. Tu ne t'en souviens pas ?

— Oui, oui, j'avais besoin de ton aide pour venir ici. Mais…

— Quand je suis arrivée là-bas, Merlin, tu étais déjà parti. Le garçon nommé Lleu m'a supplié de l'amener jusqu'à toi, et les autres aussi, y compris celle que tu appelles mère. Je ne pouvais pas leur refuser, ahhh non, car je voyais bien que leur demande venait du cœur.

— Ils vont mourir ! me suis-je écrié, désespéré. Ils vont tous mourir jusqu'au dernier !

Mes paroles ont résonné dans le silence de la colline, et fait sursauter les combattants. Un gobelin au centre du cercle s'est tourné vers un autre et lui a demandé, abasourdi :

— Nous allons tous mourir?

Le deuxième a répété la question à un autre, qui a fait de même. Comme des vaguelettes sur un lac, la phrase s'est répercutée dans tout le cercle et sur toute la colline. *Nous allons mourir. Nous allons tous mourir jusqu'au dernier.*

— Imbéciles! a rugi Rhita Gawr, sentant la discorde enfler parmi ses troupes. Vous ne pouvez pas mourir. Seuls les mortels peuvent mourir!

Mais ses paroles se sont perdues dans le concert de voix qui montait des guerriers.

— Des enfants volants… comment est-ce possible?

— Grâce à de grands pouvoirs, voilà comment. Maudit soit ce jour! De quoi sont-ils encore capables?

— On n'en sait rien! Mais ça annonce la fin de notre conquête, je le sens.

— Notre fin à nous, plutôt!

Rhita Gawr était prêt à s'arracher les cheveux.

— Ne dites pas n'importe quoi, imbéciles! Si ces enfants ont des pouvoirs, ils ne sont rien comparés aux miens!

Au même moment, Lleu a viré avec ses compagnons en direction de la colline voisine. Sous les yeux de la foule ébahie, ils se sont posés avec grâce les uns après les autres, atterrissant aussi doucement que des graines portées par le vent, et pourtant ils n'avaient pas d'ailes ni quoi que ce soit pour les soutenir. Les murmures inquiets des guerriers gobelins se sont amplifiés.

Lleu a tendu les mains des deux côtés. Medba en a pris une, et un grand garçon maigre chaussé de sandales en cuir a pris l'autre. Rapidement, les autres enfants se sont donné la main et ont formé une longue ligne. Puis, comme un seul homme, ils ont commencé à descendre en avançant vers notre colline.

En les voyant approcher, les guerriers sont devenus de plus en plus nerveux. Ils ne comprenaient rien à ce qui se passait : que venaient faire là ces étranges combattants qui s'avançaient hardiment au milieu d'eux, sans aucune arme ?

Chacun y allait de son commentaire :

— Regardez, ils n'ont pas d'armes ! a dit l'un.

— La magie leur suffit, a répondu un autre.

— Ne sois pas stupide, ils doivent avoir des armes ! Cachées, comme leurs ailes, je parie.

— Et assez puissantes pour... Bon, moi, je n'attends pas pour le savoir !

Seuls ou par petits groupes, les guerriers gobelins ont commencé à battre en retraite. Plusieurs ont laissé tomber leurs épées et sont remontés en vitesse vers le cercle de pierres, pour plonger dans le tunnel vers l'Autre Monde. D'autres ont suivi, et encore d'autres, sans tenir compte des ordres furieux de Rhita Gawr qui leur criait de rester et de se battre. Ragaillardis, les Fincayriens de toutes sortes — nains, géants, quadrupèdes, bipèdes, lumilules et goules des marais — se sont mis à poursuivre les esprits. En quelques minutes, l'invasion s'était transformée en déroute.

Au milieu du chaos, Rhita Gawr parcourait le cercle en tous sens, en tempêtant contre ses troupes.

— Revenez, espèces de poltrons ! Imbéciles pestiférés ! Vous entendez ? Comment osez-vous battre en retraite avant que j'en aie donné l'ordre ? Restez ici et battez-vous, bande de lâches, de timorés, d'abrutis !

Pendant plusieurs minutes, il n'a cessé de jurer d'une voix pleine de venin, crachant ses ordres, lançant des éclairs qui explosaient sur les pierres dans un jaillissement de flammes. Si par malheur un de ses guerriers se trouvait sur son chemin, il le bourrait de coups sans pitié et le menaçait de tortures éternelles s'il n'obéissait pas. Malgré cela, les rangs de ses déserteurs grossissaient ; ils se jetaient dans le tunnel par vagues successives. Ses soldats finissaient même par se battre entre eux pour passer les premiers.

Enfin, le seigneur de la guerre vaincu s'est retrouvé seul devant le trou béant qu'il avait ouvert entre les deux mondes. Les cheveux en bataille, la tunique couverte de suie et de sang, il contemplait la scène, atterré. Sa silhouette éclairée par la lune se détachait contre le trou noir derrière lui.

Quand il m'a aperçu de l'autre côté du cercle, il a serré les poings et les a brandis d'un geste menaçant.

— Enchanteur de malheur! C'est toi qui as fait ça!

Il a levé sa main déjà incandescente et l'a pointée vers moi. L'air autour de son index a crépité et j'ai compris qu'il allait me lancer un éclair.

À cet instant précis, six ou sept guerriers gobelins poursuivis par des goules hurlantes l'ont heurté de plein fouet. L'éclair est parti vers le ciel, illuminant les collines. Comme une vague, les guerriers en fuite ont emporté Rhita Gawr dans leur précipitation et, indifférents aux cris de leur chef, ils ont plongé dans le tunnel.

Juste avant que Rhita Gawr n'atteigne le trou, Fléau a fondu sur lui et lui a donné un violent coup de bec sur le front. Le cri de colère du seigneur de la guerre a résonné dans l'air et pris fin d'un seul coup alors qu'il disparaissait dans le trou noir avec les autres.

Fléau a viré et volé vers moi. Il a tourné une fois, assez près de ma tête pour frôler mon oreille du bout de son aile. Elle m'a paru encore plus douce que la précieuse plume dans ma sacoche. Il a poussé un sifflement de triomphe et mon cœur a bondi de joie. Puis il a fait un dernier tour avant de filer dans le trou, qui s'est aussitôt refermé sans laisser de traces.

Hallia est venue près de moi, a glissé son bras autour de ma taille, et j'ai passé le mien autour de ses épaules. Nous avons observé la lune qui descendait et le ciel à l'est qui s'éclaircissait. Une pâle bande rose entremêlée de lignes bleu azur est apparue à l'horizon. Sur la colline, un courlis a lancé ses premières notes matinales. Un peu plus loin, un compagnon lui a répondu. La nuit la plus longue de Fincayra était terminée.

Quelque part sur les hauteurs, un cor lointain s'est joint au chant des courlis. Ses notes graves et gracieuses qui montaient dans l'air du matin se sont mêlées au son des harpes pour célébrer le lever du jour. Une flûte a gazouillé, puis une autre, en même temps que d'autres oiseaux chanteurs. Tous ont rejoint le chœur qui résonnait dans toutes les collines.

Je me suis rappelé alors les paroles de la ballade prophétique de Finn :

> *Si une terre oubliée*
> *Revient à ses rives,*

Et les anciens ennemis
S'unissent à nouveau,
Les cieux à l'unisson
De chants résonneront,
L'harmonie rétablie ;
Les ailes retrouvées.

Hallia et moi nous sommes serrés très fort l'un contre l'autre. Nous avions enfin un moment à nous, et rien ne pouvait nous en priver.

❧ XXXIV ❧
La réunion

L es jours suivants, les Fincayriens ont établi leur camp au cercle de pierres. Avant de célébrer la victoire, ils devaient s'atteler à de multiples tâches qui n'avaient rien de réjouissant : enterrer les morts, rechercher les disparus, soigner les blessés — et pleurer ceux qui, comme Cairpré, avaient perdu la vie dans la bataille.

On sentait pourtant dans l'air hivernal quelque chose de plus puissant que le chagrin. Les collines environnantes ne résonnaient plus de la musique céleste, mais d'une mélodie inédite : le bruit des créatures d'espèces différentes travaillant de concert. Même si les nains observaient toujours les humains d'un œil méfiant, et si les renards lorgnaient les moineaux avec envie, des changements étonnants s'étaient produits. Le fait d'avoir marché ensemble jusqu'à la colline et participé au même combat avait effacé beaucoup d'anciennes peurs et de vieilles rancunes. À présent, l'air vibrait d'un chœur coopératif de cris en tous genres — grognements, hennissements, braiments, sifflements, pépiements, hululements, bourdonnements — auxquels se mêlait de temps à autre un langage plus articulé.

Pour se réchauffer, les femmes et les hommes préparaient des feux avec les branches laissées par les arbres, ramassées par les enfants, puis débitées par les nains à la hache. Les loutres, les taupes et les ours creusaient les tombes, tandis que les guérisseurs, éclairés par les lumilules, s'occupaient des blessés jusque tard dans la nuit. Les chevaux, les chèvres et les ânes portaient du bois ou des blocs de glace qu'on faisait fondre pour avoir de l'eau. Les géants allaient chercher du ravitaillement sur la côte (sauf Shim qui, couché entre deux collines, a dormi pendant deux jours) et revenaient avec d'énormes filets d'algues tressées remplis de poissons, de palourdes, de moules et de roseaux fruités de couleur pourpre.

Gwynnia se chargeait de faire griller le poisson en soufflant son feu dessus; les aigles ramassaient du cresson et de l'herbe de mer dans les ruisseaux du sud, ainsi que d'énormes quantités de collybies à pied velouté, de betteraves et de noix; les abeilles apportaient des morceaux de rayons de miel à ceux qui en voulaient; et la Grande Élusa fouillait les collines environnantes à la recherche de guerriers gobelins mortels — donc mangeables — qui auraient survécu. Pendant ce temps, pour distraire la compagnie, les centaures dansaient en groupes, les elfes et les nymphes faisaient des acrobaties, les courlis organisaient des concours de sifflements, les alouettes et les rossignols chantaient à tue-tête.

Quelques rares défenseurs de Fincayra se sont éclipsés assez vite. Les licornes solitaires n'ont pas supporté la foule qui allait et venait dans le cercle et ont filé vers les coins les plus reculés de l'île. Le premier jour après la bataille, les goules des marais sont également parties, silencieusement, comme elles étaient venues. Mais avant de disparaître, elles ont eu droit aux retentissantes acclamations de leurs camarades fincayriens.

Mon ombre en a profité pour me quitter. Elle est partie se mettre contre une des plus grosses pierres et faire des révérences à n'en plus finir. Elle a continué ainsi tant que les acclamations continuaient. J'étais partagé entre l'envie de rire et celle de rentrer sous terre.

Quand elle est revenue vers moi en se pavanant, je l'ai grondée :

— Tu sais, tu ne mérites vraiment pas cette semaine de congé que je t'ai promise.

Stupéfaite, elle m'a regardé, les mains sur les hanches. Elle commençait à trembler de colère.

— Non, ai-je enchaîné, tu mérites deux semaines de congé.

Le tremblement a cessé aussitôt. L'ombre a fait une grande révérence, une seule, cette fois, mais presque jusqu'à terre.

À ce moment-là, j'ai senti un tourbillon d'air sur mon visage et un doux parfum de cannelle.

— Aylah, ai-je dit, plein de gratitude, c'est grâce à toi que nous avons réussi.

— Non, pas moi, a-t-elle murmuré, mais ceux que je portais.

— Oui… et maintenant, tu t'en vas?

— Le vent doit voler, Emrys Merlin, car j'ai de nouveaux mondes à explorer. Comme toi, Emrys Merlin, comme toi.

— Maintenant que mon pays est sauvé, je ne veux aller nulle part ailleurs.

L'odeur de cannelle s'est amplifiée.

— Ton véritable pays n'est peut-être pas celui que tu crois, Emrys Merlin, ahhh oui. De même que ni Emrys ni Merlin ne sont tes noms véritables.

Je me suis rappelé alors la promesse que Dagda avait faite bien longtemps auparavant de me révéler un jour mon nom véritable… le nom de mon âme. Le nom, m'avait-il dit, qu'il pouvait donner seulement le jour où il était vraiment mérité. En même temps, je me suis rappelé une autre de ses promesses, beaucoup moins réjouissante : à savoir qu'un jour, je devrais retourner à Britannia sur la Terre des mortels, au pays du jeune roi dont je serais le mentor, le pays de mon destin.

J'ai pensé à ce monde que j'avais vu si souvent en rêve : la grotte étincelante de cristaux qui deviendrait la mienne ; le garçon nommé Arthur, aux yeux brillants et aux grands idéaux ; la société pleine de tragédies et aussi d'espoirs, où je pourrais laisser une empreinte durable. Ce monde m'attirait par bien des côtés, mais une chose m'inquiétait : je ne voyais jamais Hallia dans ces rêves. Rien, sauf une mèche de cheveux auburn.

— Je ne veux pas partir, ai-je répété. Du moins pas avant très longtemps.

— Soit, Emrys Merlin, a répondu la douce voix qui m'entourait. Mais quand le moment viendra de décider, écoute ton vent le plus secret. Ahhh oui, et suis-le, où qu'il t'emmène.

Sur ce, elle s'est envolée.

Je suis resté là, au centre du cercle grouillant de monde, à songer à ses paroles. Distraitement, j'ai regardé Lleu et d'autres enfants qui jouaient à se laisser glisser du haut du pied d'un géant. J'étais tellement plongé dans mes pensées que j'entendais à peine leurs éclats de rire.

Quelqu'un m'a touché la main. Avant même de me retourner, j'ai su que c'était Hallia. Ma main s'est refermée sur la sienne, et je lui ai offert un pâle sourire.

— Où étais-tu parti, jeune faucon ? Quelque part loin d'ici ? a-t-elle ajouté après avoir levé le menton pour me scruter.

Perplexe, j'ai secoué la tête.

— Je ne suis pas parti d'ici depuis que tu m'as quitté pour rendre visite à ton clan.

Elle a relâché ma main pour pouvoir caressé ma tempe.

— Je veux dire, là, dans ta tête. Où es-tu allé ?

— Dans le futur… Et certaines choses ne m'ont pas plu.

— Moi aussi, j'y suis allée, a-t-elle murmuré tout en me fixant au plus profond de mon âme de son regard brun.

— Et tu m'y as vu ?

Elle a pris un instant avant de me répondre.

— Seulement dans mes souhaits.

J'ai commencé à enfoncer mon bâton dans la terre.

— Pourquoi en serait-il ainsi ? Ce n'est pas une fatalité.

Elle n'a rien répondu.

Nous avons passé le reste de l'après-midi ensemble à panser les plaies. Un jeune aigle blessé à l'aile a poussé un cri de joie quand je lui ai assuré qu'il revolerait bientôt, et son cri m'a fait penser à Fléau. Je me suis demandé si je reverrais un jour l'œil brillant du faucon.

À ma grande joie, l'ours qui s'était battu si courageusement avait encore en lui une étincelle de vie. J'ai fait de mon mieux pour soigner ses blessures, mais ce n'était pas facile, car dès que je touchais un point sensible, il me donnait une tape sur la tête. Pendant ce temps, Hallia le gavait de poissons. Vu son appétit, il allait sûrement guérir.

Le reste de la journée et les jours suivants, nous n'avons plus reparlé de l'avenir, Hallia et moi. Mais les mêmes doutes ont continué à me hanter, y compris quand j'étais seul avec Rhia. Je l'ai suivie quand elle s'est occupée des arbres. Elle évoluait avec grâce au milieu des sorbiers, des chênes, des cèdres et des pins, caressant leur écorce, démêlant leurs branches, et elle leur parlait à chacun dans sa langue. Toute la journée, avec Scullyrumpus perché sur son épaule, elle m'assaillait de questions sur ce qui s'était passé sur l'Île oubliée et sur les ailes perdues. Je m'efforçais d'y répondre, malgré les observations désagréables de sa bestiole.

Un soir où la lune était voilée et où de sombres nuages couraient dans le ciel, j'ai rejoint ma mère près de la tombe de Cairpré. Ensemble, nous avons chanté quelques-unes de ses chères ballades, et pendant quelques instants, j'ai oublié mes soucis.

Son visage était empreint d'une telle douleur que même ses yeux saphir avaient perdu leur éclat. Pourtant, je ne pouvais rien faire pour l'aider. Ses blessures étaient trop profondes. Aucun cataplasme, aucun baume n'y changeraient rien. Sa seule consolation, semblait-il, était de s'occuper des enfants. Plusieurs d'entre eux lui tenaient compagnie, même près de la tombe.

De temps à autre, en parcourant la colline, je pensais à Dinatius. Il s'était réveillé le matin après la bataille, mais il restait faible et désorienté. Il ne disait rien, mangeait très peu et ses jambes cassées l'empêchaient de marcher. Mais c'était Dinatius, et par conséquent quelqu'un de dangereux. J'ai donc demandé à des nains de fabriquer une chaîne pour lui attacher les bras en remplacement de la corde rouge déjà usée. Brisé, vaincu, il était assis par terre, le dos appuyé contre une pierre dressée.

Quand je le regardais, silencieux et seul au milieu du cercle où tout le monde s'affairait, j'éprouvais malgré moi de la compassion pour lui. Certes, il avait fait tout son possible pour me tuer et presque réussi. Mais, comme moi, il avait souffert pendant des années dans ce misérable village de notre enfance; comme moi, il avait été mutilé dans l'incendie. Et même si je ne pouvais oublier le mal qu'il avait fait aux autres, je n'oubliais pas non plus celui que je lui avais fait.

Durant tout le temps où nous avons séjourné là, un autre phénomène surprenant s'est produit. Et cette fois, cela ne concernait ni les occupants du lieu, ni les imposantes pierres, mais le terrain lui-même, qui se couvrait peu à peu d'une étrange brume.

Je l'ai d'abord remarquée au centre du cercle, lorsqu'elle m'a enveloppé les pieds. Ensuite, elle s'est progressivement épaissie, a envahi puis débordé le cercle, et s'est répandue le long de la pente entre les arbres avant de gagner les collines voisines. Elle se mêlait même aux flammes des feux allumés par les Fincayriens. Pendant quelque temps, je n'y ai pas prêté beaucoup d'attention, pensant qu'elle finirait par disparaître.

Mais elle n'a pas disparu.

Chaque jour, elle est devenue plus envahissante, formant comme une mer intérieure. Je n'y voyais encore qu'une curiosité, jusqu'au moment où je me suis aperçu que, contrairement à la brume ordinaire, elle semblait sortir du sol. Alors, avec un frisson d'horreur, j'ai compris ce que ces vapeurs signifiaient.

J'ai pris Hallia par la main, je l'ai emmenée au bord du cercle et je lui ai montré les collines à l'horizon.

— Hallia, que vois-tu là-bas, au loin ?

Elle a plissé les lèvres, ne voyant pas ce que je voulais savoir.

— Eh bien, des collines. Des quantités de collines.

J'ai hoché la tête d'un air sombre.

— Et quoi d'autre ?

— Où veux-tu en venir, jeune faucon ? Je ne vois que des collines et quelques arbres ici et là.

— Et puis ?

Elle a tapé du pied de frustration.

— Mais rien, voyons ! À moins que ce soit...

— ... la brume, oui. C'est exactement ce que je veux dire. As-tu jamais vu une telle brume, aussi dense et persistante ?

— Hmm, a-t-elle fait en plissant le front. Non, je ne crois pas. Même sur la côte. Le mur de brume est toujours là, proche du rivage, mais elle ne pénètre jamais dans les terres. Ce n'est pas... juste le temps ?

J'ai secoué la tête lentement.

— Non, Hallia. Cette brume vient de l'Autre Monde.

Elle a tressailli et donné un coup de pied à la spirale de brouillard qui s'élevait devant elle.

— Tu veux dire qu'elle monte du passage que Rhita Gawr a ouvert ?

— Exactement. Tu as dû voir comment elle a commencé ici, dans le cercle, avant de se répandre sur la colline et au-delà. Dagda m'a prévenu que des choses terribles pouvaient arriver si Rhita Gawr franchissait la frontière entre les mondes.

J'ai serré sa main.

— Mais attends, est-ce vraiment très grave si un peu de brume du monde des esprits recouvre nos collines ?

J'ai pris une grande inspiration avant de lui expliquer.

— Elle ne recouvre pas seulement la terre. Tu ne le vois donc pas ? Elle est en train de *s'en emparer*.

Elle m'a regardé, bouche bée, alors que des filets de brume s'enroulaient autour de nos doigts.

— J'en suis certain, mon cœur. Je comprends, à présent, pourquoi Dagda a dit que parfois, ce qu'on croit gagné, en fait, est…

— … perdu, a-t-elle achevé d'une voix étranglée.

Atterrés, nous nous sommes assis en silence sur une pierre couchée dont les bords irréguliers semblaient adoucis par la brume qui s'y élevait de chaque côté. Nous étions écrasés par le poids de cette découverte, comme le serait bientôt notre terre bien-aimée par une nouvelle force contre laquelle il était impossible de lutter.

Hallia a tapoté la pierre.

— On dirait qu'elle est déjà à moitié de la brume, a-t-elle déclaré en grattant la surface et écartant du doigt les vapeurs qui s'y accrochaient. Qu'est-ce que cela signifie pour mon peuple, pour nos terres sacrées ? Pour tous ces sentiers cachés, ces clairières, ces prairies que nous avons parcourus toi et moi comme des cerfs ?

— Ils seront noyés dans la brume, ai-je répondu d'un ton morne, ainsi que tout le reste. Fincayra est perdue, je le sens. Tout ce pour quoi nous nous sommes battus, tout ce pour quoi Cairpré et tant d'autres sont morts... tout est perdu, ai-je terminé en chassant de la main quelques doigts brumeux qui s'accrochaient à mon pantalon.

Nous sommes restés longtemps silencieux à regarder la brume s'épaissir. Mes doutes sur l'avenir sont revenus, mais ont pris une nouvelle tournure. Si Fincayra n'existait plus, qu'en serait-il d'Hallia ? De nous ? Peut-être que nous pourrions passer nos vies dans cet Autre Monde qui avalait notre terre. Peut-être le temps était-il vraiment venu d'aller à Britannia, avec Hallia. Ou peut-être...

À ce moment-là, j'ai remarqué qu'un nouveau venu se dirigeait vers nous. Il grimpait la côte d'un pas rapide à travers la brume. Lorsqu'il s'est approché du cercle, un souffle d'air chaud est passé sur nous. En même temps, des oiseaux de toutes sortes sont venus se percher sur les pierres d'où ils pouvaient le voir. D'autres créatures sont entrées à sa suite dans le cercle : des centaures, des nymphes, des papillons, des loups. Même l'ours, avec ses bandages sur tout le corps, a suivi en clopinant, et la pierre vivante, en roulant.

C'était un homme âgé, à la longue chevelure argentée aussi légère que les vapeurs qui s'enroulaient autour de ses chevilles. Il avait un bras qui pendait, inutile, le long de son corps, mais sa démarche assurée lui donnait l'air puissant. Dès qu'il s'est approché, je l'ai reconnu. Oui, avant même d'avoir revu ses yeux bruns pleins de sagesse, de compassion et d'espoir.

— Dagda, ai-je dit, plein de respect, en allant m'agenouiller devant lui.

Il m'a touché l'épaule doucement et m'a dit avec un sourire triste :

— Je suis navré pour la perte que tu as subie.

Je n'ai pas pu trouver les mots pour lui répondre.

Il m'a observé un moment, avant de déclarer d'une voix sonore :

— Toutefois, il ne faut pas toujours se fier aux apparences.

— Je ne comprends pas.

— Tu comprendras plus tard. Lève-toi, maintenant, Merlin. Je t'ai amené quelqu'un qui veut te voir.

Je me suis levé et il s'est baissé pour ramasser une volute de brume. Elle est resté dans sa paume, tournant lentement. Puis il a soufflé dessus, tout doucement. Elle s'est mise à grossir. Un corps rond est apparu, puis des ailes avec des raies brunes barrées d'argent, puis une tête fière aux yeux cerclés de jaune et un bec redoutable. Fléau !

L'oiseau a sifflé, jeté un coup d'œil à Dagda, et il s'est envolé pour venir se percher sur mon épaule. Il s'y est accroché fermement avec ses serres et a sifflé de nouveau.

J'aurais souri si je n'avais pas eu le cœur aussi lourd.

— Merci, ai-je dit à voix basse. Il m'a manqué.

— Tu lui as manqué aussi, a répondu Dagda.

J'ai fait signe à Hallia, ainsi qu'à Rhia de l'autre côté du cercle. Elles savaient mieux que quiconque ce que représentait ce faucon pour moi. Toutes deux se sont agenouillées devant Dagda pour le saluer, comme je l'avais fait, puis ont caressé Fléau. Le faucon s'est dandiné fièrement sur mon épaule, s'arrêtant une fois pour chatouiller le nez de Rhia avec son aile. Scullyrumpus a timidement sorti la tête de sa poche, sans souffler mot, ce qui ne lui ressemblait pas.

Finalement, je me suis tourné vers Dagda.

— Expliquez-moi ce que vous avez voulu dire.

Le vieil homme a baissé les yeux.

— Tu sais, à présent, que le voile entre les mondes est déchiré, que l'équilibre cosmique a changé. Rien ne pourra modifier cela.

Il a écarté les doigts, envoyant des faisceaux de brume autour de nos jambes tels des vagues.

— Maintenant, nos mondes vont se fondre l'un dans l'autre. Ils se rejoignent, comme l'Île oubliée a rejoint Fincayra. Celle-ci ne sera plus ce refuge entre la Terre mortelle et l'Autre Monde immortel.

— Alors, elle a bel et bien été détruite, comme je le pensais, ai-je dit en secouant la tête d'un air lugubre.

Le vieil homme a levé la main.

— Pas détruite, Merlin. Transformée.

J'ai échangé des regards hésitants avec Hallia et Rhia.

— Transformée comment ?

— Regarde attentivement, a ordonné Dagda, montrant les vapeurs qui flottaient au-dessus des pierres et toutes les créatures assemblées. Remarques-tu quelque chose d'autre à propos de cette brume ?

J'ai bien regardé autour de moi et simplement vu que les alentours étaient de plus en plus blancs.

— Non, ai-je avoué.

— Moi, oui, a annoncé Hallia, le visage soudain rayonnant.

Elle a désigné la pierre couchée sur laquelle nous étions assis un peu plus tôt. Elle ressemblait maintenant à un nuage rectangulaire, pas couvert de brume, mais plutôt comme si la brume le constituait.

— Au lieu de noyer notre monde, elle pourrait *devenir* notre monde.

— J'ai compris ! s'est écriée Rhia, en bondissant si vigoureusement que les oreilles de Scullyrumpus ont tapoté son bras.

— Eh bien, moi, non, ai-je dit, agacé.

Dagda a posé la main sur mon épaule, à côté des serres de Fléau.

— Tu vas comprendre grâce au travail que tu as accompli. Car le moment que j'attendais depuis longtemps est arrivé.

∽ XXXV ∾

miracles

Les yeux de Dagda se sont mis à briller comme des étoiles dans un ciel sombre.

— Les Fincayriens se sont unis, a-t-il déclaré assez fort pour se faire entendre de tous.

Aussitôt le cercle s'est trouvé plongé dans un grand silence. Pas un bourdonnement, pas un chant d'oiseau. Même l'ours semblait retenir son souffle.

— Les multiples fils dont est faite Fincayra se sont liés pour former une corde solide, a poursuivi Dagda. Non seulement vous avez lutté ensemble contre un ennemi commun, mais vous avez réussi quelque chose d'encore bien plus difficile : vous avez commencé à vivre en communauté, à partager la nourriture, les travaux et les rêves. Cela ne s'était pas produit depuis très longtemps.

Il s'est interrompu, un petit sourire au coin des lèvres.

— J'ai connu une époque où tout le monde avait droit à son lot de bienfaits, la paix étant le plus précieux. Les hommes et les femmes de ce temps-là, pour leur part, avaient reçu un don particulier.

Rhia, tout près de moi, a retenu son souffle.

D'un ample mouvement du bras, Dagda a dessiné un cercle dans l'air au-dessus de lui.

— Qu'il en soit ainsi de nouveau, a-t-il dit.

Au même instant, Rhia a poussé un cri aussi strident que les sifflements de Fléau, et Hallia a bondi telle une biche étonnée. Toutes les deux ressentaient comme moi d'étranges pulsations au milieu du dos. Ce n'était pas cette vieille douleur lancinante entre les omoplates qui affectait les Fincayriens depuis des générations. C'était au contraire une sensation de joie et d'ivresse, comparable, me semblait-il, à ce que devait éprouver une graine avant d'éclore à la lumière.

Je me suis soudain senti à l'étroit dans mes vêtements. Avant d'avoir compris ce qui se passait, j'ai entendu un bruit de déchirure. De ma tunique et de mon gilet, de la robe de Rhia et de celle d'Hallia, ont brusquement jailli… des ailes !

Des ailes extraordinaires qui brillaient au soleil. Je les ai déployées, refermées, puis rouvertes. Elles n'étaient pas faites de chair, de sang et d'os, mais d'une substance plus subtile, comme l'air, et plus lumineuse, comme la lumière des étoiles.

Fléau s'est envolé avec un sifflement joyeux. Puis, ô miracle, je me suis envolé moi aussi.

À grands coups d'ailes, je me suis élevé au-dessus du cercle de pierres, de plus en plus haut. Le vent qui soufflait sur mon visage aplatissait mes cheveux et faisait couler des larmes le long de mes tempes, tandis que les ailes puissantes battaient au rythme de ma respiration.

Fléau m'a rejoint, m'incitant à grimper si vite que mon souffle avait du mal à suivre. Ensemble, nous avons viré et piqué vers la terre à toute vitesse. Tout sourire, je me suis imaginé avec une longue barbe qui virevoltait derrière moi.

Arrivés au-dessus du cercle, nous avons repris de la hauteur. J'ai alors aperçu mon ombre sur le sol. Elle semblait désemparée, comme si elle attendait que je revienne, même au prix de ses vacances. Mais c'était trop grisant de voler.

— Venez! ai-je crié à Rhia et Hallia.

Elles m'ont suivi, entraînant derrière elles des hommes, des femmes, ma mère et la plupart des enfants. Puis des oiseaux se sont joints à la foule et bientôt le ciel s'est rempli d'aigles, de cormorans, de hiboux et de courlis. Même Gwynnia s'est envolée dans le sillage d'Hallia. En peu de temps, l'air au-dessus de la colline vibrait des battements d'innombrables ailes.

Fléau m'emmenait toujours plus haut dans le ciel. Confiant, je me laissais guider, me lançant avec lui dans des figures acrobatiques, virant, tournant, dessinant des boucles. Ses acrobaties étaient bien plus spectaculaires que les miennes, mais cela m'était égal. Je ne songeais qu'au plaisir de voler à ses côtés.

Emporté par des courants à des hauteurs vertigineuses, j'avais l'impression d'être moi-même fait d'air. Cela me rappelait l'enthousiasme de Rhia lorsqu'elle me parlait de sa propre expérience. Le vol, disait-elle, élève l'esprit en même temps que le corps.

En dessous de moi, je voyais presque toute l'île de Fincayra. Mon sentiment de perte est revenu d'un seul coup, lorsque je me suis aperçu que la brume s'échappant du cercle de pierres avait déjà gagné les Plaines rouillées, et qu'elle atteignait les rivages du Sud et les falaises de l'Ouest. La Druma, Varigal, la cité des géants, les terres les plus au nord, tout était blanc; et le long des côtes, les anciennes brumes de la mer rejoignaient les nouvelles brumes de la terre.

Ce qui m'a étonné, c'est que les paysages de Fincayra étaient toujours aussi variés. Les lignes des collines n'avaient pas changé, les falaises tombaient à pic comme avant, et les forêts se balançaient toujours au rythme du vent. En descendant vers la côte ouest, je distinguais les rochers, les arbres, et même leurs branches. Ils étaient blancs et flous sur les bords, mais ils étaient bien là.

D'un seul coup, j'ai compris le sens des paroles de Dagda. Fincayra s'était transformée, en effet. Mon ancien pays, ce lieu aux couleurs vives et aux saisons magnifiques, avait disparu. Mais une terre nouvelle survivait, imprégnée de brume et liée pour toujours à l'Autre Monde. Maintenant Fincayra était vraiment *autre chose*, un mélange complexe de deux mondes.

Alors que je survolais la côte, j'ai remarqué une colline, boisée et verdoyante jusqu'aux falaises, que la brume n'avait pas recouverte. Par je ne sais quel mystérieux pouvoir, elle semblait repousser le brouillard.

En m'approchant encore, j'ai découvert un autre miracle : en même temps que je l'observais, la forêt s'épaississait ! Les chênes, les sapins, les sorbiers poussaient à une vitesse phénoménale, leurs branches moussues se dressaient vers le ciel, leurs racines s'étendaient, de grosses plantes grimpantes s'enroulaient autour des troncs, tandis que les rameaux se garnissaient de feuilles, de cônes, de fleurs rouges et violettes. Les rives des cours d'eau, éclairées par les rayons du soleil, se couvraient de fougères, de champignons, d'ajoncs en fleurs. Des parfums de résine montaient jusqu'à moi et me chatouillaient les narines.

Tout à coup, j'ai reconnu les contours de cette colline. C'était le promontoire, l'ancienne Île oubliée ! Cette île si dénudée, si dépourvue de verdure quand je l'avais quittée.

Cette fois, je suis descendu rapidement et j'ai plané au-dessus des cimes des plus grands arbres. Et là, j'ai trouvé un rameau de gui enroulé autour d'une branche de sorbier qui brillait dans la lumière.

Aussitôt, j'ai pensé à la graine que j'avais plantée. Cette explosion de vie était l'œuvre de cette graine extraordinaire. Plantée au bon endroit, aucun sol ne pouvait résister à sa magie, aucun hiver ne pouvait étouffer sa vitalité. *La plus précieuse des graines doit enfin trouver sa place*, avait prophétisé Dagda.

J'ai fait le tour du promontoire en regardant mon ombre glisser sur la forêt en dessous. Mais comment cet endroit isolé pouvait-il tenir la brume à l'écart ? Alors que tout autour, la terre continuait de blanchir, cette colline ne cessait de verdir.

Une autre ombre s'est approchée de la mienne. J'ai jeté un coup d'œil par-dessus mon épaule. C'était Rhia ! Elle avait le visage rayonnant, et

Scullyrumpus, dont la tête sortait de sa poche, semblait tout aussi ravi.

Elle est venue se mettre à côté de moi. Nos ailes se sont touchées et, ensemble, nous avons pris notre essor et tournoyé en parfait accord. Des courants nous ont fait monter, puis redescendre au-dessus des terres embrumées, plus à l'est, avant de revenir vers le monticule boisé.

Rhia a viré pour se rapprocher d'un orme et effleurer le feuillage frémissant avec sa main. Elle lui a susurré quelques mots en passant, et l'orme a répondu en agitant ses branches. Je n'ai pas pu m'empêcher de rire : maintenant, ma sœur pouvait parler aux arbres depuis les airs.

J'ai encore volé avec elle un moment, puis un courant m'a soulevé. Comme une bulle remontant du fond de la mer, je flottais sans effort, passant alternativement dans des couches froides et chaudes. Je voyais à nouveau tout Fincayra. Puis j'ai aperçu Hallia au-dessus d'une grappe de nuages.

Je donnais de grands coups d'ailes pour la rejoindre, quand un autre spectacle a attiré mon attention. Un passage s'était ouvert dans la brume au-dessus de la mer à l'ouest. Au loin, au bout de ce chemin d'un bleu lumineux, j'ai aperçu une autre île, partiellement voilée par d'autres vapeurs.

Elle scintillait discrètement, me faisant signe de traverser la mer.

J'avais beau ne pas savoir grand-chose de cette île, je me sentais attiré vers l'ouest. Je connaissais son nom : Britannia. Elle en portait un autre aussi, qui apparaîtrait un jour dans les récits et les chansons : l'île de Gramarye, l'île de Merlin.

L'île de Merlin. Alors que je me répétais ce nom à moi-même, un vent d'ouest s'est mis à souffler en rafales, ébouriffant mes plumes. J'avais une grande envie de me laisser porter par lui et de traverser la mer. Les rafales, de plus en plus fortes, m'ont entraîné au-delà de la côte, et je me suis soudain trouvé au-dessus de l'océan, tandis que Fincayra s'éloignait rapidement. Quand j'ai entrevu Hallia qui plongeait dans un nuage, j'ai fait demi-tour en battant des ailes de toutes mes forces pour la rejoindre.

Enfin, malgré la résistance du vent, j'ai réussi à rebrousser chemin. Tremblant, les ailes lourdes, je suis retourné vers Hallia, vers notre terre, et vers ce que l'avenir nous réservait.

Le choix de Merlin

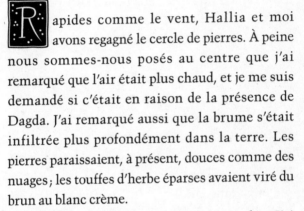 apides comme le vent, Hallia et moi avons regagné le cercle de pierres. À peine nous sommes-nous posés au centre que j'ai remarqué que l'air était plus chaud, et je me suis demandé si c'était en raison de la présence de Dagda. J'ai remarqué aussi que la brume s'était infiltrée plus profondément dans la terre. Les pierres paraissaient, à présent, douces comme des nuages ; les touffes d'herbe éparses avaient viré du brun au blanc crème.

Hallia et moi nous sommes regardés. J'ai perçu une incertitude dans ses yeux, d'autant plus que j'éprouvais le même malaise.

Je repliais mes ailes, lorsqu'un cri perçant a retenti dans les collines. J'ai levé la tête, sachant déjà qui avait appelé. Avec la légèreté d'une plume, Fléau est venu se poser sur mon épaule, me serrant une fois encore de ses serres.

Rhia est arrivée quelques secondes plus tard, le visage encore illuminé par l'ivresse du vol. Scullyrumpus, la fourrure ébouriffée, mais visiblement enchanté de cette expérience, est allé s'enrouler autour de son cou.

Dagda s'est approché, suivi de l'ours, de la pierre vivante, de plusieurs moineaux et d'une famille de ratons laveurs avec cinq petits tout excités. Le vieil homme, les pieds dans la brume, avait l'air de marcher dans l'eau. Il est venu vers nous, le sourire aux lèvres.

— Alors, vous volez, maintenant, a-t-il dit de sa voix grave.

— Oui, ai-je répondu. Et je comprends mieux ce qui est arrivé à notre monde.

— Je sais que vous ressentez davantage ce que Fincayra a perdu que ce qu'elle a gagné. Mais il vous reste maintenant à explorer tout l'Autre Monde. Vous continuerez à habiter vos endroits préférés dans celui-ci. Oui, Hallia, toutes ces pistes et ces prairies que tu connais si bien. Mais vous êtes aussi libres d'en découvrir bien d'autres dans les terres brumeuses d'en dessous.

— Grâce à nos ailes, a fait remarquer Rhia, reconnaissante.

— Très juste, Rhiannon. Grâce à vos ailes, vous pouvez vous aventurer dans l'Autre Monde, même durant votre vie mortelle. Car le passage qui a été ouvert s'ouvrira davantage avec le temps. Les esprits de toutes sortes viendront ici, en marchant, volant ou nageant, comme vous pourrez le faire dans leur monde.

— Alors, le peuple des hommes-cerfs pourra courir à travers ses terres sacrées ? s'est exclamée Hallia.

— Cela ne changera jamais, a répondu Dagda avec un sourire affectueux. Mais désormais, quand vous prendrez la forme d'un homme ou d'une femme, vous pourrez explorer, en volant tels des faucons, les terres qu'il vous reste à découvrir.

Sur mon épaule, Fléau a bombé la poitrine et hérissé ses plumes fièrement.

— Et cet endroit où poussent des quantités d'arbres ? a demandé Rhia. Il n'y avait pas du tout de brume, là-bas.

— Aucune, ai-je renchéri. On aurait cru...

— Quoi ? a dit Dagda, un sourcil levé.

— Eh bien, que tout cet endroit était séparé du reste de Fincayra. Comme lorsque c'était encore l'Île oubliée. Sauf que maintenant il est couvert de verdure.

— Exactement. C'est la magie de ta graine que tu as vue à l'œuvre, Merlin. Plantée à l'endroit de son destin, elle a accompli des miracles.

— Mais comment cette terre repousse-t-elle la brume ? Pourquoi n'a-t-elle pas été engloutie comme tout le reste ?

Il a esquissé un sourire.

— Parce que l'endroit que tu as fait revivre deviendra un monde en lui-même.

— Vous voulez dire une nouvelle Fincayra ?

— En un sens, oui. L'équilibre cosmique a besoin d'un lieu à part, d'un endroit qui ne soit ni tout à fait la Terre, ni tout à fait le ciel, mais quelque chose entre les deux. Un monde qui ressemble à la brume — laquelle n'est pas vraiment de l'air ni de l'eau non plus, mais un peu des deux, et en même temps quelque chose d'autre. Ainsi quand Fincayra aura complètement rejoint le monde des esprits, cette nouvelle terre deviendra un *lieu intermédiaire*.

En entendant la phrase que notre mère utilisait si souvent pour décrire Fincayra, Rhia et moi avons échangé un regard.

— Cette terre, a poursuivi Dagda, qui ne sera plus maudite ni oubliée, aura enfin un nom à elle.

Il a attendu un moment avant de divulguer son nom pour en apprécier les mots.

— Elle s'appellera Avalon et aura un destin non moins merveilleux que la graine qui lui a redonné vie.

Fléau s'est rapproché de ma tête. En sentant ses plumes effleurer ma joue, je me suis rappelé le vent sur mon visage quand je volais avec lui et j'ai retrouvé cet extraordinaire sentiment de liberté.

— À présent, mon fils, a repris Dagda, dis-moi ce que tu as vu d'autre.

J'ai senti ma bouche s'assécher d'un coup.

— J'ai vu une autre terre… une terre qui m'attire. Mais, ai-je aussitôt ajouté en me tournant vers Hallia, je ne peux pas y aller sans elle.

Hallia m'a observé un long moment, qui m'a paru interminable. Enfin, d'une voix étranglée, elle a répondu :

— Et moi, je ne peux pas y aller avec toi, jeune faucon. Ma vie, mon peuple sont ici. Toutes nos histoires, passées et futures, sont ici.

— Viens avec moi, ai-je supplié.

— Reste avec moi, a-t-elle répliqué.

Les secondes passaient et aucun de nous ne parlait. Alors Dagda a fait un pas vers moi.

— C'est à toi de choisir, Merlin. Tu n'es pas obligé de partir. Puisque Fincayra n'existe plus comme un monde en lui-même, l'ancienne loi qui interdit à un fils ou une fille de la Terre de rester ici ne s'applique plus.

J'ai dégluti avant de demander :

— Alors quels sont mes choix ?

Il a parlé lentement, comme si chaque syllabe portait le poids d'un monde.

— Toi, Rhia et Hallia, vous avez chacun trois choix. Hallia a déjà clairement exprimé le sien :

elle reste ici dans l'Autre Monde, qui comprend plus, beaucoup plus qu'on ne l'imagine.

Le faucon sur mon épaule a approuvé d'un sifflement enthousiaste.

— Vous pouvez aller dans le nouveau monde d'Avalon, a poursuivi Dagda. C'est ce qu'ont décidé de faire ta mère, ton ami Lleu, la jeune Cuwenna et plusieurs enfants, Merlin.

— Et moi de même, a déclaré Rhia.

Autour de son cou, Scullyrumpus a approuvé de la tête, ses longues oreilles claquant l'une contre l'autre.

— Enfin, si…, a-t-elle repris.

— Oui, l'a tout de suite rassurée Dagda en riant, tu peux garder tes ailes. Quant à toi, Merlin, tu peux les garder aussi dans les deux premiers choix. Mais pas dans le troisième, puisque tu retournerais à la Terre mortelle, dans le pays appelé Britannia.

J'ai regardé Hallia, qui resterait ici, puis Rhia, qui irait avec ma mère créer une nouvelle société dans les bois d'Avalon. J'ai posé la main sur la poignée de mon épée. La lame magique a tinté doucement dans son fourreau.

Mon cœur battait la chamade. Comment choisir ? Si j'optais pour mon destin, ma vocation, je perdrais les êtres qui m'étaient les plus proches, et aussi mes ailes.

— Réfléchis bien, a conseillé Dagda en dessinant dans l'air les contours d'une aile. Quel que soit le choix que tu fasses, il sera définitif.

Mon regard s'est posé sur le cercle sacré. Perchés sur les pierres les plus hautes, les aigles battaient des ailes ; il y avait ma mère avec Lleu à côté d'elle ; et Dinatius, seul dans son coin, appuyé contre l'une des pierres dressées. Des filets de brume s'enroulaient autour des lames et en adoucissaient les formes. Il avait l'air bien plus triste et aigri que dangereux.

J'écoutais en même temps la respiration de ceux que j'aimais, les battements de mon cœur, le tintement si doux et si clair de mon épée magique ; et ce que je croyais être ce vent secret que, d'après Aylah, je portais en moi.

Lentement, je me suis tourné vers Dagda.

— À présent, je sais ce que je dois faire.

— Alors, quel est donc ton choix ?

En tremblant, j'ai pris une profonde inspiration.

— Je dois suivre mon destin.

Je me suis tourné vers Hallia, dont les yeux s'étaient embrumés.

— C'est ce que je dois faire, mon cœur, je le sais. Et pourtant... je ne suis pas certain d'y arriver.

— Il le faudra, jeune faucon. Il le faudra, a-t-elle dit d'une voix étranglée.

— Le meilleur de moi-même restera toujours ici, avec toi, ai-je affirmé en lui caressant la main.

Elle a hoché la tête et s'est essuyé les yeux.

— Nous serons quand même ensemble.

— Oui, comme le miel sur la feuille.

Elle a secoué ses longs cheveux auburn pour en retirer quelques mèches emmêlées dans ses ailes. Puis, saisissant la poignée de mon épée, elle l'a sortie partiellement de son fourreau. Sur la lame ainsi dénudée, elle a coupé une mèche et l'a mise, imprégnée de ses larmes, dans le creux de ma main.

— Emporte ça dans ton nouveau monde, a-t-elle dit d'une voix douce.

— Elle ne me quittera pas, ai-je répondu.

C'est tout ce que j'ai réussi à dire. Tristement, j'ai rangé la mèche dans ma sacoche, à côté de la plume de Fléau. Puis je me suis tourné vers Dagda.

— J'ai une faveur à vous demander, si vous me le permettez.

— Qu'est-ce que donc, mon fils ?

— À propos de mes ailes. Puisque je vais les perdre...

— Oui ?

— J'aimerais les lui donner, ai-je dit en montrant Dinatius.

Hallia et Rhia en sont restées bouche bée. Fléau m'a pincé l'épaule en émettant un gloussement de protestation. Dagda lui-même a plissé les yeux, intrigué.

— Tu voudrais que je donne tes ailes à un individu qui a servi Rhita Gawr ?

— Il a reçu autant de blessures qu'il en a infligé. Et l'une de ces blessures est venue de moi. Alors en le guérissant, je me guéris aussi moi-même.

Le visage du vieil homme s'est radouci.

— Tu es un véritable enchanteur, mon fils... Mais je ne peux exaucer ton souhait.

— Pourquoi donc ? ai-je protesté.

— Parce que, pour avoir des ailes, il doit les mériter. Cela prendra du temps, surtout dans son cas, si toutefois il y parvient un jour. Mais je vais répondre à ta demande d'une autre manière.

Il s'est baissé et a passé la main à travers le tapis de brume comme s'il y cherchait quelque chose. Après avoir attrapé une fine volute de vapeur, il s'est dirigé lentement vers Dinatius. Celui-ci n'a pas prêté attention à lui. Dagda a lâché la volute sur la tête du jeune homme. La brume s'est abaissée lentement.

— Ceci est un cadeau de Merlin, a-t-il déclaré, tandis que le lambeau de brume s'infiltrait dans le corps du jeune homme.

Soudain, la brume s'est rassemblée autour de Dinatius, le recouvrant tout entier, sauf la tête.

Une expression d'incrédulité est apparue sur son visage. Il s'est secoué, a contemplé son corps enveloppé de vapeurs et, de plus en plus surpris, il s'est rehaussé contre la pierre, jusqu'à ce que sa poitrine émerge du brouillard. Ses chaînes, qui venaient de se briser, sont tombées par terre. Sous ses épaules, au lieu des lames, pendaient deux bras : ses propres bras, faits de sa propre chair.

Abasourdi, il les a remués, il a bandé ses muscles retrouvés, puis, levant les bras en l'air, il les a pliés et a touché ses joues avec ses mains. Il a d'abord regardé Dagda, puis moi, sans articuler un mot, mais ses yeux écarquillés en disaient long.

Le visage éclairé d'un sourire lumineux, Dagda est revenu vers moi et m'a touché l'épaule.

— Allons marcher un peu, jeune enchanteur.

J'ai repris mon bâton et nous avons déambulé côte à côte dans le cercle, laissant des empreintes vaporeuses sur le sol blanchi. Cette fois, aucune créature n'a suivi Dagda, et nous étions seuls — à part, bien sûr, le faucon sur mon épaule. Nous nous sommes dirigés vers le côté ouest du cercle, où deux pierres se dressaient vers le ciel, séparés par une colonne de lumière dorée. Nous nous sommes arrêtés là, le dos chauffé par le soleil de l'après-midi.

Dagda m'a contemplé avec affection.

— Quand je t'ai rendu visite, il y a bien long-temps, au cours d'une de tes visions, je t'ai annoncé que tu devrais affronter ton plus grand ennemi.

J'ai hoché la tête.

— Oui, et il ne s'agissait pas de Rhita Gawr, je le sais maintenant. Vous parliez de ma colère, de mes peurs les plus profondes, celles concer-nant mon père, mon vieil ennemi ou... mon avenir.

— Tu as *sauté* de plus d'une façon, mon fils.

Pensif, il a caressé son bras invalide.

— Et tu vas enfin connaître ton nom véri-table, un nom que tu as mérité et qui te rendra toujours plus fort, même s'il ne sera connu que de quelques personnes de confiance. Car, pour la plu-part des gens, tu seras toujours Merlin. À présent, a-t-il poursuivi après une lente inspiration, je te donne ton véritable nom : *Olo Eopia*. Dans la langue des esprits, cela signifie *homme de beaucoup de mondes, de beaucoup d'époques*. C'est un nom qui ne peut être porté que par un être tel que toi, un homme accompli, à l'image du cosmos.

Ma vision brouillée, je me suis appuyé sur mon bâton, raide.

Olo Eopia, ai-je répété en moi-même. *Beaucoup de mondes, beaucoup d'époques.*

Avec un mélange d'amour et de tristesse, j'ai parcouru des yeux les visages autour de moi : Dagda, dont le regard me réchauffait autant que le soleil de l'après-midi ; Rhia, en conversation avec une pruche près du cercle de pierres, qui ouvrait et fermait ses ailes inconsciemment ; Hallia, qui m'observait avec amour ; Fléau, qui ne me quittait pas des yeux ; ma mère et Lleu, qui se blottissait dans les plis de sa robe, comme je l'avais souvent fait, enfant ; et Shim, endormi au pied de la colline et dont je ne voyais que le bout du nez.

— Jamais de toute ma vie, aussi longue soit-elle, je ne connaîtrai de période aussi merveilleuse que ces années à Fincayra. Je ne saurais même pas comment les décrire, c'est impossible, ai-je dit après avoir poussé un profond soupir. Aussi je n'en parlerai pas. Jamais. Désormais, elles seront toujours pour moi des années oubliées.

Dagda a penché la tête.

— Soit. Mais un jour viendra peut-être où tu changeras d'avis.

J'ai secoué la tête résolument.

— Tu as fait beaucoup, durant toutes ces années, a-t-il repris. Tu as appris à voir sans tes yeux, tu as pris en toi l'esprit de ta sœur, tu as couru avec la grâce d'un cerf et, aujourd'hui, tu as volé *de tes propres ailes*.

Mon ombre, floue sur le sol brumeux, s'est étirée et dressée fièrement de toute sa hauteur.

— Et tu as presque réussi à apprivoiser ton ombre. Presque, mais pas tout à fait.

La forme floue a tremblé, puis repris sa taille normale.

Dagda a fait un signe en direction de l'ouest. Immobile, il observait quelque chose derrière les hautes pierres dressées, au-delà des collines et même du soleil à son déclin. Puis il m'a dit des choses que je n'oublierai jamais :

— Si merveilleuse qu'ait été ta période à Fincayra, de plus grandes merveilles t'attendent encore. Tu t'élèveras à des hauteurs que tu n'aurais jamais pu atteindre avec tes ailes. Tu feras plus de miracles que ta graine magique.

Avec un petit sourire, il a ajouté :

— Et oui, tu auras une longue barbe, telle que tu en as rêvé.

Par instinct, j'ai frotté mon menton.

— Cela, je peux te le dire avec certitude, mon fils. Tu es toi-même la plus précieuse des graines, en route enfin pour ton véritable pays. Et c'est pourquoi il est juste que tu possèdes ceci.

Il a tendu la main. Un éclair de lumière verte a jailli : le Galator ! Le pendentif légendaire était posé dans sa paume, la pierre en son centre brillait avec l'éclat d'une étoile.

— M-mais, ai-je balbutié, il a disparu sous une montagne de lave !

— C'est là que je l'ai trouvé, a-t-il répondu du tac au tac. Tiens, mets-le.

Il m'a passé le cordon de cuir autour du cou, sous le regard de Fléau qui a poussé un sifflement admiratif. Puis il a glissé le pendentif sous ma tunique, pour qu'il soit directement en contact avec ma peau, à l'endroit du cœur.

— Dites-moi, s'il vous plaît, quel est son vrai pouvoir ? ai-je demandé en tâtant la pierre à travers le tissu.

— Il te permet de voir ceux que tu aimes, Merlin, même s'ils sont à des mondes de distance. Ainsi, après ton départ, tu pourras rendre visite à tes plus chers amis grâce à cette pierre.

Je me suis raclé la gorge avant de dire :

— Croyez-vous que je pourrai revenir moi-même dans ce monde ?

Il n'a pas répondu, mais j'ai discerné une curieuse lueur dans ses yeux.

— Viens, maintenant, a-t-il dit, hochant la tête en direction de mes compagnons.

Tandis que nous retournions vers eux, des lambeaux de brume s'enroulaient autour de mes bottes comme pour me retenir. J'ai ralenti le pas ; je n'étais pas prêt pour les adieux.

Hallia m'a ouvert les bras. Nous nous sommes serrés fort l'un contre l'autre en nous berçant mutuellement. Puis, tremblants, nous nous sommes séparés.

J'ai touché le bracelet carbonisé que je lui avais donné à une époque où nous n'avions guère de soucis. Et j'ai dit les paroles d'une vieille devinette que nous avions souvent partagée :

— *D'où vient la musique, en réalité ?*

D'une voix étranglée, elle a murmuré :

— *Est-ce des cordes elles-mêmes ? Ou des mains qui...* Oh, jeune faucon, je ne peux pas.

Je l'ai embrassée tendrement.

— Je serai avec toi, même quand je serai parti.

— Je sais, mon amour. Que les vertes prairies soient avec toi.

Une ombre s'est profilée au-dessus de moi. J'ai levé les yeux et j'ai vu l'énorme nez de Shim.

— Tu t'en vras ? a-t-il demandé, son souffle repoussant la brume à nos pieds. Pour de bron ?

J'ai fait oui de la tête.

— Certainement, tout à frait, absolument ?

— Oui, mon vieil ami.

— Je dis non ! a-t-il tonné, faisant s'envoler des centaines d'oiseaux perchés sur les piliers.

Puis, plus doucement, il a repris, très sérieux :

— Je veux vrenir avec toi.

Je me suis mordillé la lèvre.

— C'est impossible, hélas.

Le géant a haussé un sourcil de la taille d'un arbre.

— Qui veillera sur toi quand tu es plein de frolie ?

J'ai tendu le bras et posé la main à plat sur son nez.

— Toi, Shim. Je te consulterai dans tes rêves.

— C'est vrai ? Tu peux fraire de telles merveilles ?

— Si je ne peux pas, j'apprendrai. Et quand je viendrai te voir, j'apporterai un énorme pot de miel.

Shim m'a offert un grand sourire.

— Tu me manqueras quand même breaucoup, Merlin. Tu es mon premier ami ! Mais… pour que tu puisses me rendre visite plus fracilement, j'essaierai de faire beaucroup de siestes.

Au même moment, j'ai senti que quelqu'un me tripotait les cheveux dans le cou. Je me suis retourné ; c'était Rhia. Je lui ai posé la main sur l'épaule — tout en faisant attention à la créature enroulée dans son coup — et je l'ai regardée, m'imprégnant de son image.

— Ça va me manquer de ne plus voler avec toi, petite sœur.

— Et moi, de ne plus atterrir sur toi, a-t-elle répondu, une lueur malicieuse dans les yeux.

Alors que nous nous serrions dans les bras l'un de l'autre, ma main a effleuré le bord de son aile. Le souvenir de ses premiers essais de vol m'est revenu en mémoire.

— Fini pour toi, les ailes en feuilles et bouts de bois, lui ai-je fait remarquer.

— Oui, a-t-elle répondu en riant. Tu viendras nous voir à Avalon, hein ?

Et avec un sourire malicieux, elle a ajouté :

— Il y a plein de branches là-bas pour se balancer...

Cette fois, c'est moi qui ai ri.

— Non, non. Pas ça, s'il te plaît.

Plus sérieusement, elle a repris :

— Dis-moi que tu viendras, Merlin. Tu me manqueras.

— J'essaierai. De toutes mes forces.

Quelqu'un a tiré sur ma tunique. Avant même de me retourner, je savais que c'était Lleu. Ma mère était là aussi. Elle semblait épuisée et beaucoup plus âgée que d'habitude.

Le jeune garçon m'a regardé, le visage vers le haut.

— Ne partez pas, maître Merlin.

— Il le faut, Lleu, ai-je répondu. Tu as mérité ces ailes, mon ami, ai-je ajouté en lui ébouriffant les cheveux. Profites-en bien.

— Je s'rais bien plus content si vous restiez, a-t-il dit en fronçant les sourcils.

Tout en serrant les lèvres, je me suis tourné vers Elen. Elle ne disait rien, mais son chagrin était visible. Alors, d'une voix douce, je lui ai rappelé un vieux souvenir :

— Tu te souviens quand je t'ai quittée, il y a des années, pour trouver le chemin qui m'a conduit jusqu'ici ? Au moment du départ, tu m'as dit que chaque oiseau…

— … doit prendre son envol un jour. Oui, c'est vrai, a-t-elle admis. Tous les oiseaux doivent voler. Et toi, mon cher enchanteur, a-t-elle ajouté, à la fois émue et fière, tu voleras de plus de façons que je ne peux l'imaginer.

À ce moment-là, les plumes du faucon m'ont frôlé l'oreille.

— Fléau, je ne sais pas comment je pourrai jamais te dire au revoir…

Il a claqué du bec et lancé un sifflement lourd de reproche, puis il s'est mis à aller et venir sur mon épaule, me pinçant avec ses serres. Enfin, il s'est calmé. Il a déplié une aile et l'a poussée doucement contre mon cou.

J'ai levé la main pour la caresser. Puis, avec un dernier sifflement, il s'est envolé pour aller se poser sur l'épaule de Dagda.

— L'heure est venue, ai-je dit au grand esprit.

— Oui, Merlin, il est l'heure.

Dagda a levé la main, dessinant une petite spirale dans l'air et, aussitôt, mes ailes chatoyantes ont disparu. Un torrent de lumière blanche a inondé le cercle de pierres. Tout à coup, je me suis trouvé en train de voler au-dessus de la brume, des collines et de la mer ensoleillée, avec des ailes invisibles.

C'est à ce moment-là que je suis entré dans un autre monde, rejoignant le destin qui m'avait été annoncé.

ÉPILOGUE

Voilà, vous la connaissez, l'histoire que j'ai portée en moi toutes ces années… l'histoire d'une vie qui a traversé beaucoup de mondes, beaucoup d'époques.

C'était il y a très longtemps, et pourtant ce temps-là me semble aussi proche que le chant du courlis ce matin. Toute sa beauté, sa tristesse, ses moments de désir et d'espoir, restent aussi lumineux que les murs de cristal de ma demeure. Comme ils me manquent encore aujourd'hui, ce pays et ces chers visages !

Une histoire, à l'égal d'une plume, devrait être libre, pouvoir flotter au gré du vent. C'est pour cela, en vérité, que j'ai finalement décidé de partager celle-ci. Puisse-t-elle voyager loin, même si ce n'est qu'une minuscule plume sur les vents éternels du temps.

Olo Eopia

∾

T. A. BARRON

T. A. Barron a grandi dans un ranch du Colorado, aux États-Unis.

Dans une première vie, il a beaucoup voyagé à travers le monde. Il a voulu se mettre à l'écriture, mais n'a pas réussi à trouver d'éditeur pour son premier roman. Il s'est donc tourné vers le monde des affaires, où il a évolué avec succès… jusqu'en 1989, quand il a annoncé à ses associés qu'il retournait dans le Colorado pour devenir écrivain et s'engager dans la protection de l'environnement.

Depuis ce jour, T. A. Barron a écrit plus d'une vingtaine de livres, des romans pour petits et grands ainsi que des livres autour de sa passion, la nature. Il a remporté plusieurs prix, et l'American Library Association ainsi que l'International Reading Association l'ont distingué à diverses reprises.

En 2000, il a créé un prix récompensant chaque année vingt-cinq jeunes gens pour leur implication sociale ou environnementale : le

Gloria Barron Prize for Young Heroes. T. A. Barron poursuit ainsi sur de nombreux fronts son travail pour la préservation de l'environnement. Il a notamment contribué à la création du Princeton Environmental Institute de l'université de Princeton, et ses diverses actions ont été récompensées par The Wilderness Society.

Ses passe-temps favoris sont la randonnée, le camping et le ski, qu'il pratique en famille à chaque fois qu'il en a l'occasion.

Retrouvez-le sur son site (en anglais) :
www.tabarron.com

PLONGEZ DANS UN NOUVEAU CYCLE !

∾ LE DRAGON DE MERLIN ∾

LE DRAGON D'AVALON

Après la disparition de Fincayra, Merlin doit affronter de nouveaux dangers en déjouant les plans maléfiques de Rhita Gawr. Dans sa quête, il recevra l'aide d'une créature mi-lézard, mi-chauve-souris, aux pouvoirs surprenants…